BIBLIOTECA ROMANICA HISPANICA

DIRIGIDA POR DÁMASO ALONSO

II. ESTUDIOS Y ENSAYOS

JOAQUIN CASALDUERO

VIDA Y OBRA DE GALDOS

(1843-1920)

SEGUNDA EDICION AMPLIADA

BIBLIOTECA ROMANICA HISPANICA

EDITORIAL GREDOS

MADRID

N.º Rgtr.º 2166-51

Depósito legal: M. 12125-1961

Gráficas Cóndor. — Aviador Lindbergh, 5. — Madrid-2   1418-61

Este estudio se propone mostrar la unidad interior de la obra galdosiana y el desarrollo orgánico del mundo de Galdós, que va de la Historia a la Mitología, de la Materia al Espíritu, de España a la Humanidad. Desarrollo que no es una evolución, sino una formación, un depurado crecimiento, en el cual cada etapa creadora no anula la anterior: la incorpora a una realización necesaria de su mundo.

Dickens, Balzac, Zola, y especialmente Cervantes, forman el fondo sobre el cual se destaca la obra de Galdós. Cervantes, además de transmitirle la forma irónica para captar un personaje y plantearse un problema o concebir un conflicto, le guía en el estudio del complejo de la cristalización de la cultura española.

Galdós se forma un concepto de la historia y de la vida, primero con las ideas de Comte y Taine, después con las de Hegel y Schopenhauer.

En este trabajo no se encontrará ni un análisis de las obras de Galdós ni un estudio de los temas que constituyen el mundo galdosiano. Obras y temas se han tenido en cuenta en tanto que nos mostraban el significado de la Obra y sólo en el grado que ayudaban a ello.

* * *

Me han ayudado a preparar esta nueva edición las Señoras Flor Urrutia de Menéndez, y Sacha Casalduero junto con los Señores Angel Del Río y Charles A. Mc Bride, a quienes me complazco en dar las gracias.

J. C.

New York, 1961.

CAPITULO I

VIDA DE GALDOS

VIDA DE GALDOS

El 10 de mayo de 1843 nacía Galdós en Las Palmas de Gran Canaria, ciudad en que debía pasar su infancia y cursar sus estudios del Bachillerato.

Su abuelo materno, don Domingo Galdós, natural de Azpeitia (Guipúzcoa), había ido a las Canarias a desempeñar el cargo de secretario de la Inquisición. Su tío, don Domingo Pérez, era sacerdote. Don Sebastián Pérez, su padre, hizo la guerra de la Independencia en el batallón de granaderos canarios, del cual era capellán su hermano Domingo. Al nacer su último hijo, Benito, era ya teniente coronel, y poseía regular hacienda.

En ese medio familiar adquirió Galdós el respeto que siempre tuvo hacia los sacerdotes y el cariño por los militares; uno de sus hermanos llegó a ser capitán general de las Islas Canarias.

Como el menor de los hijos, gozó del cariño de toda la casa: hermanas, hermanos, criados y, especialmente, de su madre, doña María Dolores Galdós.

De naturaleza endeble, se ganaba la simpatía de todos los que se fijaban en él, pero podía pasar fácilmente inadvertido. Silencioso, sumiso, tímido y retraído, estaba horas enteras con unas tijeras haciendo figuras de papel, hasta que un día le salió la obra maestra:

el novio de su criada Teresa. Teresa le llevaba de paseo y le acompañaba a la escuela donde aprendió a leer.

La niñez transcurrió deliciosamente monótona; para que nada hubiera de extraordinario, ni tan siquiera enfermó.

A los trece años empezó a estudiar el Bachillerato —curso 1857-58— y comenzó su formación intelectual: estudio de lenguas: latín, francés, inglés; literatura antigua, española y extranjera; historia, dibujo y pintura, música y ciencias.

Años de trabajo incesante, en los cuales comenzó la tarea que debía continuar sin interrupción toda su vida. Mientras aguzaba su mirada de observador con el dibujo y la pintura, aplicado, más que al estudio de las formas, al carácter de las personas, aprendiendo pronto a mirar a la Humanidad con ojos piadosos, se asimilaba con rapidez cuanto leía, pues estaba dotado de gran memoria.

"Desde la infancia se había distinguido por su precocidad. Era un niño de esos que son la admiración del pueblo en que nacieron, del cura, del médico y del boticario. A los cuatro años sabía leer, a los seis hacía prosa, a los siete, verso; a los diez entendía a Calderón, Balzac, Víctor Hugo, Schiller, y conocía los nombres de infinitas celebridades. A los doce había leído más que muchos que a los cincuenta pasan por eruditos. Su feliz retentiva le había familiarizado con la historia de los libros de texto. A los catorce abriles, varones graves del país le consultaban sobre materias de historia, mitología y lenguaje. Era general allí la creencia de que el Toboso, ya tan célebre en el mundo por su imaginario personaje, lo iba a ser por uno de carne y hueso. Destináronle a estudiar leyes. Los amigos de su papá decían: Este, que empieza por literato y poeta, acabará, como todos, por orador político y ministro de cuenta. El Toboso tendrá, por fin, su prohombre." En lugar del Toboso leamos Las Palmas y tendremos una idea exacta de lo que Galdós pensaba de su infancia y de su juventud.

Esta página se encuentra en *El Doctor Centeno*, y se refiere a Alejandro Miquis, pero apenas si el medio poético da a las líneas una vibración mayor que la que tienen en la realidad. Sus trabajos juveniles muestran, por los autores que cita o cuya manera refleja —Cervantes, Vélez de Guevara, Quevedo, los costumbristas y los románticos, Dumas, Soulié, Víctor Hugo—, un conocimiento extenso de la literatura española y también de la extranjera. Aparecen en ellos los nombres de Cicerón, San Agustín, Buffon, y figuras de la cultura antigua, como Prometeo, Agamenón, etc. Lo mismo acontece con un álbum de dibujos que se conserva en el Museo de Las Palmas.

Escribió obras en prosa y en verso, algún drama; en una exposición presentó dibujos y una pintura; publicó en varios periódicos de Las Palmas. Su nombre era ya conocido cuando su familia determinó que fuera a estudiar la carrera de Derecho a la Universidad de Madrid.

VIAJE A MADRID

Salía de Las Palmas con grandes esperanzas y al mismo tiempo triste por tener que separarse de su familia y de la ciudad que guardaba todos los recuerdos de su infancia. Es difícil despedirse, y para quien está acostumbrado a no hacer públicos sus sentimientos, por respeto a sí mismo y por natural tendencia al humorismo, la despedida es siempre desagradable. Pero no había más remedio, y ahí, en el puerto, al tomar la lancha que iba a conducirle al *Almogávar,* Galdós se ofrece en espectáculo. Quizá no lo notó nadie; esto no impide que el joven bachiller se sintiera molesto.

Hizo la travesía de varios días con uno de sus profesores, que marchaba a Sevilla. Llegaron a Cádiz al amanecer: "el sol inundaba de luz aquella magnífica rada; un ligero matiz de púrpura teñía la superficie de las aguas hacia Oriente, y la cadena de colinas y lejanos montes que limitan el horizonte hacia la parte del puerto permanecían aún encendidas por el fuego de la pasada aurora; el cielo, limpio apenas, tenía algunas nubes rojas y doradas por Levante; el mar estaba tranquilo...". Esta descripción se encuentra en *Trafalgar,* y quizá es un recuerdo de su primer contacto con la Península. Visitó Cádiz, y después, en tren, se trasladó a Sevilla, donde permaneció tres días; de aquí fue a Córdoba; luego emprende el viaje a Madrid, primero, en diligencia, hasta Alcázar de San Juan, y luego, en ferrocarril, hacia la Corte.

AÑOS UNIVERSITARIOS. VIDA DISPERSA Y DESORDENADA

Se fue a vivir con otro canario, León y Castillo, a una casa de huéspedes situada en la calle de las Fuentes, número 3. "¡Quién estuviera en Canarias!" Esto es lo primero que piensa y siente el joven estudiante al verse separado de los suyos, buscando continuamente la compañía de otros isleños que vivían ya en la capital.

En Las Palmas había pasado su tiempo soñando con Castilla: siglos y siglos de Historia, tierra donde las razas chocan violentamente y después conviven entrelazando su espíritu creador. El Siglo de Oro, con su conquista de imperios ultramarinos, su dominio en Europa, su creación de la novela y el teatro, Velázquez. Toda esa vida maravillosa de hazañas y prodigios la había vivido aún su padre, quien le contaría más de una vez sus triunfos nada menos que sobre las banderas imperiales. Si la palabra del padre no le bastaba, iría a saciar su curiosidad en las *Memorias* que había escrito su tío, y que, manuscritas, conservó, en parte, toda su vida. Luego las luchas políticas, la guerra civil, que no por apagadas que llegaran a Las Palmas excitarían menos su imaginación juvenil.

Ahora se encontraba en el centro de todo esto y un poco desorientado. Sus deseos son observarlo todo, enterarse y comprenderlo. La primera impresión que recibe es la de la lengua; ya en Andalucía debió asombrarse, pero en Madrid le sorprende "el vago silbar de las eses que se destacan sobre la pronunciación castellana como la espuma sobre las olas", sonido que hirió el fino oído extranjero y musical de Galdós, y de cuya rareza conservó el recuerdo por mucho tiempo, pues esta observación la hace en *Gloria*.

Galdós llegó a Madrid a los diecinueve años —se matriculó en el curso 1862-63. El Madrid isabelino, agradable, atractivo, simpático, de vida fácil, donde, aunque sea inexplicable, se podía vivir sin trabajar, producía una primera, superficial pero real, impresión de vida desaprensiva y libre. El sentido de la responsabilidad y el deber era desconocido. Física y espiritualmente, todavía era la ciudad de Mesonero Romanos y Larra; sin embargo, la década del 60 al 70 es época de una honda transformación.

El año en que nació Galdós, 1843, es uno de los más importantes en la historia de la cultura española. Causa profunda emoción ver lo ajeno que está el hombre cuando el destino le escoge como instrumento. En 1559 Felipe II prohibió, bajo pena de muerte, a todo español estudiar en el extranjero, con excepción de Bolonia, Roma, Nápoles y Coímbra; en 1843 el ministro Gómez de la Serna pensionaba a Julián Sanz del Río para que fuera a estudiar a Alemania, a Heidelberg; así queda cerrado y terminado el período abierto en 1559. Felipe II consiguió lo que se había propuesto: segregar a España de la hereje Europa. Con Sanz del Río comienza el movimiento contrario: incorporar de nuevo a España al resto de Europa. Sanz del Río, con su enseñanza y su ejemplo, da lugar a la renovación intelectual y moral del país.

En la segunda mitad del siglo XVIII hubo en España un resurgimiento ideológico indudable, pero cuando debía dar sus frutos estalla la Revolución Francesa, luego las guerras napoleónicas, Fernando VII —una de las peores calamidades que tuvo que padecer España— y, por último, la primera guerra civil. Esto nos explica la atonía espiritual de España durante los primeros cincuenta años del siglo XIX. Pero, además, Sanz del Río no era un individuo que por los azares del viaje entraba en relación con tal o cual personaje, sino que era un miembro de la Universidad con un propósito definido: el estudio de la historia de la filosofía. Al volver de Heidelberg sorprende a todos sus colegas con un hecho insólito: renunció a la cátedra por no considerarse suficientemente preparado para desempeñarla, y sólo nueve años más tarde, en 1854, pensó poder reanudar sus tareas educadoras. Con él y su círculo comienza la curiosidad intelectual cada vez creciente de los españoles. Fue todavía mucho más valioso que ese vivaz deseo de conocimientos la integridad intelectual que le acompañaba. El español había perdido por completo la sensibilidad moral con respecto a la vida del pensamiento y a toda función pública. Sanz del Río inculcó ese ideal del respeto a sí mismo y, por tanto, a los otros, juntamente con el cumplimiento del deber. Nada tiene de extraño que los tres hombres que figuraron al frente de la primera República —Pi y Margall, Salmerón y Castelar— dejaran el recuerdo de una vida honesta y ejemplar. Pero antes de llegar a la República —1873-74— es necesario citar otra de las grandes perso-

nalidades del siglo XIX, don Francisco Giner de los Ríos, porque el
destino ha querido que llegara a Madrid, con una diferencia de meses, en el mismo año que venía Galdós, en 1863. Francia había influido
en las artes y en la política; con Sanz del Río el pensamiento alemán
entró en circulación; don Francisco Giner debía cerrar el triángulo
con su amor hacia Inglaterra: sistema social y pedagogía. No sabemos si Galdós conoció personalmente a Sanz del Río; conoció a don
Francisco, quien personalmente y por medio de los ideales de la Institución Libre de Enseñanza influyó en más de una ocasión y en más
de una dirección en el novelista.

La Universidad no dejó huella en el escritor, aunque continuara
con gusto sus estudios de latín y de historia, a cuyos profesores, Ca-
mús y Fernando de Castro, profesó siempre gran cariño. Sus años es-
tudiantiles fueron decisivos para su formación gracias a la vida ex-
trauniversitaria. A los siete meses de estar en la ciudad se trasladó a
una casa de huéspedes del número 9 de la calle del Olivo. Como no
sentía vocación por los estudios de derecho, cursaba las asignaturas
de mala gana y con bastante irregularidad. Paseaba por Madrid, hacía
vida de diversiones, de café. Uno de los que más frecuentaba era el
Café Universal; pasaba "largos ratos de conversación perezosa en
aquella parte interior del Universal que formaba un martillo con salida al portal de la casa, departamento en que se reunían los canarios,
servidos por Pepe *el Malagueño*. Era una tertulia de las más amenas
de Madrid, compuesta de estudiantes de derecho, de medicina y de
caminos, y reforzada por personas curtidas de marrullería y experiencia" (*España trágica*). En la tertulia se cambiaban ideas, e improvisa-
ban teorías, se hablaba y discutía, con todas las ventajas y los numerosos inconvenientes de ese ambiente de la cultura oral. También se
perdía el tiempo y se hacían amistades que debían durar toda la vida.
La tertulia era un magnífico puesto de observación de la sociedad,
que luego cambiaría por el Parlamento.

Asistía a los teatros, especialmente en noche de estreno, y no perdía una ópera. Era asiduo concurrente del Ateneo, la institución de
cultura más importante que ha tenido España hasta tiempos recientes. Solía ir por las tardes y por las noches para trabajar en la biblioteca y conversar con los hombres ilustres que allí se encontraban. Se
agregaba a una tertulia formada por varios cubanos, adonde también

iban Labra y Giner de los Ríos. Al lado de la biblioteca y los salones, lo más importante era la cátedra, en la cual oyó Galdós conferencias inolvidables. La gran influencia del Ateneo en la vida española no se debía exclusivamente a su biblioteca y a brindar un lugar recogido donde poder conversar, sino al espíritu de tolerancia y respeto por las ideas y las personas; en este sentido su trascendencia educadora es incalculable. Los jóvenes se mezclaban con los viejos, los estudiantes con los profesores, los conservadores con los liberales, los religiosos con los librepensadores, y el calor del diálogo, íntimo o público, no impedía nunca la máxima consideración mutua. Galdós pensaba que el Ateneo fue para la revolución española del 68 lo que había sido la *Enciclopedia* para la Revolución Francesa. En *Prim* lo describe con gran cariño.

Terminó la carrera de leyes —1869—, emprendida sin ilusión y continuada sin entusiasmo. La vocación de escritor, que se había presentado de manera tan cierta en sus años juveniles de Las Palmas, era la que le acuciaba y le marcaba un rumbo exacto en los años de desconcierto por los que estaba pasando. La vida pública y social invitaba a la indisciplina; la Universidad, que hubiera debido servirle de norma rigurosa, con su vacío y frialdad le incitaba a la rebelión; el periodismo —trabajó en *La Nación, Las Cortes, El Debate*— le ofrecía una buena excusa para engañarse; la ausencia de problemas económicos le presentaba una vida fácil; la crisis sexual de sus veinte años fijaba su interés y le exigía que prodigara sus fuerzas; su mismo talento, reconocido plenamente en su tierra, y en Madrid por sus paisanos: todo se reunía para hacer de él un hombre mediocre, el abogado ilustre y vulgar que será diputado, se casará con una muchacha medianamente rica, llegará a ministro con unas cuantas condecoraciones y tendrá siempre para cualquier cuestión agobiante una respuesta de vacía seriedad.

"Estas familias medianamente ilustres, medianamente ricas, medianamente aderezadas de cultura y de educación, serán las directoras de la humanidad en los años que siguen", dirá años más tarde, al observar la sociedad que preparaba la Restauración. Galdós se salvó por su voz interior. Levantándose tarde, yendo a los cafés y las tertulias, entregándose a una lectura desordenada y voraz, recogiéndose al amanecer después de haber dedicado la noche a la aventura y al amor, le quedaba un momento para comenzar su verdadera vida; por unas horas, encerrado en su cuarto, envuelto en ese silencio magníficamente transparente que va a resolverse pronto en bullicio y en luz, el escritor joven vive los momentos angustiosos de la expresión de su mundo, sin lograr descubrir las directrices de su obra futura, que son: orden, monotonía, trabajo con la ciencia como ideal, ideal de la libertad, es decir, de la máxima autoridad de la conciencia, sentido moral.

La literatura le tendía una celada. La forma de expresión prestigiosa de los románticos había sido el verso, y el género literario, el drama. Como es natural, Galdós trataba de seguir este ejemplo. Escribió unos cuantos ensayos dramáticos, consiguió incluso que el director del teatro del Príncipe, Manuel Catalina, leyera un drama en verso, titulado *La expulsión de los moriscos,* el cual quizá todavía se conserve y debe de ser un drama histórico a imitación del último estilo de García Gutiérrez. En verso también escribió *El hombre fuerte,* y en prosa, *Un joven de provecho,* éste publicado recientemente, obra sin personalidad, que sigue el patrón del teatro didáctico realista, aunque es verdad que el trazado del protagonista es mucho más libre que los de Ayala o Tamayo.

Lejos de encontrarse a sí mismo, Galdós estaba completamente perdido; pero, con la conciencia clara de tener que renovar el mundo literario de su época, él pensaba que sus dramas iban a reformar el teatro. "Como los más puros místicos o los mártires más exaltados creen en Dios, así creía él en sí mismo y en su ingenio, con fe ardentísima, sin mezcla de duda alguna, y mayor dicha suya, sin pizca de vanidad", escribe Galdós de Alejandro Miquis, y, refiriéndose a los dramas de éste, comenta: "Después que se representara *El grande Osuna,* vendrían otras obras y éxitos más colosales. ¡Misión altísima la suya! Iba a reformar el teatro; a resucitar, con el estro de Calderón, las energías poderosas del arte nacional." La figura de Alejandro Miquis es la confesión poética de su juventud, de lo cual el lector se da cuenta inmediatamente; pero, además, Galdós en sus *Memorias* nos describe el lado real de su estado de espíritu en esa época: "Respirando la densa atmósfera revolucionaria de aquellos turbados tiempos, creía yo que mis ensayos dramáticos traerían otra revolución muy honda en la esfera literaria."

Por fin, en el año 1867, emprendió la tarea que había de ponerle en el buen camino: comenzó a escribir *La Fontana de Oro*, obra con la cual no iba a reformar un género literario, sino a crearlo. Es de todos sabido que con *La Fontana de Oro* comienza la novela moderna en España.

Antes de empezar la novela había ido a París, y quizá este viaje contribuyera a desplazar el enfoque de su atención del drama a la novela; pero un hecho de más trascendencia fue el que, causándole honda emoción, motivó una de las crisis más importante de su vida. El 10 de abril de 1865 presenció los tumultos de la noche de San Daniel, en la que los estudiantes fueron despiadadamente sometidos por la fuerza pública. El 22 de junio de 1866 tuvo lugar la sublevación de los sargentos del cuartel de San Gil, y presenció días después el paso de los sargentos, llevados en coche, de dos en dos, por la calle de Alcalá arriba, al sitio donde fueron fusilados. "Estos sucesos dejaron en mi alma vivísimo recuerdo y han influído considerablemente en mi labor literaria", declaraba Galdós años más tarde hablando de su vida. "Transido de dolor, les vi pasar en compañía de otros amigos. No tuve valor para seguir la fúnebre traílla hasta el lugar del suplicio, y corrí a mi casa tratando de buscar alivio a mi pena en mis amados libros y en los dramas imaginarios", dice en sus *Memorias*. El paso de sargentos quedó grabado en su mente para siempre, y en su vida. "Transido de dolor, les vi pasar en compañía de otros amigos. de este suceso hay que completarla leyendo *Angel Guerra* y *La de los tristes destinos,* en donde vuelve a aparecer, proyectado de manera diferente. En la novela sufre el tema la mayor elaboración, y allí encontraremos el sentido de la tragedia de su vida: "¡Esto es una infamia, esto es una infamia!" Para tratar de explicarse el origen de esas infamias y locuras, crueldades e injusticias, para procurar suprimirlas y hacer que sus compatriotas pudieran vivir una vida laboriosa y fecunda, en medio de la libertad y el orden, fue por lo que, a los veinticuatro años, comenzó *La Fontana de Oro*.

EL NOVELISTA. "UN ESPIRI-
TU TURBADO, INQUIETO."

Las casas editoras se dedicaban entonces únicamente a la publicación de novelas por entregas, y Galdós tuvo que correr con los

gastos de la edición de *La Fontana*. Aunque para los deseos del autor
novel se hicieran esperar demasiado las críticas de su novela, lo cierto
es que no tardaron, y Núñez de Arce, Alcalá Galiano, Giner de los
Ríos, supieron descubrir el valor de la obra y su trascendencia literaria el mismo año de su publicación, 1871. En *La Revista de España,*
de la cual había de ser director desde el 13 de febrero de 1872 hasta
el 13 de noviembre de 1873, había publicado ya artículos de política,
un largo trabajo titulado *Las generaciones artísticas en la ciudad de
Toledo* y el mismo año 1871 publicaba un cuento : *La sombra,* y una
novela : *El audaz.*

A partir de este año, la actividad de Galdós queda fijada según
las directrices marcadas en su juventud en Las Palmas. Escribe para
los periódicos —artículos de política, literatura, arte, crítica—; hace
alguna descripción de *tipos,* se entrega a una labor incesante, creadora —los *Episodios* los comenzó en 1873—, continúa cultivando el
dibujo y la pintura, se dedica a la música, viaja por España y por
Europa. La vida bohemia ha terminado, sustituida por una vida de
orden y reglada. Más tarde cesará de colaborar regularmente en los
periódicos de Madrid para hacerlo en *La Prensa,* de Buenos Aires.

Sus novelas se leen, los *Episodios* le dan la popularidad; en 1883,
el banquete organizado por *Clarín* pone el sello, de una manera muy
siglo XIX, a su celebridad, y, es claro, ahora los partidos políticos reclaman su nombre. Sagasta logra que acepte, en 1886, un acta de diputado por Puerto Rico. De la tribuna de la Prensa baja al hemiciclo
parlamentario, eso es todo.

De la misma manera que cuando era estudiante de Derecho recorría día y noche los barrios de Madrid, principalmente los populares e históricos, con un deseo casi físico de adueñarse de ellos, luego
visitará toda España. Alcalá, Avila, Segovia, La Granja, Aranjuez,
sobre todo Toledo, son los arrabales antiguos de la capital moderna;
ahí va continuamente, solo o acompañado, esto no cuenta. Toda España la cruza varias veces en todas direcciones; no viaja por obligación, ni por necesidad mediata para su obra, aunque alguna vez ocurra; lo que quiere es estar en contacto con España. Esta necesidad
espiritual —individual en Galdós, que don Francisco Giner, como
siempre hizo, transforma en colectiva— hay que relacionarla con la
de la generación del 98. También viaja por Europa, desde Portugal

hasta los países del Báltico, desde Inglaterra hasta Italia. En sus novelas nos encontramos con muy pocos personajes extranjeros, pero en
sus *Memorias* y sus artículos de viajes habla directamente de los países
y de los hombres. Todo le atrae, todo lo admira, para nada encuentra
censura. Viaja con su *Guía* en la mano, visitando museos, monumentos, lugares históricos; sin embargo, las alusiones a la vida diaria son
constantes. Alabará a un país más que a otro, a unas gentes más
que a otras, para nadie ni para nada tiene el menor reproche. Su
actitud debe compararse con la de *Fernán Caballero* o Baroja, porque
es muy útil para comprender a Galdós. *Fernán Caballero* no puede
afirmar su nacionalismo y su ideología sino sobre el fondo caricatu-
resco de las demás naciones y de las maneras de pensar, distintas a la
suya; Baroja necesita elevar una muralla de desdén para proteger su
yo contra todo lo extraño de fuera y de dentro de España. En Baroja
su áspero y acedo desdén está en razón directa de su ternura y sen-
timentalidad; en *Fernán Caballero* la fuerza de su ataque está en razón inversa de la fuerza de sus ideas; cuanta menos razón, más pasión en la sátira. Galdós ama lo que une a los hombres, odia lo que
los separa. Ama a los portugueses, a quienes considera como hermanos; a los italianos, a Francia, a Inglaterra y a Alemania. Pero su
censura es amarga contra la política de la República francesa o el Imperio de Bismarck. La repugnancia hacia la brutalidad de la política
alemana sólo es superada por la que siente ante el imperialismo inglés.
"Los ingleses, que poseen el sentido político nacional en grado más
alto que ningún otro país, carecen en absoluto de sentido político in-
ternacional, son los patrocinadores del derecho de la fuerza y los maestros del despojo y la violencia." Esta afirmación es un ejemplo de la
honradez esencial del pensamiento galdosiano, pues de todo el mundo
es sabido cuánto apreciaba las buenas cualidades inglesas y su gran
admiración hacia Inglaterra. Clemenceau no le era simpático, y el
Kronprinz, el futuro Guillermo II, le parece joven sin tacto, indis-
creto y vanidoso, cuya subida al trono pondrá en peligro la paz de
Europa. Ya en 1887 se daba cuenta de las consecuencias de una guerra
europea: la revolución rusa.

No es que tuviera don profético ni poder de predecir el futuro;
es que, rasgo definidor de su carácter e íntima necesidad de su ser,
no quería engañarse a sí mismo ni engañar a los demás.

Este afán de sinceridad y de ver claro le elevará a cumbres de serenidad de juicio, pero le mantendrá constantemente turbado e inquieto, anegado en la duda.

Su ímpetu juvenil en los años de bohemia exigía de él una actitud
revolucionaria. Individualmente sentía la necesidad de romper con el
pasado, y su época y el medio le eran propicios. Pero revolución no es
demagogia. A ésta le basta con destruir: es lo que tiene de semejante
con la reacción; aquélla tiene primordialmente que construir y crear.
Revolución es la creación de un nuevo orden. En España tanto los
de un bando como los de otro habían destruído, se habían destruído,
a placer. Cuando Galdós llegó a Madrid se respiraba en el ambiente
la proximidad de nuevas hecatombes. Galdós tenía que tomar parte
en la lucha. Angel Guerra dice de sí mismo: "En la edad peligrosa,
cogióme un vértigo político, enfermedad de fanatismo, ansia instinti-
va de mejorar la suerte de los pueblos, de aminorar el mal humano...
resabio quijotesco que todos llevamos en la masa de la sangre. El fin
es noble; los medios ahora veo que son menguadísimos, y en cuanto
al instrumento, que es el pueblo mismo, se quiebra en nuestras manos
como una caña podrida." El autor de *La Fontana, El audaz, Doña Perfecta,* consigue someter su espíritu revolucionario a una férrea disciplina. En sus novelas ha dado una poderosa visión de España; en los
artículos periodísticos, en cambio, está apegado al acontecimiento diario. Tanto en unos trabajos como en otros presenta sinceramente la
realidad española.

Si habla de la Edad Media, opondrá la intolerancia de la corte
francesa que rodea a Alfonso VI al espíritu amplio característico de la
España medieval. Al considerar a sus contemporáneos, observará con
exactitud, repetidamente, "el descrédito en que han caído bruscamente los problemas políticos y aun los filosóficos. Sólo los económicos y
de interés social acaloran los ánimos. Los pueblos creen haber conquistado la libertad; como ésta no ha mejorado las condiciones de su
existencia, como las clases llamadas desheredadas han visto que la pa-
nacea de la libertad ha resultado un tanto ilusoria, ya ninguna cuestión política halla calor en las multitudes. Bien puede asegurarse que
no hay ciudadano alguno europeo, como no sea en Rusia, que se re-
signe a perder una sola gota de sangre detrás de una barricada". Sin
embargo, se daba clara cuenta de la enorme trascendencia que repre-

sentaba el malestar social: "El gran problema social, que, según todos los síntomas, va a ser la gran batalla del siglo próximo (xx), se anuncia en las postrimerías del actual con chispazos a cuya claridad se alcanza a ver la gravedad que entraña."

Ya no veía la cuestión social, a medida que iba terminando el siglo xix, como un problema moral, sino como un problema de índole política. Aunque situaba justamente este desplazamiento en 1848, y observaba que se debía a la situación que creaba la nueva industria, con la acumulación de capital de un lado, y de otro los obreros sin trabajo, consideraba que el siglo xix anunciaba tan sólo la gravedad del problema, cuya solución sería la más ardua tarea del siglo xx. Refiriéndose a un problema peculiarmente español, apunta: "La diferencia entre el militarismo antiguo y el que hoy se quiere implantar es que el antiguo influía en la política en nombre de los principios liberales o conservadores, y el militarismo moderno habla siempre en nombre de los intereses y del bienestar moral y material del ejército mismo."

Pues bien, el que esto escribe se niega a aceptar la revolución. Censura acremente a Ruiz Zorrilla por ser —con una terminología muy moderna— partidario de la revolución permanente y querer una República "fundada y sostenida por los republicanos de una manera exclusiva", es decir, un Estado con un partido dictatorial, en el sentido de la postguerra. Rechaza a Salmerón, quien "condena la fuerza para alcanzar el Poder y la acepta para alcanzar el derecho". Aprueba, por el contrario, a Castelar, que creía —con fraseología que hasta hace poco era actual— "que el período de las revoluciones estaba cerrado en toda Europa". Castelar merece sus alabanzas, e incluso Cánovas, siendo más bien parco con Sagasta.

Nos podemos explicar la actitud de Galdós por el conflicto entre revolución y orden. Las luchas, la matanza y el desorden continuos del siglo xix no habían producido nada afirmativo; por fin la revolución del 68 y la República introdujeron unas mejoras, de las cuales había que resignarse a vivir durante la Restauración y la Regencia. Así los pronunciamientos del reinado de Alfonso XII, y especialmente el de Villacampa, le hacen estallar en indignación.

Galdós acudirá a palacio el día del nacimiento del hijo póstumo de Alfonso XII, comerá con María Cristina, para quien siempre tiene

las máximas muestras de respeto, y terminará haciéndose decididamente republicano y pidiendo la revolución. Es admirable. Cuando
está en el ápice de su fama; cuando todo le aconseja someterse a la
sociedad y poder así recoger el fruto material, merecido, de su labor,
entonces, íntegro como siempre, tiene que rechazar la paz y olvidar
sus privados intereses, entregándose a la lucha para el pueblo y por el
pueblo. No estoy seguro de que pueda escribirse con el pueblo.

Ya queda citada la opinión de Angel Guerra y no sé que se pueda
documentar un cambio en esta manera de pensar. Amaba al pueblo, es
evidente y es superfluo insistir; pero pensaba con su época que había
que educarlo. Es el gran error que cometió la generación del 68. La
educación del pueblo es precisamente un problema político como otro
cualquiera y, por tanto, debía ser una consecuencia de la revolución.
No podía precederla. No era el pueblo educado el que tenía que
hacer la revolución, sino que había que hacer la revolución para educar al pueblo. En España, en esa época por lo menos, aunque quizá
durante toda la Historia moderna, con la excepción de Fernando el
Católico, no se han sabido diferenciar con nitidez los problemas políticos, y por eso, es claro, no han podido resolverse.

Gustaba del espectáculo de la muchedumbre por lo que tiene de
dinámico y de acción, esto es, de drama, como le emocionaba ser testigo de la transformación de las ciudades: Madrid, Barcelona, París.

La pompa oficial, la entrada en la ciudad de un gran personaje,
los cortejos reales, la algarada, la afluencia del pueblo a un espectáculo, los funerales regios, contaban en Galdós con un asistente puntual.
Las Exposiciones le atraían. Visitó dos en París, la de Barcelona del
88, una de las Filipinas, que tuvo lugar en Madrid. Como no puede
estar en todas partes, a veces no tiene más remedio que elegir: "Pro-
meto no faltar, pues no es fácil que volvamos a ver, si es que la vemos, reunión tan simpática y brillante como será la de las dos cortes,
rodeando a las dos egregias viudas (la reina Victoria de Inglaterra y la
reina María Cristina)"; mas la perdió, pues "tenía el firme propósito
de trasladarme a la ciudad fronteriza para presenciar la visita. Pero,
con mucho sentimiento mío, tuve que preferir las sesiones del juicio
oral, que empezaron el mismo día de la salida de la corte". Se refiere
a un famoso crimen de la calle de Fuencarral, que tuvo lugar en 1888.

Durante estos años hubo un recrudecimiento de crímenes y asesinatos en Madrid y en provincias. A Galdós le excitaron sobremanera y por varias razones. Primero, esa racha de crímenes tenía soliviantado a todo Madrid; segundo, el novelista ve desfilar ante sus ojos una serie de tipos que le interesa estudiar psicológica y físicamente. Galdós lee las informaciones de varios periódicos sobre los crímenes, que a veces llenan páginas enteras; acude a los tribunales y desde los asientos de la Prensa lo observa todo: los magistrados, el público, los acusados. Higinia, la del crimen de la calle de Fuencarral, "era de complexión delicada, estatura airosa, tez finísima, manos bonitas, pies pequeños, color blanco pálido, pelo negro..., ojos hermosos..., nariz perfecta..., la mandíbula inferior destruye el buen efecto de las demás facciones. La frente es pequeña y abovedada, la cabeza de admirable configuración. Vista de perfil, y aun de frente, resulta repulsiva. La boca, pequeña y fruncida, que al cerrarse parece oprimida por la elevación de la quijada, no tiene ninguna de las gracias propias del bello sexo. Estas gracias hállanse en la cabeza, de configuración perfecta, en las sienes y el entrecejo, en los parietales mal cubiertos por delicados rizos negros. El frontal corresponde por su desarrollo a la mandíbula inferior, y los ojos hundidos, negros, vivísimos cuando observa atenta, dormilones cuando está distraída, tienen algo del mirar del ave de rapiña". Los detalles no terminan aquí. Galdós, con fruición, anota su actitud, su voz, su lenguaje, y nos deja un espléndido lienzo pintado del natural. Asistir a los tribunales no le basta, visita a los enjuiciados, va a ver a sus familiares.

El escritor es siempre discreto, y en toda ocasión muestra la magnanimidad de su espíritu y la nobleza de su carácter. De los numerosos crímenes de esos años varios fueron realizados por sacerdotes; al crimen se añadía, como es natural, toda una serie de datos que daba a conocer el bajísimo nivel moral del clero. Galdós es el primero en deplorarlo, y ni por un momento, lo cual no nos sorprende, trata de fomentar el escándalo.

La actividad criminal de esos años se refleja en *La Incógnita* y en *Realidad;* quizá influyera en la concepción del argumento de ambas obras.

Podemos ver las ocupaciones, preocupaciones e intereses de Galdós en esa época y, al mismo tiempo, recoger uno de los poquísimos de

talles que acerca de su manera de ser nos ha dejado directamente.
Hablando de uno de esos crímenes, dice: "Puesta la cuestión en el
terreno de lo novelesco y maravilloso, pierde, al menos para mí, todo
su interés, pues no creo en tales paparruchas, ni nada contrario a la
lógica ni al sentido común entra fácilmente en mi cabeza. Reconozco,
y lo reconozco como un mal, que esas estupendas y maravillosas máquinas gozan, por su propia falta de lógica, de todo el favor de las
imaginaciones de esta raza. Creo que es deber de todos corregir ese
amor a lo inverosímil en vez de fomentarlo." No hacía falta el testimonio, pero siempre es valioso tenerlo de su propia pluma y observar
cómo sabe conocerse a sí mismo y aislar dos de sus características más
típicas: amor a la lógica y al sentido común, falta de interés por lo
novelesco y maravilloso. Además, su actitud cívico-docente: corregir
el amor a lo inverosímil que tiene la raza, su raza.

Es interesante confrontar el análisis de Higinia con la compara-
ción que hace entre el San Antonio de Murillo y la pintura que se
conserva en el coro de la Basílica del Santo en Padua. "Esta fisonomía
espiritual expresóla Murillo en la persona de un muchacho gallardo,
morenito, de ojos negros y faz calenturienta. Entre nosotros ha quedado este tipo como retrato exacto de aquel varón santísimo, y concuerda con el tipo de raza, porque San Antonio no era paduano, sino
portugués... Pero hay que reconocer... que no concuerda en modo
alguno con el verdadero y auténtico retrato del mismo... que observé
detenidamente, notando su desemejanza con la figura tan conocida de
las clases pobres de nuestra época y tan popular entre ellas. Según
aquel retrato, que tiene todas las trazas de ser coetáneo del santo,
éste era rubio, regordete, de ojos garzos, de cara descolorida y ani-
ñada, de esas caras que en la edad madura, y aun en la vejez, conservan cierta expresión y candidez infantiles. No tienen aquel mirar de
mística embriaguez, ni el dulce arrobamiento soñador; no se ve en
él al misionero incomparable, de palabra tan profundamente expresiva y convincente que se hacía escuchar de los peces y de las aves.
Pero, sea lo que quiera, ello es que, si el retrato de Padua tiene la
autoridad de lo auténtico, los que debemos a Murillo tienen la de su
superior belleza artística. Si San Antonio no era como lo pintó el
gran artista sevillano, debió ser así, y si ante los ojos de las mujeres
andaluzas se pusieran las dos imágenes para decidirse por una sola, el

sufragio universal femenino pondría la de Padua en los museos y la de Murillo en los altares."

Quizá no sea ésta la manera exclusiva de contemplar Galdós una obra de arte, pero es una de las más suyas. Analiza la imagen del santo como la de Higinia y la sitúa inmediatamente en una relación social. Tan influído está por el presente, que al visitar Pompeya tiene la impresión de una ciudad en construcción donde todos los trabajadores se hubieran declarado en huelga. Igualmente, a tono con su época, califica a las flores de pueblo, de damas, pajes, espoliques, de presumidas y enfáticas, de chiquillas, granujas y califas, habla de galanes, y hasta las ve en la lactancia. Cree que las rosas, con un soplo más de vida, se pondrían a hablar. El Barroco, en medio de descripciones espléndidas, había ya hecho de las flores el instrumento más sensible para mostrar el paso del tiempo y la nada de la vida; los poetas sentimentales del XIX las vieron adornadas con virtudes y defectos; Galdós, con su mirada pronta siempre para lo social, tenía que clasificarlas por clases sociales y verlas antropomórficamente.

No debe confundir a nadie que interprete la elección femenina enviando el retrato al museo y el Murillo a los altares, pues el sentido es que la obra del sevillano inspira más devoción —creo que ésta es la interpretación recta del pasaje, y, además, ahora no nos interesa. Pero sí es notable la valorización de la obra de Murillo, por su belleza artística, sobre la de Padua, que, según Galdós, es un retrato.

Galdós en esta época ya no es naturalista (valorización de lo que "es" sobre lo que "debe ser"), pero ya en sus estudios sobre Toledo sorprende que, al examinar la estatua yacente del sepulcro renacentista del cardenal Tavera, escriba: "remedo del cadáver, expresado con un realismo excesivo", y luego añada "de una realidad chocante". Ahora, una obra que considera copiada de la realidad, le parece inferior a los lienzos de Murillo, aunque todo el siglo XVII le merece los juicios más despectivos —petulante, pedante, siglo de la hipérbole y de las cultas tonterías—, que le salen al paso al estudiar la arquitectura y las artes plásticas.

Amando Galdós las grandes congregaciones de gente, se podría pensar que sería aficionado a los toros; pero, aunque puede ser sensible a la belleza y color de la muchedumbre reunida en la plaza, sólo vio cuatro o cinco corridas en veintitantos años. Le aburrían; no se

interesaba, y las consideraba como "escuela constante y cátedra siempre abierta de barbarie, insolencia y crueldad". La influencia en la
sociedad es lo único que le preocupa, y la "violencia de lenguaje y de-
modales que es propia del pueblo de Madrid" cree que a ellas se debe.
La vida de doña Ernestina Manuel de Villena le interesó extraordinariamente. De familia aristocrática, agraciada, dulce y jovial, a los
veinte años renuncia a su posición social y a sus riquezas para dedicarse por completo a los menesterosos. En doña Ernestina Manuel de
Villena no sólo veía una mujer ejemplar, sino el tipo moderno de reli-
giosidad, pues, alejada de toda devoción contemplativa, que no satis-
facía su noble espíritu, se consagró a los pobres por completo. Admiraba en ella, aparte del abandono de todos los bienes materiales, su
valor de permanecer en la sociedad con todas sus molestias y sufrimientos, en lugar de acogerse a la paz del convento. La vida de esta
dama produjo impresión tan viva en el escritor porque ésta era su
manera de concebir la vida perfecta.

En *Fortunata y Jacinta* y en *Misericordia* le rinde homenaje, y aun
en otras obras —*Angel Guerra, Halma, Celia en los infiernos*— se
halla un reflejo de esta conducta modelo y singular.

El siglo XIX está traspasado de inquietud religiosa. Las masas
—pueblo, clase media, clases dirigentes: grandes industriales y co-
merciantes, escritores, políticos—, dentro o fuera de una iglesia, apenas si sienten el roce de un anhelo espiritual, trágicamente hundidas
como se encuentran en los apetitos materiales: poder y bienestar;
pero a los espíritus mejores, el derrumbamiento definitivo de todas las
iglesias los lanza con angustia y desasosiego a la busca de una forma
para su vida espiritual. Quién halla la paz en la moral, quién en la
ciencia, otros, en el trabajo abrumador o en la actividad politicosocial;
otros tratan de infundir nueva vida a formas periclitadas; por último,
quizá los más frívolos o los que más a flor de piel se sienten doloridos,
fundan nuevas religiones.

Nada de esto tiene que ver con los libros de Alarcón, Valera,
Pereda, las campañas anticlericales o las de los defensores de las instituciones "religiosas". Galdós también tomó parte en esta lucha política contra la Iglesia —institución política— y los religiosos —ciudadanos del Estado—; y es claro que entró en la liza armado de sus
ideales y principios políticos, como lo hicieron Alarcón, Valera y Pe-

reda. Las instituciones eclesiásticas, no menos que las económicas y las sociales, plantearon problemas políticos en el siglo XIX, como lo habían hecho en el siglo XVIII, el XVII, el XVI y en todas las épocas.

Cuando Galdós, desde su primera novela hasta sus últimas obras, fustiga cada vez más fuertemente al clero y a la Iglesia, lo hace desde un punto de vista exclusiva y únicamente político-social, como al hablar de los militares, de los empleados y la Administración, de la clase media, del estado de la enseñanza o de los campesinos y trabajadores o de los políticos.

Pero también, desde su primera obra hasta la última, nos habla de la vida religiosa, ya considerada desde el punto de vista colectivo, ya individual. Ni por un momento encontró la paz y el reposo sintiendo en aumento, a medida que pasaban los años, el pavor ante el misterio de la vida y de la muerte. Paso a paso, conducido por la duda y la sinceridad, va cruzando de una zona espiritual a otra más alta, hasta oir allá a lo lejos, como última esperanza, después de haber aceptado el dolor de la vida, purificándose, un supremo himno de amor y alegría.

No debe entenderse que en el pensar político y el sentir religioso de Galdós haya una evolución; quizá exista, pero no puedo afirmarlo. Lo exacto parece que, en eterno conflicto, se ve dominado ora en un sentido, ora en otro, acentuando hacia el final de su vida una posición, no porque en él la contradicción cesara de existir, sino porque, para penetrar en el mundo de la acción, había que resolver los pensamientos y sentimientos opuestos en una síntesis, cuyo valor relativo, seguramente, él era el primero en reconocer.

Al lado de la inquietud política y religiosa, la estética. Abandonar el verso no le debió de costar dolor ninguno, pues toda su época estaba centrada en la prosa. Esto nos explica que Bécquer y Rosalía de Castro pasaran inadvertidos. Por el contrario, no se resignó fácilmente a sacrificar el drama a la novela. Sus primeras obras, de *La fontana* a *La familia de León Roch*, ni eran descripciones o narraciones de una acción externa ni de un estado de alma o una pasión; eran esencialmente conflictos dramáticos, y, considerando el conflicto como la esencia del drama, le debió parecer siempre que ésta era la forma que les convenía, y no la novelesca. Llegó al punto de creer que, suprimidas las descripciones y las narraciones, y haciendo que los personajes se expresaran en diálogo, la novela se había metamorfoseado en drama, aunque sabía la diferencia entre el diálogo novelesco y el dramático. Galdós representa un grado más avanzado de la indiferenciación de las formas artísticas que en la Edad Moderna comienza en el Romanticismo y llega a su apogeo en el Impresionismo.

La expresión literaria era uno de los obstáculos que se le presentaban más difíciles de salvar, sobre todo en España, pues su propósito era dar forma literaria a la lengua familiar, y logró superarlos.

Por último, el maestro naturalista se encuentra ante el mundo nuevo de fines de siglo, novedad que, por haber salido él mismo del mundo naturalista, notaba muy bien, pero que en vano pretendía expresar. De haberse sentido ajeno a la sensibilidad nueva, lo más que hubiera sucedido es que hubiera sobrevivido a su época; pero esta crisis le sorprendió en pleno dominio de sus facultades creadoras y habiendo cambiado él mismo. Fue, acaso, el que en España penetró más consciente y fuertemente en el mundo espiritualista, que debía servir únicamente de puente entre el naturalismo y el impresionismo de la generación del 98. Toda la etapa final de su vida es una lucha constante por expresarse, y es casi seguro que, en medio de aciertos, fracasó.

LA ACADEMIA. EL TEATRO. LUCHAS FINALES

En 1889 solicitó el sillón de la Academia, pero fue elegido Francisco Commelerán, siéndolo él a su vez en otra vacante ocurrida el mismo año. No ingresó hasta 1897, porque Menéndez y Pelayo, encargado de contestar al discurso del nuevo académico, no pudo hacerlo hasta esa fecha. Aún sonaban en el salón de recepciones las muestras de aprecio con que Menéndez y Pelayo acogió en el seno de la Academia a Galdós, cuando se le ofrecía al novelista la misma ocasión con respecto a Pereda.

Galdós debe a su amistad con el autor de *Sotileza* una especial significación. La sincera amistad entre colegas, rara en cualquier actividad humana, no era motivo suficiente para llamar sobre ello la atención. Galdós, al insistir en los estrechos y cordiales lazos que los unían, estaba expresando una vez más su anhelo de armonía y concordia. Conveniente en cualquier parte, en España era estrictamente necesario subrayar la posibilidad de amistosa convivencia entre personas de ideologías radicalmente opuestas y cómo las relaciones fraternales no exigían ni suponían la menor merma o limitación en el propio pensamiento, sino que se hacían posibles por el mutuo respeto y la corrección de formas.

Pereda, en homenaje a esa amistad, comenzada en 1871, plantaba un día un laurel en el jardín del autor de *Doña Perfecta* y *Angel Guerra*, a cuya sombra, en medio de todas las discordias, se acogía el novelista para buscar descanso y tranquilidad.

En la madurez y plenitud de sus facultades creadoras, reconocido su valor por todos, Galdós se encuentra, en la última década del siglo XIX, exactamente en la misma situación atormentada de sus años juveniles. La creación de su obra no le ha producido ni el sosiego espiritual ni el bienestar material. En 1898, casi arruinado, reanuda la serie de *Episodios nacionales,* la cual había abandonado por el dolor que le producía relatar los horrores de la guerra civil.

En 1892 se lanza de nuevo al teatro. No se había resignado nunca a alejarse de la escena. *Clarín,* que con tanta solicitud siguió la obra de Galdós y que nos ha dejado sobre el escritor una serie de estudios valiosos y de importancia histórica indudable, ha tenido la desgracia de ser el propagador de algunos errores en materia galdosiana, si bien es verdad que partiendo de afirmaciones del mismo novelista.

Uno de estos errores es el que nos presenta a Galdós separado completamente de las tablas desde el año 1864 y decidiéndose un buen día, en 1892, a escribir para el teatro. La frase tan repetida de que el último estreno que presenció fue el de *Venganza catalana* no tiene el valor documental que equivocadamente se le ha concedido. Galdós continuó asistiendo al teatro, tanto en España como en el extranjero; lo que pasa es que, por su costumbre de no trasnochar, solía ir por la tarde, y los estrenos tenían lugar por la noche. No solamente siguió yendo al teatro; con qué frecuencia, es difícil saberlo; pero, lo que es muy importante, pensó siempre en la forma dramática y en sus problemas, como dan testimonio los numerosos artículos que sobre obras, autores, actores y público envió a *La Prensa* de Buenos Aires.

"En aquel tiempo yo no frecuentaba el teatro; de noche no iba nunca, de tarde alguna vez, prefiriendo la Comedia por ser muy de mi gusto la compañía de Emilio Mario. Una tarde, estando yo en el vestíbulo del teatro, entró Mario, y presuroso me dijo: No me detengo, Don Benito, porque voy a vestirme... Tengo que hablar con usted; hágame el favor de subir al saloncillo en cualquier entreacto." Mario le propuso que escenificara *Realidad*. Galdós, al escribir en sus *Memorias* el párrafo citado, quizá recordaría al joven que los empresarios desdeñaran.

La escena representaba una forma más exteriorizada de la gloria y la fama. Galdós no tiene nada del autor populachero, era incluso incapaz de halagar al público; pero tampoco pertenece a esa clase de autores que rehuyen y deben rehuir el contacto con la muchedumbre. Es impertinente tratar de excusarle por gustar del aplauso del público; esto es perfectamente lícito; pero además toda su obra es un mensaje social y está completamente justificado que como creador sintiera la necesidad de una comunicación más viva con aquellos a quienes se dirigía, con toda España.

Reformar la escena, sentirse más cerca de sus conciudadanos y compatriotas es lo que quiere, cuando estrena *Realidad* en 1892. Lejos de buscar el beneplácito y de solicitar el aplauso, marcha contracorriente, a sabiendas, y ni por un momento funda la popularidad en un equívoco. Después de *Doña Perfecta*, estrena *La fiera*, para matar el bicéfalo espíritu de la discordia. Después de *Electra*, *Alma y vida*. Si con una obra se había acercado al presente —hasta el punto de acusársele de intenciones bastardas por su coincidencia con la actualidad, lo cual era falso, pues si coincidió se debía a que estaba interpretándola desde hacía treinta años, y la actualidad confirmaba toda su obra—, si con un drama se acerca al presente y expone su pensamiento con tersa claridad, con el otro remonta al pasado y envuelve la acción en el simbolismo.

Aconteció en la escena española con el teatro de Galdós lo que no había sucedido en la época romántica. Aunque el teatro romántico no tiene ninguna relación con nuestra antigua *comedia*, los románticos españoles, como los de toda Europa, se sienten afines a los teatros barrocos de España e Inglaterra. En cambio, el teatro de Galdós, en forma y contenido, se opone a la tradición. Cada estreno era ocasión propicia para la lucha, motivada, casi exclusivamente, por el fermento político. Del teatro, se propagaba la lucha por todo Madrid y toda España. El público organizaba manifestaciones triunfales en honor del dramaturgo. La prensa se encargaba de continuar las polémicas en días sucesivos, a veces sin la alteza de miras en que hubiera debido mantenerlas, lo cual es explicable por las encontradas pasiones que entraban en juego. Cuando se estrenó *Electra* en París, allí se trasladó el campo de batalla. Doscientas veces se representó el drama en París y luego en provincias. Los ataques de los clericales franceses fueron también extremadamente violentos o desdeñosos, apuntando sobre todo a los defectos artísticos. Cuando los clericales y reaccionarios se transforman en estetas, es signo de que se ha acertado. En un pueblo de España, para impedir que se representara, se les ocurrió la buena idea de negar hospedaje a los actores; en otro celebraban procesiones a la hora de la función para que hubiera menos público. Pero *Electra* triunfaba. En Buenos Aires se estrenó el mismo día en tres teatros distintos. Rodó escribía: "Veo con interés vivísimo lo que ha pasado en España con *Electra*. Me impresiona eso como una señal de regeneración, como un anuncio de días mejores, de una vida nueva."

Galdós estaba acostumbrado a las discusiones que suscitaban sus dramas —con las novelas había sucedido lo mismo—, y las aceptaba de buen grado; pero cuando la crítica recaía sobre el valor literario de su obra no sólo le contrariaba, sino que en algunas ocasiones protestó. En su protesta hay que ver una manifestación más de su preocupación literaria. Lo que le molestaba no era tanto las censuras como la incapacidad que mostraban los críticos de comprenderle, lo cual era verdad; como también es verdad que las contadas veces que fracasó, el público y la crítica tenían razón. La censura o la alabanza de una obra no implica que se comprenda, y a veces puede ocurrir que se acierte por casualidad: el caso de la mayor parte de los gacetilleros que reseñaban las obras de teatro en esa época.

La escena no le bastaba para estar en relación con España, y así, cuando le propusieron que entrara de nuevo en la política, aceptó de buena gana; pero esta vez no iba a ser espectador, sino que estaba dispuesto a tomar parte en la acción. Le eligieron dos veces diputado por Madrid, formando en las filas republicanas; una, en 1907, y otra, en 1910. Ahora tuvo la ocasión de realizar el sueño de toda su vida: reunir, unir a todos en una labor común. La oposición antimonárquica estaba completamente dividida, y él consiguió agrupar a todos los partidos republicanos y que a ellos se unieran los socialistas. Esto pudo lograrlo porque su nombre ofrecía a los socialistas garantía bastante de seriedad y honradez. Galdós fue el jefe de la conjunción republicano-socialista.

Algunas cifras. Fue diputado liberal, ministerial, en el encasillado de Puerto Rico, con diecisiete votos; en 1910, en la oposición, obtuvo 42.419. Algunos juicios. Sobre Antonio Maura: "Sus procedimientos reaccionarios no me gustan. El hombre es admirable." De los republicanos: "Se ocupan con excesivo ardor de cosas pequeñas y no responden a un mismo criterio." De un invento de Melquíades Alvarez, llamado partido republicano gubernamental: "No entiendo eso. No me importa, además, entenderlo." Sobre el futuro: "¡El socialismo! Por ahí es por donde llega la aurora." Galdós no era socialista ni maurista.

Sus juicios ni ahora ni nunca se debieron a la pasión. Se separó de la monarquía porque vio que ésta sólo quería la esclavitud moral y material de España. No hay que decir que todo el elemento oficial y reaccionario veía, certeramente, en su serenidad y sinceridad al peor enemigo, y procuraba vengarse de una manera baja y ruin: impidieron que le dieran el Premio Nóbel (1912); hicieron que fracasara una suscripción pública abierta a su favor (1914). Cuando murió, el 4 de enero de 1920, el pueblo de Madrid, instintivamente, sintió que algo suyo desaparecía.

GALDOS

De Galdós quedan numerosos retratos que nos conservan su imagen. También su pluma ha dejado a la posteridad su retrato físico y moral, más vivo que las fotografías, pinturas y esculturas: en cambio, algunos trazos le son ajenos o están ligeramente transformados.

"Frisaba la edad de este excelente joven en los treinta y cuatro años. Era de complexión fuerte y un tanto hercúlea, con rara perfección formado, y tan arrogante que, si llevara uniforme militar, ofrecería el más guerrero aspecto y talle que puede imaginarse... No era de los más habladores. El profundo sentido moral de aquel insigne joven le hacía muy sobrio de palabras en las disputas... pero en la conversación urbana sabía mostrar una elocuencia picante y discreta, emanada siempre del buen sentido y de la apreciación mesurada y justa de las cosas del mundo. No admitía falsedades, ni mistificaciones, ni esos retruécanos del pensamiento con que se divierten algunas inteligencias impregnadas de gongorismo; para volver por los fueros de la realidad, solía emplear a veces, no siempre con comedimiento, las armas de la burla... Nuestro joven aparecía un poco irrespetuoso en presencia de multitud de hechos comunes en el mundo y admitidos por todos... No conocía la dulce tolerancia del condescendiente siglo." Así concebía él, en 1876, a Pepe Rey (*Doña Perfecta*), y así se veía a sí mismo.

La unidad de estilo de una época se refleja en todo, también en la manera de vestir y de arreglarse. La necesidad de expresar continuamente su propia personalidad, la obsesión del "yo", dará lugar, en el impresionismo, a ese pergeño caracterizador y característico de Unamuno, Valle-Inclán, *Azorín*. La generación posterior, dominada por el ansia de poder, fuerza y dinero, se adornará con elegancias de gran industrial u hombre de mundo. En la postguerra —placer de vivir todavía, que parecía vitalidad— buscaron el aire de un deportismo de fantasía. A Galdós le gustó hacer "gala de la ropa usada". Un sombrero blando, un abrigo de paño grueso, la bufanda o un pañuelo blanco al cuello, chalina, un grueso bastón. Los que le conocieron hablan de su desaliño, de la escasa renovación de sus trajes. Así es su época: modesta, sencilla, vulgar.

"No soy glotón, ni siquiera goloso... poseo una deliciosa indiferencia hacia lo que llamamos placeres de la mesa", declara en alguna parte. A esta frugalidad, añádase un carácter dulce, infantil, tolerante, una vida regular, un mediano bienestar, y se tendrá al Galdós de los años maduros, que amaba a los niños y se complacía en el trato de la mujer. No se casó; el matrimonio le parecía una carga pesada e innecesaria.

La imagen de su vejez presentida la tenemos en el "progresista desengañado", don Evaristo González Feijóo (*Fortunata y Jacinta*). "Era un hombre de edad, solterón, y vivía desahogadamente de sus rentas y de su retiro de coronel del ejército. Era el único individuo de la tertulia que no tenía trampas ni apuros de dinero. Su existencia plácida y ordenada reflejábase en su persona pulcra, robusta y simpática... tenía bigote blanco y marcial arrogancia, continente reposado, ojos vivos, sonrisa entre picaresca y bondadosa"; a todos "les escuchaba Feijóo con frialdad benévola. Era indulgente con los entusiasmos, sin duda porque él también los había *padecido*. Cuando al-

guno se expresaba ante él con fe y calor, oíale con la paciencia compasiva con que se oye a los locos. También él había sido loco; pero
ya había recobrado la razón, y la razón en política era, según él, la
ausencia completa de fe". Con gafas verdes y una gran bufanda alrededor del cuello, salía a sus diligencias en coche simón por horas. No
transige "con nada que sea apropiarse lo ajeno, ni con mentiras que
dañan al honor del prójimo, ni con nada que sea vil y cobarde, ni con
menospreciar la disciplina militar"; pero era muy tolerante en amor.
"Por eso no me he querido casar... En esto del matrimonio te asegu-
ro que no han variado mis ideas... Sé que es condición precisa del
amor la no duración, y que de todos los que se comprometen a ado-
rarse mientras vivan, el noventa por ciento, créetelo, a los dos años se
consideran prisioneros el uno del otro y darían algo por soltar el
grillete."

"Soltero y con fortuna suficiente para quien no tiene mujer ni
chiquillos ni familia próxima, Feijóo vivía en dichosa soledad, bien
servido por criados fieles, dueño absoluto de su casa y de su tiempo,
no privándose de nada que le gustase, y teniendo todos los deseos
cumplidos en el filo mismo de su santísima voluntad." La alabanza de
este egoísmo de hombre soltero y trabajador es un homenaje a sus
hermanas, Concha y Carmen, que cuidaban su casa, la cual, "más que
por el lujo, despuntaba por la comodidad y el aseo", y protegían sus
horas de labor.

Galdós, que nunca estuvo enfermo, aunque en su juventud debió
de ser sumamente nervioso, como Alejandro Miquis, y padecer de
jaquecas como Monsalud —héroe de la segunda serie de *Episodios*—,
personaje en el cual se puede estudiar también la vida inquieta de sus
años juveniles, perdió la vista en los últimos años de su vida. El ciego
es un personaje frecuente en la obra galdosiana y desempeña siempre
un papel simbólico. Pero a partir de los primeros síntomas de su enfermedad, que mantuvo secreta por mucho tiempo, se transparenta,
al hablar de la ceguera, la nota personal, y se le ve luchar consigo
mismo, más que para ocultarse la terrible realidad, avergonzado de
hallarse sometido inerme a la naturaleza. Ya Feijóo se queja destem-
pladamente de padecer de la vista: "Lo que más me carga —dijo don
Evaristo con rabia, dando un puñetazo en el brazo del sillón— es
que la vista... Yo siempre he tenido una vista como un lince... Des-

de mañana pienso usar gafas verdes. Estaré bonito." Cuando escribe *Luchana*, 1899, exclama don Beltrán de Urdaneta: "Creo que el perder la vista es una forma física de la pérdida de la dignidad." Pensando así se comprende fácilmente por qué no quería que nadie recelara lo que le sucedía. En medio de todos sus tormentos —políticos, estéticos, religiosos—, al sentirse más atacado que nunca, la naturaleza se pasa a sus enemigos, y contra ella su fuerza de voluntad no puede nada. Llegó el momento, demasiado tarde, en que no pudo disimular ya más, y después de dolorosas intervenciones quirúrgicas quedó ciego para siempre. El lector de *Cánovas*, 1912, encontrará la expresión de su dolor, en un momento en que aún tenía esperanzas de sanar.

El Galdós de 1870 entrega su juventud, apenas retocada, a su obra; el Galdós viejo tiene necesidad de desdoblarse. Al mundo exterior se presenta con semblante sereno y amable, guardando para sí la faz de dolor, en la cual se reflejan las tragedias futuras de España por él presentidas. En 1910, Tito —forma velazqueña de Tito Livio— dice: "Yo, lejos de aumentar, había menguado de talla; los pelos que me quedaban eran hebras de plata, y rostro y cuerpo mostraban lastimosamente los zarandeos del tiempo. Mi amigo no llevaba mal sus años maduros, y su rostro alegre y su decir reposado me declaraban mayor contento de la vida que el que yo tenía." Tito es el Galdós poseído por el espíritu de la Historia, el amigo es el Galdós liberado.

La historia ha sido el dolor y el placer de la vida de Galdós; el trabajo creador su salvación; la burla piadosa y el ideal, la doble manera de contemplar la realidad y el presente que le atraían.

CAPITULO II

HISTORIA Y ABSTRACCION

HISTORIA Y ABSTRACCION

I. *PERIODO HISTORICO*

EL SENTIMIENTO HISTORICO

El sentimiento histórico es un sentimiento característicamente cristiano, que en la Edad Media se concibe únicamente incluído en la religión y el pensar teológico. Las catedrales representan sin descanso la historia de la vida del hombre desde el momento en que fue creado hasta la hora pavorosa del Juicio final. El Renacimiento separó pulcramente la zona religiosa de la laica, independizando así la historia de la teología. Se busca el libro antiguo, surge el arqueólogo y el coleccionista, se siente en la obra humana la dimensión histórica. El Renacimiento descubre el valor de lo histórico. Las acciones y productos humanos, además de su valor religioso y moral, junto a su valor estético, tienen otro valor: el de ser testimonio constante del paso de las edades.

Pero el Barroco no tardó en ver la deficiencia de la división renacentista y con él la historia vuelve a presentarse unida a la religión, cambiando, sin embargo, su relación medieval. Ya no es la historia, en el Barroco, una manifestación del espíritu religioso, sino al contrario: la religión se siente a través de la historia, la cual no representa lo particular, sino lo universal. El sentimiento histórico alumbra el concepto de nación, que empieza a formarse en el Renacimiento y adquiere todo su ímpetu en el Barroco, cuando encarna la idea de Dios.

Herrera siente a Dios en Lepanto, Lope ante el pendón de Castilla es cuando vibra religiosamente, adorando todo lo nacional, y en el último Barroco, para comprender la emoción que despertaban los *autos sacramentales*, es necesario no sólo sentir su contenido religioso, sino principal y especialmente lo que tienen de nacional, de afirmación de la personalidad católica de España.

España, Francia, Inglaterra, Alemania, católicos y protestantes, sienten todas las épocas y todos los países desde su época y su país, dando así a lo universal un fuerte encuadramiento particular; se alejan de lo puramente religioso y, entregados a la historia, crean el mito moderno de la Nación.

El racionalismo rococó da un fundamento crítico a la historia, y el Romanticismo es el que descubre en toda su intensidad la emoción histórica. Es verdad que para el hombre romántico la historia es una manera de escapar de la realidad y el presente, y también de expresar la poesía del mundo en que vive y sus ideales. El Duque de Rivas en *El moro expósito* nos presentará los encontrados ideales políticos del siglo XIX; Larra expresará su amor y su tragedia por los labios de un trovador. Hasta tal punto el pasado es un disfraz del presente, que a Bretón de los Herreros le bastará suprimir el disfraz para parodiar el drama romántico y hacer que trovadores, damas y caballeros medievales se asomen al escenario como personajes modernos: el poeta, la señorita y el militar.

Sin embargo, el Romanticismo ha sentido en toda su intensidad la vida del hombre como tiempo, como devenir, y sobre todo la lejanía vaga y esfumada del pasado. El Tiempo ha suplantado a la Eternidad: lo diferente y particular, lo uno y general, dando lugar a esta emoción histórica que ya no se perderá y que lleva a los mismos románticos a descubrir el presente como tal y a sentir la necesidad de fijarlo, notando lo que tiene de peculiar juntamente con lo que le diferencia de otras épocas y otros países.

En este estudio del presente es en lo que ahondarán los realistas. *Fernán Caballero* en sus novelas, que no sabe cómo llamar —ensayos, bosquejos—, lo que se propone es dar una idea del pueblo español de su época: costumbres, creencias, cuentos, tradiciones, lenguaje, contrastando su época con el pasado, España con otros países.

Galdós no tardó en encontrar el tema de su obra: la sociedad española. No va a la historia para huir de la realidad y el presente; por el contrario, lo que quiere es buscar las raíces de su época en el próximo pasado. El pasado ha de servirle para comprender el presente; al mismo tiempo sentirá el pasado como tal y opuesto al presente. Entonces ya no será un concepto histórico, sino filosófico, sinónimo de muerte, lo mismo que presente lo es de vida. Su interés se dirige al siglo XIX, pero cuando haya aislado las características de su mundo, ya no le bastará la época actual y se remontará a los orígenes de la España moderna para encontrar la formación de la sociedad en que vive.

Galdós busca primero los comienzos de la España contemporánea, que sitúa en 1820-23 —triunfo de los constitucionales—, para rectificar inmediatamente y alejarlo a los últimos años del reinado de Carlos IV. Después, de una manera histórica y cultural, fija en el reinado de Felipe II la cristalización de la sociedad española.

CLASIFICACION DE LAS OBRAS DE GALDOS

Al encontrar el tema de su obra, encontró también la forma: la novela. El mismo se encargó de clasificar su obra en: primero, novelas españolas contemporáneas de la primera época; segundo, episodios nacionales; tercero, novelas españolas contemporáneas, y cuarto, dramas y comedias.

El último grupo, es claro, alude a su forma y no es necesario explicarlo. La clasificación de los otros tres grupos exige detenerse en ellos un momento. El calificativo de españolas trata de separarlas de las novelas regionales; las llama contemporáneas, aludiendo a la época novelada. Por fin, indica una evolución en su obra al diferenciar un grupo de novelas con respecto al otro. Cuando publicó *La desheredada*, escribió a don Francisco Giner diciéndole que con esa novela comenzaba el segundo o tercer período en su labor. Así, pues, al clasificar de primera época a algunas de sus novelas no está indicando que él viera sólo dos momentos en su trabajo, sino una evolución que no tenía interés en precisar. Por último, *Episodios nacionales* es título con que agrupaba en colección una serie de obras que fundamentalmente en nada se diferenciaban del resto de sus novelas.

Para Galdós, la novela es la tercera dimensión de la Historia. La novela nos entrega al hombre y la sociedad vivos, mientras la historia relata hechos y acontecimientos. En algunos *episodios* y en algunas novelas el andamiaje histórico está presente; en otros *episodios* se relega a un lugar completamente secundario, llegando casi a desaparecer, y en las novelas, a partir de 1888, desaparece también casi en absoluto.

De no hacer un estudio particular de la forma dramática galdosiana, conviene considerar su obra en conjunto, tanto más cuanto que toda ella ofrece una unidad esencial, como ocurre, por otra parte, con todo verdadero escritor. En esta unidad sí es posible distinguir, y deben distinguirse, los diferentes períodos de su desarrollo, lo cual permitirá organizar las etapas de la creación de Galdós en un orden verdadero.

De 1867, cuando empieza a escribir *La Fontana de Oro*, a 1918, fecha de su última obra, la tragicomedia *Santa Juana de Castilla*, transcurren cincuenta y un años. Este período de trabajo se puede dividir, teniendo en cuenta el desarrollo interior de la obra galdosiana y la sensibilidad e ideas que rigen su creación, en cuatro grupos: Primero, 1867-1879; segundo, 1881-1892; tercero, 1892-1907; cuarto, 1908-1918. Estos cuatro grupos se dividen a su vez cada uno en dos períodos, de esta manera: Primero, 1867-74, 1875-79; segundo, 1881-85, 1886-92; tercero, 1892-97 (1898-1900), 1901-1907; cuarto, 1908-1912, 1913-1918.

El ritmo de su producción es: 13, 11, 13, 11; estos años, si tenemos en cuenta los subperíodos, se agrupan con el siguiente ritmo: 8-5, 5-6, 7-6, 5-6. Me ha parecido curioso dar a conocer esta periodicidad, pues, de no ser arbitraria —y creo que no lo es—, podemos darnos cuenta por primera vez, si no estoy equivocado, en la historia de la literatura, del ritmo de la formación de la obra de un escritor. El año 1880, entre el primer período y el segundo, el novelista no escribió nada. En el tercer período hay que descontar los tres años 1898-1900, porque, aunque escribe la tercera serie de *Episodios*, son años en que su creación se detiene, a causa de una desorientación espiritual, moral y estética que, es claro, se refleja en los diez volúmenes de la serie indicada.

El estudio que sigue creo justificará la agrupación orgánica siguiente:

1. Período 1867-79. Período histórico, 1867-74. Subperíodo abstracto, 1875-79.
2. Período 1881-92. Período naturalista, 1881-85. Subperíodo del conflicto entre la materia y el espíritu, 1886-92.
3. Período 1892-1907. Período espiritualista, 1892-97. Tercera serie de *Episodios*, 1898-1900. Subperíodo de la libertad, 1901-07.
4. Período 1908-1918. Período mitológico, 1908-12. Subperíodo extratemporal, 1913-18. Las obras de cada período pueden verse en la *Bibliografía*.

¿COMO ES ESPAÑA?

Larra se preguntaba románticamente: "¿Dónde está la España?", semejante al poeta romántico que va tras la mujer ideal sin encontrarla nunca, y la busca y llama de continuo. La interrogación romántica no espera respuesta, se lanza al aire como una queja, como un reproche.

Alumbrar la conciencia histórica del pueblo español contemporáneo, servirle de guía, darle una pauta, he aquí el propósito que incita a Galdós a crear su obra, la cual responde a la pregunta: ¿Cómo es España?

Su actitud es la del hombre que, perdido largo tiempo en el bosque, se decide a no marchar más a la aventura, pues no quiere dejar al azar la posibilidad dudosa de toparse con el camino. Los caminos los hace el hombre, y el hombre debe buscarlos si los ha perdido.

Pensando en 1868, se escribe *La Fontana de Oro*. Se va a entronizar, por fin, la Libertad, pues hay que indicar a gobernantes y gobernados cuál es la lección que nos ofrecen otras experiencias acaecidas en suelo español y por voluntad española. ¿Qué es lo que permitió que los principios políticos que se trataron de implantar en España en el período 1820-23 quedaran ahogados por el absolutismo? Impericia de los partidarios del nuevo régimen de libertad, tanto entre los dirigentes como entre los dirigidos. Falta de ponderación y limitación, que resquebraja la unidad necesaria para poder realizar una obra, falta debida no sólo a hombres de buena fe, sino a hombres que quieren en la revolución apagar sus malas pasiones, y, es claro, a los mismos absolutistas, que ven así la mejor manera de desprestigiar a los liberales. El que entre éstos no hubiera nadie capaz de imponer una severa disciplina, educando al pueblo, y separar de la pura fe revolucionaria toda la escoria de las bajas pasiones, es la causa de que fracase el esfuerzo para implantar la libertad.

Galdós estudia el medio en que se mueven los liberales —La Fontana de Oro era uno de los cafés en que se reunían—, la manera de proceder de los absolutistas, presenta a la aristocracia arruinada y en completa decadencia —las tres hermanas Porreño— y una historia de amor entre el joven liberal Lázaro y Clara, pupila de su tío Elías, furibundo absolutista.

Tío y sobrino se encuentran frente a frente y tienen que odiarse. Lázaro se enamora de Clara, cuya vida ha sido un continuo martirio; primero, en la escuela; después, en casa de su tutor; por último, en manos de las Porreño, a las cuales la confió Elías. Lázaro huye con Clara, ayudado por un militar, pero todos sus ideales revolucionarios fracasan. La figura de Lázaro tiene como fondo Madrid, y Galdós se esfuerza en describir con todo detalle el medio en que se desenvuelve el protagonista; además reproduce una serie de ambientes y personajes históricos.

En *La Fontana de Oro* se encuentran las líneas generales del mundo galdosiano: *a*) estudio del medio; *b*) hechos, medio y personajes históricos; *c*) simbolismo de la acción y de los personajes; *d*) sentido convencional de objetos, calidades, facultades y figuras. En esta novela describe el Madrid de la clase media; aparece Fernando VII y con él asistimos en Palacio a las reuniones de la camarilla; aparece Alcalá Galiano en La Fontana; las luchas de personas consanguíneas representan las luchas entre españoles; el amor de Lázaro por Clara, el de los liberales por España, la cual está aherrojada por la educación, los reaccionarios, errores, hipocresía, fanatismo —las tres Porreño—. El reloj de las Porreño no anda; al cuadro del santo que tienen en su casa le falta la cabeza, que la humedad ha destruído. El mundo galdosiano tiene una serie de signos, cuyo sentido es fácil de comprender, pues aparecen siempre con el mismo significado.

La Fontana tenía un desenlace obligado, ya que Fernando VII logró poner un término al trienio liberal, y Galdós lo único que quiere hacer es darnos a conocer el porqué de este hecho histórico: ideas exaltadas; deseos de avanzar rápidamente; impresionabilidad del pueblo, fácil de arrastrar en un sentido o en otro.

Para observar el movimiento de la opinión y de las muchedumbres, la marcha de conspiraciones e intrigas, el proceder de los absolutistas como agentes provocadores, el período 1820-23 era útil; pero en realidad, con excepción de la táctica y la conducta política, no presentaba la formación de la sociedad actual ni sus problemas, pues el trienio liberal es un eslabón únicamente. Buscando los orígenes próximos, escribe *El audaz,* que se sitúa en 1804. El protagonista es un hombre formado por la Revolución Francesa. Radical por sus ideas, es un audaz por defenderlas en el momento y las circunstancias en que las defendía. Martín Muriel plantea el problema con una claridad que no le estaba permitida a Lázaro: los hombres deben ser iguales ante la ley; un régimen de libertad debe sustituir al de autoridad. Susana, la aristócrata, se enamora de Muriel, el plebeyo; sin embargo, la historia de amor no suplanta ni por un momento a la lucha política. El ambiente de finales del siglo XVIII se describe con la misma habilidad y el mismo detalle con que se describió el de 1820, y al fracaso de Muriel se le da una fuga lírica a lo Víctor Hugo, personificándose en un loco el espíritu de la revolución, como en *La Fontana* una vieja encarnaba la anarquía. *El audaz* no marca ningún progreso en el novelista, pero le fue sumamente útil, porque desplazó el problema, lo cual le permitió exponerlo con claridad, y dio con el tema de los *Episodios nacionales.* Galdós quiere saber cómo es España y para ello —esto es muy importante— se pregunta: ¿qué ha sucedido en España? ¿Cuál ha sido la historia de España en el siglo XIX?

En sus dos primeras novelas, su propósito decidido era enseñar a los españoles el peligro de todo radicalismo y mostrarles la necesidad de un progreso lento. Se encariñó con la idea de destacar cierto período histórico y descubrió así el filón que estaba por explotar: la historia del siglo XIX. Al principio pensó tan sólo en el período napoleónico, pero terminado éste, comprendió que le era dado continuar hasta la muerte de Fernando VII. La parcelación de los distintos momentos históricos la fue percibiendo a medida que avanzaba en su tarea, emprendiéndola, no obstante, con una idea muy precisa de lo que quería realizar. Pensaba contar los hechos de la Guerra de la Independencia, haciendo resaltar en cada uno de ellos la tónica que le daba un carácter particular, y unirlos por medio del relato novelesco, reservándolo, además, para fines especiales.

IDEAS DIRECTRICES EN LOS "EPISODIOS"
DE LA GUERRA DE LA INDEPENDENCIA

La Guerra de la Independencia se debió al sentimiento de la patria, el cual, apagado y oculto durante los últimos decenios del siglo XVIII, surge en todo su impulso popular al ponerse el español en contacto con el extranjero, con lo extranjero. El romanticismo literario, que no pudo florecer hasta la muerte de Fernando VII, fue precedido por la acción romántica, la Guerra de la Independencia, que significa: sentimiento de la patria, sentimiento popular, que une a todos los españoles, y además, para unos, sentimiento de la tradición, para otros, de la revolución.

En *Trafalgar* se encuentra el sentimiento de la patria; en *La corte de Carlos IV*, el sentimiento del honor. *El 19 de marzo y el 2 de mayo* nos presenta al pueblo como populacho, primero; como ser heroico, después. En *Bailén*, la patria triunfa, pero la tradición sucumbe. *Napoleón en Chamartín*, dualidad de la nueva España. *Zaragoza*, la fuerza del Imperio (lo pasajero) venciendo momentáneamente a la fuerza heroica del ideal (lo eterno). *Gerona*, las fuerzas elementales de la naturaleza (el hambre), sometidas al ideal. *Cádiz*, final de una cultura y comienzo de otra. *Juan Martín el Empecinado*, el individuo (guerrillero) y el Estado. *La batalla de los Arapiles*, nuevo sentido de la patria.

Los dos primeros episodios sirven de introducción a los ocho restantes. *Trafalgar*, a la parte histórica; *La Corte de Carlos IV*, a la novelesca. En el tercer episodio contrasta la conducta del pueblo, esa entidad —pueblo y aristocracia juntamente— que la falta de ideal o el ideal transforma repentinamente. En *Bailén* vemos al Estado organizado —el ejército— triunfando sobre el enemigo. Es la patria la que triunfa por medio del ejército; pero en ese mismo ejército se hace sentir la lucha entre lo antiguo y lo nuevo, que Galdós estudia en *Napoleón en Chamartín*. El período de la Guerra de la Independencia ofrece la característica de que el pueblo, que se sintió unido en su amor a la patria, se escinde y divide al tratar de imaginársela. Para unos, la patria es lo que fue: inmutable, siempre igual a sí misma; para otros, la patria es un organismo vivo que cambia y varía. En *Zaragoza* y *Gerona* todos están de acuerdo, sólo hay un ideal contra el extranjero; pero en *Cádiz* se ve la incesante actuación del tiempo, que al pasado opone el presente, a lo antiguo lo moderno. Los españoles están unidos para pelear contra el invasor: divididos entre sí cuando tienen que dar una nueva organización a esa patria por la cual todos están dispuestos a ofrendar su sangre.

La aparición de los guerrilleros fue el asunto que le costó más trabajo tratar, y uno de los que no había pensado al principio; pero sin los guerrilleros el cuadro de la época quedaba incompleto. La repugnancia que sentía hacia el tema se debía a que los guerrilleros representaban una fuerza organizada al margen del Estado. El papel de los guerrilleros en la lucha contra Napoleón fue de suma importancia. Impedían el avituallamiento del enemigo, amenazando constantemente la vanguardia y la retaguardia de los ejércitos franceses; su movilidad los hacía casi invulnerables, servían de enlace a las fuerzas españolas. Su valor era tan grande como los servicios que prestaban. Galdós reconocía esto de buen grado, y además tenía que reconocerlo; mas al mismo nivel a que se alzaban los guerrilleros se rebajaba el Estado. En un Estado organizado, los útilísimos servicios de los guerrilleros no sólo son innecesarios, sino que al individuo ni se le ocurre pensar en ello. Las guerrillas son gloria del español como individuo, deshonor del Estado español. Si se hubiera tratado únicamente de la Guerra de la Independencia, quizá Galdós no hubiera insistido; pero él estaba pensando en las luchas civiles y en toda la historia del siglo XIX, en que el Estado ni puede ni sabe hacerse respetar, acaso ni es digno de ser respetado; porque el individuo prefiere a formar un Estado el imponer su propia voluntad.

En *Juan Martín el Empecinado* narró las hazañas de los guerrilleros, e inmediatamente, en *La batalla de los Arapiles*, presenta al ejército inglés bajo el mando de Wellington. Al arrojo del individuo opone la fuerza responsable y organizada del Estado. Miles y miles de hombres están deseando lanzarse a la pelea y ahí, soportando el fuego del enemigo, que les causa numerosas bajas, los mantiene sujetos y disciplinados la voluntad serena del General, que sabe cuándo será el momento oportuno de enviar sus tropas al ataque. Todos los soldados confían en el hombre que los dirige y muestran su superioridad al obedecer con exactitud las órdenes, tanto cuando se les manda permanecer en su puesto como cuando se les lleva al combate.

LA PATRIA. REDENCION DEL PICARO

El niño Araceli —protagonista de la primera serie de *Episodios*— había descubierto el sentimiento de la patria luchando contra los ingleses en Trafalgar; en Arapiles, luchando al lado de los ingleses, descubre un nuevo sentimiento de la patria: a la patria no sólo se la ama, sino que se la sirve cumpliendo estrictamente con su obligación. La patria no es únicamente la tierra en que se nace, es también un Estado organizado que une a todos los hombres en un lazo de disciplina y deber.

La primera serie de *Episodios* es un relato autobiográfico, en el cual Araceli cuenta su vida y andanzas, desde la batalla naval hasta la derrota de las tropas napoleónicas en Arapiles. En todos sitios se halla presente menos en Gerona; por eso al contar los hechos de la ciudad catalana se interrumpe la narración autobiográfica. La materia novelesca está completamente fundida a la histórica en el sentido de que los personajes imaginarios toman parte en los acontecimientos, pero su papel no se limita a ser mero sostén de la historia. Al imaginar la figura de Araceli, lo que quiere Galdós es trazar la redención del pícaro. Esta es la razón de que la base de toda la novela se encuentre en *La Corte de Carlos IV,* donde Araceli, que ya había descubierto el sentimiento de la patria y había indicado su aparente semejanza con Pablos, el buscón, descubre el sentimiento del honor.

El Barroco hizo del pícaro la antítesis del caballero. La manera más segura de diferenciar al uno del otro es examinar su actitud respecto al concepto del honor. El honor preside todos los actos del caballero barroco; el pícaro ni tiene honor ni puede tenerlo. El honor barroco —concreción religioso-social de la Contrarreforma, con su casuística correspondiente— da al caballero una luz resplandeciente, a la cual el pícaro ni se atreve a mirar. Le está vedado penetrar en ese mundo espléndido y bruñido, moviéndose sólo en el mundo del deshonor. El honor barroco no es un sentimiento interior, sino un complicado andamiaje intelectual que sostiene al alma del caballero en una sociedad deslumbrante, sociedad de la cual depende para brillar y a la cual él mismo le presta brillo. El pícaro forma parte de esta sociedad únicamente como elemento antitético, como contraste; es el fondo pardo y negruzco sobre el cual se destaca el caballero, y que al mismo tiempo le envuelve. La brillante luz del caballero, su espléndido colorido, su rígida armadura del honor, atraviesa ardientemente la oscuridad sombría y tenebrosa de la picaresca.

Galdós, es claro, no hace que Araceli descubra el honor barroco, sino el honor burgués, racionalista y kantiano, el imperativo del deber. A toda la podredumbre aristocrática de la corte de Carlos IV, degeneración de la de Felipe IV, Araceli opone su conciencia y su voluntad de trabajo. Alumbrar el sentimiento del honor no basta; Araceli se acerca a la humanidad con amor. El cumplimiento del deber, su rectitud de conciencia y el amor le hacen triunfar en la vida. La figura de este niño desamparado, que se salva de todos los peligros sociales y consigue terminar su vida rodeado de los seres que ama, en medio del bienestar, se debe al realismo sentimental. Dickens nos ha hecho creer en este éxito de la bondad y el bien, pero Galdós lo proyecta sobre el fondo histórico-social de España. A la astucia y al ingenio del pícaro, encadenado para siempre a lo infra-social, opone la rectitud de corazón y el amor que le redimen. Gabriel Araceli es el arcángel portador de la buena nueva, el arco iris anunciador de la nueva vida, de la alianza con el trabajo.

LA GUERRA. ESPIRITU ANTI-
EPICO DE LOS "EPISODIOS"

Los personajes históricos desfilan sin que Galdós pretenda recrearlos. Una vez, únicamente, hace excepción con el Emperador, a quien no admiraba. La figura inmensa de Napoleón hostiga las imaginaciones de todos los hombres durante el siglo XIX. Para unos es el héroe; para otros, el genio del mal. El autor de los *Episodios* lo ve como un criminal vulgar, a quien las circunstancias en que se encontraba permitieron multiplicar las matanzas y llevar la desolación a toda Europa. Galdós ve la guerra con ojos modernos, es decir, que no advierte en ella nada heroico. Los triunfos militares no encuentran eco en el corazón del novelista. Pero para todos, ingleses y franceses, tiene amor. El Dos de Mayo, Bailén, Zaragoza, Gerona, hubieran podido suscitar el odio contra el invasor; su pluma, sin embargo, es siempre ecuánime. *Trafalgar* es un relato que los ingleses pueden leer con placer. No hay ejército que no cometa desmanes y atropellos, que no deje tras sí el dolor y la muerte; por eso odia la guerra, pero la odia lógicamente, bajo cualquier bandera. En los *Episodios nacionales* de la primera serie no he podido dar con la nota épica que parece haber encontrado todo el mundo. Hay batallas y más batallas, asoma aquí y allí el ardor bélico, pero lo que le atrae es ver al español con la firme voluntad de ser, teniendo un objetivo, sometiéndose a una disciplina, organizándose, mostrando un espíritu colectivo de sacrificio. Por eso en *Zaragoza*, cuando todos, hombres y mujeres, viejos y niños, sólo piensan en la defensa heroica de la ciudad, pinta al avaro, personificación repugnante del egoísmo. Y en *Gerona*, la lucha contra el francés se convierte en una batalla de ratas; todos, hombres y animales, atormentados por el hambre. La guerra le parece la forma más alta del desorden y el crimen. A un Napoleón rodeado de estandartes, clarines y tambores, él prefiere un tribunal que dirima las contiendas entre las naciones, una federación o sociedad de naciones.

2. *SUBPERIODO ABSTRACTO*

ESPAÑA ESCINDIDA

En *La Fontana* luchaban tío y sobrino, Lázaro se enamoraba de Clara; son dos hermanas las que dan a conocer, por medio de un diálogo, la escisión de España en *Napoleón en Chamartín*. La unidad espiritual de España, forjada por los Reyes Católicos y mantenida por la Inquisición, produce una última y espléndida llamarada a comienzos del siglo XIX, lo cual, empero, no basta a ocultar la división de los españoles. Araceli encarnaba esa unidad de la primera serie de *Episodios*; dos hermanastros, uno de ellos ilegítimo, simbolizan la dualidad de España a partir de la vuelta al trono de Fernando VII. Salvador Monsalud, el hijo ilegítimo, representa el espíritu liberal; Gabriel Navarro, de apodo Garrote, el espíritu absolutista. Jenara

—bella, apasionada, fanática, intransigente, estéril—, la España tradicional. Soledad —dulce, callada, atenta, activa, caritativa— es el símbolo de la España futura.

Al tratar de la materia histórica sigue el mismo método que en la serie anterior: subrayar en cada episodio la característica del momento que está estudiando. La parte novelesca es la importante. En los *Episodios* de la primera serie, la novela sigue una dirección distinta de la historia; en la segunda serie, la novela es el plano simbólico de los hechos históricos. En 1875, cuando escribe *El equipaje del Rey José*, consigue dar forma a lo que había entrevisto en *La Fontana* y que le permitiría crear la obra maestra de la primera época: *Doña Perfecta*.

Cuando Jenara —novia de Salvador, la cual, al enterarse de su afrancesamiento, le abandona para ponerse en relaciones con Navarro— grita a Gabriel: "¡Mátale, mátale!", Galdós ha encontrado el alma de Doña Perfecta.

Gabriel no mata a Salvador y éste encuentra a Soledad en casa de don Benigno Cordero —el héroe burgués y liberal de la época romántica—. Soledad iba a casarse con Benigno Cordero, pero al ver a Salvador se enamora de él, y Cordero se resigna a continuar siendo su amigo y protector, mientras Monsalud la hace feliz. Soledad —la España futura— se apoya, así, en la burguesía y en el hombre revolucionario. La burguesía honrada la alimentó y protegió cuando estaba desvalida; el espíritu de acción y revolucionario la dirige y hace fecunda.

El reloj marcaba el estancamiento de una clase social; la ilegitimidad representa siempre el espíritu moderno; la fecundidad, el bien y el futuro; la esterilidad, el mal y el pasado.

Además de estos cinco personajes principales, hay que citar a Juan Bragas de Pipaón, el hombre que explota el presupuesto y hace de la política su negocio; el hombre camaleónico moderno, siempre cambiando de ideas, pero siempre el mismo; su cinismo le hace impenetrable al ideal: se mueve y se agita constantemente, pero no hace nada útil y ni por un momento se le ocurre la idea de trabajar.

Galdós creó el sistema completo de su mundo, lo cual quiere decir que llegó a darle forma y a sentirlo en su relación orgánica. Es necesario no detenerse en los nombres: Navarro, Salvador Monsalud, Jenara, Soledad, Benigno Cordero, Bragas, de un simbolismo que se comprende fácilmente. Hay que olvidarse también de que los personajes representan ideas y sentimientos, para verlos como fuerzas y pasiones en un conflicto histórico y universal.

LA TRAGEDIA DE ESPA
ÑA. "DOÑA PERFECTA"

En el período abstracto imagina una toponimia que le sirva para
abarcar toda España: Orbajosa, Ficóbriga, Socartes, lugares donde
transcurre la acción de *Doña Perfecta, Gloria* y *Marianela*.

Orbajosa es una pequeña ciudad levítica, sobre la cual cae, densa
y opresora, la sombra de la catedral. La vida intelectual es nula; la
vida económica no existe; la vida social está reducida a unas reuniones en que, cuando no se habla de chismes de sacristía, se comenta la
cosecha de ajos, el producto de la comarca. En Orbajosa no sucede
absolutamente nada. El chirriar de un carro, el lamento de los mendigos, la voz del sereno, los pasos de un trasnochador, serían los
únicos ruidos de la ciudad si no estuvieran siempre sonando las campanas. A este lugar de desolación se llega por un camino igualmente
desolado. La belleza se ha refugiado en los nombres. Lo malo no es
que los orbajosenses no sepan nada de nada, sino que no quieren saber
nada, ni pueden, porque se han aislado del resto del mundo, gracias
a la idea de su superioridad y de creerse en la posesión de la verdad.
A esa ciudad desolada y encerrada en sí misma llega Pepe Rey, quien
va a casarse con su prima Rosario, hija de Doña Perfecta.

La figura de Doña Perfecta es colosal, con una monumentalidad
conseguida por un procedimiento muy de época: el agrandamiento
de las líneas. Pepe Rey es de un canon completamente humano. Esta
diversidad de proporciones produce un efecto extraño. Galdós, poseído
como estaba por el tema y la figura de Doña Perfecta, no se dio cuenta de este desequilibrio, en el cual Pepe Rey pierde todo relieve. No
es que Doña Perfecta no sea humana. Galdós la tomó de la realidad
española, lo mismo que su ambiente; pero hizo de ella una figura
clásica, un tipo, representación de la intransigencia y el fanatismo; de
aquí su universalidad. Como el Hipócrita o el Avaro, Doña Perfecta
es de todos los países y de todas las épocas; su acento marcadamente
español proviene de su jesuitismo y estancamiento.

Frente al tipo no se puede poner a un hombre, a no ser que eso se haga conscientemente, para buscar una serie de valores que hoy podríamos encontrar, pero en los cuales no pensó Galdós.

Doña Perfecta es un producto eclesiástico-social; la sociedad no es el instrumento de la Iglesia, ni viceversa. Iglesia y sociedad se confunden. Dentro del cuadro de Orbajosa, don Inocencio, el penitenciario, que desearía casar a su sobrino Jacinto con Rosario, es un personaje completamente normal, y lo mismo es verdad respecto a Caballuco, Licurgo, María Remedios. Estos personajes se hacen monstruosos cuando se les contempla desde un punto de vista que no es el que les conviene. Incluso Jacinto, con su pedantería, con su incapacidad de pensar y razonar, se mueve libremente en el medio asfixiante de la ciudad episcopal. Al memorismo de Jacinto y a su retórica se opone el espíritu crítico y observador de Pepe Rey. Son los dos tipos de ciencia, los dos conceptos del mundo —el medieval y el moderno— que tratan de conquistar a Rosario: la España actual, en manos de la Intransigencia y el Fanatismo: Doña Perfecta.

Si se compara esta novela con *La Fontana, el Audaz* y *El equipaje del Rey José,* se verá cómo han cambiado las líneas de la composición, ganando en claridad y orden. En *La Fontana,* la España actual, Clara, se ve dominada por Elías y las Porreño (intransigencia politicosocial), amada por Lázaro (liberal) y por Bozmediano, militar (liberal también). Bozmediano se enamora de Clara por un azar, y acaba ayudando a Lázaro en su huída con la muchacha. En *El audaz* desaparece toda la composición para quedar Lázaro-Muriel y plantear de nuevo el problema en términos estrictamente políticos. El episodio coloca a dos hombres y dos mujeres simétricamente, lo cual era un error; pero es un acierto el parentesco que se establece entre los hombres y el hacer que dos contrincantes se enamoren de la misma mujer. La divergencia continúa siendo política. En *Doña Perfecta* las dos muchachas se vuelven a reducir a una: Rosario-Clara. Sus pretendientes son dos: Rey y Jacinto. Bozmediano no desaparece, pero pasa a segundo término en la figura del militar Pinzón, el cual no está enamorado de Clara, y ayuda a Rey, por su amistad con éste (el ejército luchando por la libertad). Elías y las Porreño se transforman en Doña Perfecta, madre de Clara y hermana del padre de Rey. La oposición política ocupa un lugar secundario, destacándose la raíz principal del conflicto, la oposición filosófica o religiosa. Dudó en el desenlace de *La Fontana*; *El audaz* termina de una manera fantástica; en cambio, *Doña Perfecta* culmina con el dramatismo de la muerte de Rey, que se encontraba de una manera incidental en *El equipaje del Rey José*.

El espíritu autoritario y fanático de Doña Perfecta llena toda la novela, como la sombra de la Catedral cubre la ciudad. En el momento en que Rosario confiesa que entre su madre y Pepe Rey escoge al último, dispuesta a ir tras él en cuanto le diga "levántate y sígueme" (frase que hace aparecer el tema de Lázaro), suenan los clarines del ejército que entra en la ciudad. El ejército, que ayudará a Pepe Rey, va a Orbajosa para sofocar las partidas carlistas que se están levantando en el país y que la misma Doña Perfecta con don Inocencio, en una escena magistral, trata de fomentar para atacar al prometido de su hija, otorgando de esta manera al conflicto familiar el rango de nacional. Además, la misma Doña Perfecta lo declara: Pepe Rey no es sólo el hombre que quiere casarse con Rosario (lo único que ve la madre de Jacinto), sino el gobierno y la nación oficial, dándole al problema religiosofilosófico un desenlace politicohistórico. La discusión de Pepe Rey, en que muestra que la concepción religiosa del mundo ha dejado el paso a la científica, el contraste entre él y Jacinto, adquieren un significado político. Es lo que se proponía Galdós: poner al descubierto la causa filosófico-religiosa de las luchas políticas, pero ellas en sí ya no le interesan. Lázaro, Muriel, Monsalud, viven exclusivamente en el mundo político; si alguna vez su pasión tiene un carácter religioso o filosófico, es porque siempre la política tiene que tener en la religión o la filosofía su base. Pepe Rey, por el contrario, no se ocupa de política. Le llama la atención la pobreza y la ignorancia del país, y piensa en lo bien que vendrían unos cuantos capitales que fundaran industrias y dieran trabajo a todos los hombres sanos que ha visto reducidos a la mendicidad; desearía que la gente se educara y leyera, que se enterara de lo que sucede en el mundo. Más que la superstición, ataca el mal gusto de los orbajosenses al adornar ridículamente las imágenes religiosas. Pepe Rey es ingeniero; Jacinto, abogado.

Doña Perfecta se refiere a España, y es una interpretación fiel del estado de espíritu de la sociedad teocrática y anquilosada, que dio lugar a las guerras civiles, y de la sociedad liberal y amante de la ciencia, que también existía, y de la cual Galdós formaba parte. Pero el conflicto en su intensidad dramática y raíces últimas va más allá de los límites histórico-políticos de un país.

Pepe Rey, con su ciencia y sus ideas positivistas, cree en Dios, quizá sea cristiano. Doña Perfecta, en realidad, no tiene fundamento para rechazar a Rey, aunque su instinto apunte certeramente. En lugar de un espíritu religioso, lo que muestra es un sinnúmero de errores y defectos. En el campo científico, Jacinto tampoco puede ser un paladín digno de Pepe Rey. Galdós vio que el tema todavía estaba demasiado sometido a lo circunstancial y sintió la necesidad de mostrar en toda su profundidad el problema de esta novela, de universalizarlo; entonces concibe *Gloria*.

UNIVERSALIZACION DEL TEMA DE "DOÑA PERFECTA"

La universalidad de la Edad Media terminó con el Renacimiento y la Reforma. El hombre laico aparece enfrente del religioso; el protestante opuesto al católico. Cuando les es imposible destruirse unos a otros, se toleran para poder seguir viviendo. Esto produce una organización sumamente inestable en que el hombre tiene que vivir constantemente sobre aviso para captar el menor desequilibrio de fuerzas, que puede causar la ruina y la muerte a uno de los grupos. La convivencia obligada produjo, de un lado, el maravilloso pero artificial juego de la tolerancia, que en algunos casos, muy raros, llegaba hasta a ser respeto; de otro, la vigencia de la fuerza como fuente del Derecho.

Una ciudad europea estaba formada por el conjunto de cuatro comunidades: la católica, la protestante (o en orden inverso), la judía y la laica. El judío vive, primero, materialmente aparte, en el ghetto; después, en un ostracismo social, del cual sólo se libra individualmente y nunca por completo. La colectividad laica adquiere importancia en el siglo XIX, sin conseguir un perfil tan destacado como los otros grupos, por la sencilla razón de que a ella confluyen protestantes, judíos y católicos.

En España no existieron los ghettos, pues, cuando surgieron, los judíos habían sido expulsados del país. La diferencia entre la judería medieval y el ghetto renacentista es muy importante. La judería es un privilegio que obedece al orden medieval de agrupación. Al comenzar a desaparecer la organización medieval, que iba a dar lugar al máximo individualismo, es cuando aparecen los ghettos como una penalidad impuesta al judío. En realidad la minoría protestante vivió en un ghetto espiritual en las ciudades católicas, y lo mismo ocurrió con la minoría católica en las ciudades protestantes. Desde la caída de Roma hasta el Renacimiento el hombre sintió la necesidad de agruparse, unirse, religarse, de vivir en comunión; desde el Renacimiento hasta hace poco el hombre ha querido desligarse de los demás, formar un reducido y hermético grupo, amurallado por el desdén hacia el prójimo, o, todavía mejor, estar solo, ser el único. Incapaces de sentir lo universal, se busca lo homogéneamente particular: la nación, el partido, la minoría, hasta llegar al individualismo anárquico e intelectualista-sentimental del impresionismo.

España, repugnando este mecanismo artificial, expulsa a los judíos y quema a los protestantes. España tenía razón en su manera de ver el problema; se equivocó en la solución. Europa erró en ambas cosas: en la manera de ver el problema y en la solución. España tenía razón al pensar que la convivencia era posible sólo en la unidad de sentimiento; se equivocó al fijar ese sentimiento: el catolicismo. En la Edad Media hay una unidad de sentimiento, pero esa unidad se refleja de maneras distintas. La Edad Media es una Edad religiosa, y su espíritu religioso se expresa en el cristianismo, judaísmo y mahometismo. Un cristiano, un judío y un mahometano podían entenderse porque todos decían lo mismo, aunque de diferente manera, porque todos tenían un mismo sentimiento: el sentimiento religioso. Los Reyes Católicos tuvieron el gran acierto de ver que el sentimiento religioso iba a ser suplantado por el sentimiento nacional; se equivocaron al creer que un sentimiento común podía lograrse por un medio mecánico, con la fuerza. La fuerza podía, todo lo más, impedir la diversidad; la fuerza puede destruir, no puede crear. En el siglo XIX se encontraba España con la misma desunión, tan temida, de Europa, y aún más desorientada. Europa había convertido el mundo en una selva, en la cual todos los hombres están en acecho para aniquilarse unos a otros. España quiere detener con la fuerza la historia, Europa se anega angustiosa y trágicamente en la vida.

Galdós supera la actitud española, adoptando el racionalismo europeo, con el cual busca lo que une a los hombres. No es suficiente que los hombres se toleren unos a otros; la misma idea de tolerancia, de tolerarse, es degradante para la dignidad humana: es necesario que la Humanidad vuelva a sentirse religada, con un lazo, empero, que no puede ser el mismo de la Edad Media.

Ficóbriga es la ciudad donde vive la familia Lantigua; en ella residen también el usurero Amarillo, el párroco francachote y electorero, don Silvestre, el diputado Horro, etc. El padre de Gloria reside en Ficóbriga, pero hay Lantiguas en varias partes de España, don Angel es Obispo en una diócesis andaluza; don Buenaventura es banquero; Serafina, afortunadamente, es viuda, pues su matrimonio fue muy desgraciado. El padre de Gloria, abogado elocuente, se llama Juan Crisóstomo. El mundo social de Orbajosa reaparece, pero completamente transformado. Como se ve por los nombres, Galdós hace un gran esfuerzo para no separarse de lo típico, pero consigue una gran soltura en la pintura de los personajes, del paisaje norteño y de la ciudad. Don Juan Crisóstomo, intransigente en sus principios socialmente, es tolerante con todo el mundo. El Obispo, don Angel, dulce y bondadoso, vive alejado en absoluto de la política, pensando sólo en el bien de su rebaño. Don Buenaventura, el banquero, cree siempre que todo puede arreglarse. Los personajes secundarios son como son y un poco como deben ser.

Las tintas negras y recargadas de *Doña Perfecta* han desaparecido del primer plano, surgiendo y adensándose al compás de la acción. Gloria, huérfana de madre, vive con el cariño de los suyos; lleva una vida activa y, aunque muy religiosa, frecuenta la biblioteca de su padre, pobre en libros extranjeros, rica en clásicos españoles. Dotada de talento e ingenio, las lecturas despiertan en ella más de una duda, que atemorizan al padre, haciendo sonreir al buen Obispo. En sus dieciocho años todavía no conoce el amor, hasta que, una noche de tormenta, el mar arroja un náufrago a la ciudad. Gloria y Daniel Morton se enamoran inmediatamente.

A partir de esa tormenta, toda la novela se ve atravesada de un vendaval lírico, a lo Hugo, para servir de fondo al amor atormentado y trágico de Gloria y Daniel. Esta manera de orquestar la acción, herencia romántica, es muy característica de Galdós, y no puede desprenderse de ella en toda su labor. No dejando de tener su encanto, es, quizá, lo más envejecido de su obra.

Daniel Morton, de origen hamburgués y nacionalidad inglesa, es judío. Por discreción y por tener contra España los prejuicios corrientes, comete el error de ocultar su religión. Los Lantigua, igualmente discretos, no preguntan nada, aunque sospechan, dada la nacionalidad, que debe de ser protestante. No pueden reconocerle como judío, y esto es un gran acierto de Galdós, porque, aparte de que el judío no sea siempre fácilmente reconocible, en España se han olvidado por completo sus características; hasta tal punto fueron asimilados los conversos.

Es verdad que el Obispo, ingenuamente, trata de convertirle, pero pronto se da cuenta de lo inútil de su empresa y amablemente la abandona.

La diferencia de religión separa a los amantes, impidiendo que se casen, pero el amor los une y da un hijo. Todas las tolerancias, transigencias, sonrisas y cortesías han bastado cuando se trataba de algo superficial y aparente. Los Lantigua recibieron muy cortésmente a Daniel Morton, y con toda seguridad la familia de éste —millonaria y exquisitamente educada— hubiera hecho lo mismo si los Lantigua hubieran necesitado auxilio. Pero ese mundo social, aparentemente tan refinado y humano, se viene abajo con estrépito y deja a unas fieras enfrente de otras. Las sonrisas se han convertido en unas muecas que ya no ocultan los colmillos de los carnívoros. La madre de Daniel, desde su intransigencia judía, y los Lantigua, fuertes en su intransigencia católica, cometen todas las villanías imaginables, causa de la muerte de Gloria y de la desesperación y locura de Daniel. Queda el hijo; por encima de unos y de otros el fruto del amor une a la humanidad. A un sentimiento que separa, opone Galdós un sentimiento que une. A lo particular histórico, lo general humano. A la religión, el amor.

Europa, ingeniosamente, al verse dividida, buscó el terreno propicio para la convivencia en la idea política de la nación. Galdós comprendió muy bien, y es un gran mérito para su época, que la única manera posible de convivir es amándose, no como ciudadanos de un país, sino como hombres.

El amor trágico de Gloria y Daniel ha servido al novelista para superar la dualidad histórica moderna, y al mismo tiempo le ha permitido contemplar la realidad de una manera más serena. Su problema ahora es aunar su credo estético con su ideología en una expresión artística. La filosofía positivista le ofrece la solución a este doble problema. Adoptando una actitud antihegeliana, da la batalla al arte idealista en nombre de la realidad, y el positivismo le marca la escala del progreso de la humanidad.

Marianela es todavía una novela abstracta. Socartes pertenece a la misma geografía que Orbajosa y Ficóbriga. Los personajes con su paisaje se reúnen en dos grupos: el mundo de "ayer" y el de "hoy", la zona de la agricultura y de la industria. Pero además de esta agrupación bipartita, hay otra diagonal. Marianela, el lazarillo; Pablo, el ciego; Teodoro Golfín, el médico, se oponen entre sí; y a la vez el mundo de cada uno es superior al del otro.

Pablo (alusión al apóstol de Damasco, del cual se habla en *Gloria*) recobra la vista, gracias a la intervención quirúrgica del doctor, viéndose así libre de las explicaciones de su lazarillo y pudiendo observar por sí mismo la realidad, que antes, sin contemplarla, menospreciaba.

Marianela o la imaginación, Pablo o el racionalismo, Teodoro o la ciencia, representan los tres estados por los cuales, según Comte, ha pasado la humanidad. El estado teológico lleva al metafísico y éste al positivo. Pablo, discurriendo y razonando rectamente, tenía que aceptar los hechos que le presentaba Marianela, pobre niña monstruosa, que vivía de su imaginación. Su manera de discurrir era por eso tan lógica como disparatada. Partiendo de sus premisas, el mundo que construye es verdadero; pero como no puede observar la realidad, sus ideas no tienen ningún fundamento. Sintiendo la bondad y cariño de Marianela, llega a la conclusión de que es bella. Cuando sus ideas están en evidente contradicción con la realidad y se lo hacen notar, cree que los ojos engañan, y casi se alegra de no tener el sentido de la vista. La superioridad de Pablo sobre la Nela reside en su capacidad discursiva. El lazarillo vive en un mundo de mitos; el ciego, en un mundo de ideas. Pablo puede ejercer una función crítica, armado de su lógica, y corregir a Marianela, pero para caer él mismo en el error. Creyendo bella a su lazarillo se enamora y le promete casarse con ella. La ciencia llega a Socartes, extirpa las cataratas de los ojos del ciego, y éste, al poder ver, entra en el mundo superior de la realidad, enamorándose de su prima Florentina, bello ideal de la moral futura. La ciencia ha

suplantado a la imaginación en la guía del hombre; la pobre Marianela no tiene más remedio que morir, desaparecer, al terminarse su
función en el mundo. Florentina y Pablo, Teodoro Golfín, no dejan
de contemplar melancólicamente la muerte de Marianela; pero el médico se sobrepone al dolor, gracias al deber cumplido, y la feliz pareja,
contemplando el futuro.

El reló, la ilegitimidad, la fecundidad y esterilidad son símbolos
del mundo galdosiano que ya quedan estudiados y alguno de los cuales reaparece en *Marianela*; pero en esta novela se introducen dos
nuevos: el ciego y el monstruo. El ciego tiene en la obra galdosiana
dos significados distintos. Expresa, primero, la incapacidad de contemplar la realidad material o social; después designará al hombre que
entra en la zona del Espíritu. El monstruo o ser anormal indica la naturaleza que no ha podido desarrollarse o que ha sido deformada, o
bien el fruto de una unión irrealizable.

La nota dramática de *Doña Perfecta*, la ráfaga de pasión de *Gloria*, han dejado el paso al melancólico lirismo de *Marianela*. Galdós
ya no es un luchador; liberado por su creación, contempla el paso
de las edades y la dolorosa peregrinación de la Humanidad desde el
origen remoto de la vida hasta el presente con rumbo hacia el futuro.
No es la peregrinación del pueblo que con su Jefe marcha de país en
país en busca de la tierra de sus antepasados, sino del Hombre que
sin dirección y sin guía, perdiéndose y encontrando el camino, marcha
a través del tiempo, desde un pasado desconocido hacia un futuro ig-
norado, siempre con la ilusión ante los ojos de llegar un día a ser
perfecto. Con la idea de progreso ha realizado el hombre la revolución
más formidable, trasladando el Paraíso del pasado al futuro. El Paraíso no se ha perdido; hay que conquistarlo con la voluntad, el trabajo y la ciencia; hay que crear el Paraíso en la Tierra.

El nuevo conquistador, el nuevo héroe, es el hombre naturalista,
Teodoro Golfín. De baja extracción social, luchando por la vida, for-
mándose a sí mismo, ha triunfado. Su papel en el mundo ya no consiste en luchar con los hombres; de aquí que el heroísmo militar no
despierte ninguna admiración. Hay que luchar con la naturaleza, apoderándose de sus secretos, explotando sus riquezas. La ciencia ha de
echar la simiente, y el esfuerzo recoger la cosecha. No hay que tener
la voluntad de morir, sino la voluntad de vivir; en lugar de regirse

por dogmas o principios abstractos, el hombre tiene fatalmente que obedecer las leyes científicas, en las cuales se fundará la nueva moral. Estas ideas estaban ya incorporadas en el ingeniero Pepe Rey, pero es en *Marianela* donde forman un todo orgánico. Teodoro Golfín no tiene que luchar con Doña Perfecta; el tiempo basta para convertir a ésta en una ruina, la cual al derrumbarse, es verdad, puede causar la muerte a todo el que esté a su alrededor. Teodoro Golfín debe luchar con la imaginación, que tratará siempre de impedirle que contemple la realidad y la naturaleza, tanto social como física. Junto a Teodoro está su hermano Carlos, ingeniero como Pepe Rey, que dirige la explotación de las minas de Socartes, y que todo se lo debe a su hermano, marcando así la jerarquía de los nuevos valores. El problema social que apuntaba de pasada en *Doña Perfecta* tiene ahora también una expresión más completa al rechazarse la beneficencia y proclamarse la necesidad de una organización económica nueva, idea que Galdós expresa con cierta ingenuidad por boca de Florentina.

TRANSICION AL NATURALISMO

Marianela no es sólo la expresión artística de las ideas de Galdós, sino la manifestación de su credo estético. Gracias a ella puede liberarse del período abstracto a que le había conducido su estudio de la formación de la sociedad contemporánea en España y dedicarse por completo a la observación de su época y de la realidad. *Marianela* es el manifiesto del naturalismo en España, desde un punto de vista ideológico y estético. Sin embargo, la obra que le sigue, aunque obedeciendo a la estética naturalista, todavía gravita hacia el período abstracto. A esto se debe el que el mismo autor clasificara *La familia de León Roch* entre las novelas de su primera época.

Avila, ciudad de los santos y de los caballeros; Valencia, ciudad industrial y de comercio. De Avila, la amurallada, viene la familia de los Marqueses de Tellería; de Valencia, la marítima, los Marqueses de Fúcar y León Roch. Fúcar es el plebeyo desaprensivo que ha hecho una enorme fortuna y conseguido una gran posición social; su hija Pepa está enamorada de León Roch, pero éste no sabe verlo a causa de la frivolidad y caprichos de la muchacha; y él, inteligente, heredero también de una gran fortuna, dedicado al estudio, se ena-

mora de María Egipcíaca, hija de los de Tellería, de una belleza
espléndida e imaginación poderosa.

No es necesario ahondar en el análisis para ver que en esta novela
se presentan igualmente dos mundos contrapuestos. Misticismo, contemplación, tradición, contra ciencia, acción, presente: Avila, Valencia. Y el conflicto entre estos dos mundos: el laico de León Roch y el
religioso —con los atributos que Galdós encuentra a la religión en
España— de María Egipcíaca. Tenemos el mismo plan abstracto de las
obras anteriores y la misma escenografía apasionada para dar resonancia dramática al desenlace; pero las líneas que arrancan de Avila
y Valencia se encuentran en Madrid. El conflicto religioso se estudia
en la familia; mejor en el matrimonio, en dos individuos. León Roch
es un krausista. Galdós trata de enraizar a María Egipcíaca en la sociedad de su época, y, temiendo que se desvanezca su sentido, refuerza
su figura con la del hermano anormal. En Pepa consigue crear un individuo. La aristocracia arruinada —Marqueses de Tellería— no tiene
ya nada que ver con las Porreño; se analiza el mundo de la alta fi-
nanza, el político; se presenta el Madrid de su época y la vida social.

Por debajo de estos dos mundos contrapuestos corre toda una vida
sexual atormentada. La religión de María Egipcíaca es un ingrediente
más que entra en la formación de su temperamento ardiente, imaginativo y sensual. León Roch, avergonzado, reconoce que su ideal de un
hogar presidido por la razón, en donde la confianza y la alegría rei-
naran, se vino abajo, sin la menor resistencia, seducido por el atractivo
exclusivamente sexual de María Egipcíaca. La familia pura que soñara
se ha convertido en un amancebamiento, en el que no hay nada más
que una unión física y un divorcio espiritual completo. Si la religión
sucumbe ante la fuerza de la naturaleza, se desploman igualmente los
ideales fabricados por la razón sin tener en cuenta la realidad. La esterilidad, es claro, marca a María entre los personajes condenados del
mundo galdosiano.

León Roch se rindió vergonzosamente ante los encantos de María,
porque había considerado indigno del hombre adjudicar al sexo un
papel en la vida, y de esta manera, cuando la sexualidad impuso su
presencia, León Roch se somete inmediatamente sin poder encauzarla;
pero corre un riesgo todavía mayor al separarse de su mujer, pues va a
vivir cerca de su antigua amiga Pepa Fúcar, que se ha separado de su

marido y tiene una hija. Descubre el verdadero carácter de Pepa y adivina en ella la mujer que debía haber sido su compañera. Pepa continúa amándole como siempre y quiere que se alejen de Madrid, yéndose a vivir felices fuera de España. León renuncia a su felicidad, leal a sus ideas. El hombre para rebelarse tiene que ser capaz de construir: "Quien sintiendo en su alma los gritos y el tumulto de una rebelión que parece legítima no sabe, sin embargo, poner una organización mejor en el sitio de la organización que destruye, calle y sufra en silencio." La rebelión romántica individual debe terminar sometiéndose el hombre a la ley. La ley puede mejorarse e incluso cambiarse, pero no hay que someterla a las decisiones caprichosas o circunstanciales del individuo.

El equipaje del Rey José dio lugar al gran mundo abstracto de las novelas de este período, y la enseñanza de éstas la recoge en *Los apostólicos*, penúltimo episodio de la segunda serie: España tiene una idea muy vaga de qué es la libertad y desconoce lo que es el respeto mutuo. No comprende que para que la libertad sea una realidad fecunda hay que fundarla en dos esclavitudes: la de la ley y la del trabajo. Esto no impide que España, un día u otro, pero ineludiblemente, se incorpore a la civilización contemporánea. La civilización en otro tiempo fue conquista, privilegios; hoy es trabajo e igualdad.

La trayectoria de Galdós va del revolucionario Lázaro al voluntariamente sometido a la ley León Roch. De los problemas políticos se pasa a los religiosos, llegando a encontrar las directrices de su mundo: el trabajo y la ciencia. Del estudio de la historia del siglo XIX sacó el esquema de la sociedad en general y de España en particular, la cual examina desde el punto de vista histórico y absoluto (*Doña Perfecta* y *Gloria*). Descubre la realidad (*Marianela*), y después de *La familia de León Roch*, obra de transición, se siente capacitado para el estudio de la realidad y el presente, entrando así en su segunda etapa.

CAPITULO III

EL NATURALISMO

EL NATURALISMO

En *Marianela,* Galdós declara la superioridad del mundo de la realidad sobre el de la imaginación y el deber de abandonar éste para penetrar en aquél. Con *La desheredada,* el novelista toma posesión de la realidad; esto es lo que hace que con esta obra comience un nuevo ciclo en la creación galdosiana. Lo que hubiera tratado de una manera abstracta cuando escribió *Doña Perfecta,* ahora se torna individual. Procura basar el diálogo y las descripciones en el documento humano.

Recorre la etapa naturalista de un solo impulso, desde 1881 a 1885. Dickens y Balzac son sus modelos, Taine y Comte sus guías; Zola el fermento vital, Cervantes su maestro indiscutible.

EL NATURALISMO POSITIVISTA Y LOS NATURALISMOS GOTICO Y BARROCO

La pintura realista y naturalista francesa entronca con Goya y con los maestros españoles del siglo XVII. En España, con una buena fe apenas torcida por el falso patriotismo, se pensó sinceramente que en la literatura ocurría lo mismo, creencia que la modernidad del *Quijote* contribuía a afirmar. Condujo a este error, en el cual cayó el mismo Galdós, la fuerza del naturalismo gótico y barroco, que en España había producido obras maestras como las de Juan Ruiz, Fernando de Rojas y el género picaresco. Hoy todo el mundo sabe que el naturalismo del *Libro de buen amor* y el del monumento del gótico tardío, *La Celestina,* refleja la concepción religiosa de la baja Edad Media, de la misma manera que la picaresca obedece a la concepción religiosa del Barroco. La muerte en la Edad Media es siempre un momento religioso, lo mismo que en el Barroco; sólo que en éste se insiste en la nada de la vida y del hombre, en lugar de insistir en el Juicio Final. Todavía en el realismo del siglo XIX gravita el Espíritu, pero el naturalismo positivista lo excluye en absoluto. El naturalismo construye su mundo con las teorías darwinistas y positivistas. La influencia del medio, la lucha por la vida, la ley de la herencia, la evolución, la transformación físico-química de la materia, etc., son los principios que informan al escritor naturalista, el cual niega toda validez a la invención, tan cara a Cervantes, para servirse únicamente de la observación. No se propone el estudio de tipos ni aun de caracteres, sino de temperamentos. La moral es un producto del medio y de la fisiología, cuyas leyes hay que indagar. Ya Doña Perfecta —a quien habían llegado las ideas de Taine— reprochaba a Pepe Rey que creyera que el alma era como una droga. Y Teodoro Golfín, ante la muerte de la niña Marianela, sólo puede decir con acento spenceriano: "No sabemos nada." La muerte es eso para el naturalista, un cadáver que hay que abandonar a los médicos con la esperanza de que encuentren algún día las leyes que rigen el mecanismo humano. Del esqueleto medieval moralizante, pasando por la nada abismal y barroca, por lo macabro romántico, inquietante y misterioso, se llega al cadáver naturalista, el mero cadáver que está ahí, celando su secreto a los ojos que lo observan y lo estudian para tratar de comprender la vida. El cadáver naturalista no hace pensar en la razón última de la vida ni en ultratumba; sirve tan sólo para fijar al hombre en la materia, despreocupado como está de las causas finales.

Mientras el naturalismo gótico nos presenta una naturaleza que es testigo constante de Dios, y el barroco una naturaleza en lucha incesante con el espíritu, el naturalismo positivista pone ante nuestros ojos una naturaleza que no es nada más que materia, naturaleza sin finalidad que la trascienda; el mismo espíritu, si por raro azar se le encuentra, es únicamente un estado de transformación de la materia que recibe este nombre.

CERVANTES Y GALDOS

El autor naturalista no podía aprender nada de la Edad Media ni del Barroco, pero sí de Cervantes. Mientras Lope de Vega vive inmerso en el conflicto barroco, el creador de Don Quijote vive en conflicto con el Barroco, y de aquí su modernidad, que tan bien captó Flaubert. Cervantes se niega a aceptar lo burgués en nombre de lo heroico; rechaza la realidad en nombre de la imaginación; la voluntad, en nombre de la fe. Por eso mismo es el que más agudamente ha observado la realidad y el mundo burgués, el que mejor ha sentido las fallas de la fe y del heroísmo, uniendo en su obra barroca realidad e ideal en tensa oposición.

Frente a un arma de fuego no hay caballero que resista, como reconoce el mismo Don Quijote, y cuando el hidalgo afirma: "Yo sé quién soy", la compasiva sonrisa de Cervantes nos muestra de qué poco vale la fe. Don Quijote sabe quién es y cree que puede ser lo que se proponga. Cervantes tiembla ante el error de Don Quijote, pues conoce muy bien que no se alcanza con la fe lo que uno se propone, que todo el problema reside en ser o no ser, en la voluntad.

De este punto parte Galdós al estudiar la sociedad contemporánea. El conflicto entre imaginación y realidad no lo proyecta metafísicamente como Cervantes, sino de acuerdo con su época, sociológicamente. El acento, naturalmente, cambia. La nota de desilusión y desengaño de Cervantes no la comprendió Galdós, porque no estaba en condiciones de comprenderla. Para él la derrota de Don Quijote no entraña ninguna melancolía, y pensaba que Cervantes la había sabiamente querido, sin comprender que lo único que hacía el inventor de Don Quijote era notar melancólicamente que en su época el ideal y el heroísmo sucumbían ante la realidad y lo burgués. Galdós interpreta el mundo cervantino con sus propios ideales, pues quiere que España deje de soñar y entre en el mundo de la realidad; que los delirios de grandeza sean reemplazados por el trabajo paciente; que el amor a la gloria y el heroísmo dejen su lugar a la disciplina, al servicio de la sociedad; que en lugar de pensar en Dulcineas se piense en las necesidades cotidianas.

Isidora, *la desheredada*, pues en su imaginación creía, como le habían hecho creer, que era descendiente de una rica y noble familia de marqueses, llega a Madrid dispuesta a recuperar su estado social. Isidora se apoya en la realidad apenas lo necesario para poder construir su mundo imaginario. Aunque cree sinceramente en su derecho al marquesado, podía pensar que no le sería fácilmente reconocido. Más tarde, cuando se le niega tal reconocimiento y decide entablar un pleito, de nuevo podía sospechar que el tiempo que tardara en ganarlo sería largo; siempre, en sus escaseces de dinero, tenía el deber de acudir urgentemente a la llamada de la realidad, pero una y otra vez se niega a abrir los ojos. Realidad no significa sólo que se trasladara del mundo de su fantasía al de la razón, sino que viviera en un cosmos más complejo, en donde al lado de lo bello existe lo feo, al lado de lo noble lo plebeyo, junto al vago deseo amorfo los valores concretos, y todavía más, que se convenciera de que vale la pena tener en cuenta la realidad, pues acaba siempre por imponerse.

La bella muchacha, que llegó a Madrid llena de ilusiones, cae en la prostitución y va a dar a la cárcel. Un día, allí, desesperada, se agarra a las rejas de la prisión, gritando: "Soy noble, soy noble. No me quitaréis mi nobleza, porque es mi esencia, y yo no puedo ser sin ella." Pero la verdad es que sus ilusiones no tenían fundamento ninguno. Un impostor puede llegar a tener grandeza trágica (lo que acontece con Isidora), cuando él mismo es el engañado; de lo contrario es un farsante vulgar.

IMAGINACION Y REALIDAD

Galdós, después de volver a tratar el tema estético de *Marianela* desde un punto de vista más general —las ideas sin la observación conducen al error— en *El amigo Manso,* dedica *El doctor Centeno, Tormento* y *La de Bringas* a estudiar otras tantas facetas del conflicto entre la imaginación y la realidad. Hombres de imaginación sin voluntad: Celipín Centeno, Pedro Polo, Alejandro Miquis; el hombre de imaginación y el de voluntad: Pedro Polo y Agustín Caballero; por último, en *La de Bringas* vemos toda la sociedad española vivir únicamente de la imaginación; sólo que, en el siglo XIX, la tragedia de Don Quijote o de la impostora Isidora se termina en farsa, no por lo general menos chabacana. La sociedad ya no cree ser, le basta con aparentar ser; el individuo se da por satisfecho con que los otros crean que es, y en realidad ni aun eso. Todos están de acuerdo en vivir la farsa como si fuera realidad. Todo es falso: bienestar, dignidad, honor, sentimiento religioso, moralidad, organización política, economía.

El mundo ilusionista barroco ha producido esa sociedad del siglo XIX, en que lo único verdadero es lo falso. La pompa, opulencia y grandeza aristocrática del siglo XVI han desaparecido; en su lugar queda la mediocridad de una sociedad de empleados. Todos son, han sido o aspiran a ser empleados. Empleado sacerdote, empleado militar, empleado profesor, empleado aristócrata, empleado político, empleado comerciante, empleado... El drama de esta sociedad es quedar sin empleo, pasar de empleado a empleado cesante. Quedar sin empleo, quedar cesante, no es lo mismo que quedar sin trabajo, porque en realidad el empleado no trabaja. Quedar sin empleo quiere decir perder el sueldo, el misérrimo sueldo que se gana. Nadie produce nada; se pasan el sueldo los unos a los otros y así circula la riqueza. El cesante contempla resignado el círculo mágico hasta que no puede más; entonces hace una revolución, que consiste, es claro, en entrar en el círculo. Demasiado trabajo tienen en ganarse y asegurarse el sueldo para poder dedicarse luego a trabajar; además, no hay en qué; por la misma razón no se piensa en el pueblo: demasiadas penas cuesta penetrar en la Orden o Hermandad de empleados, para pasarle el secreto a otro; si este otro es bastante avispado, entrará por sí mismo, por sus propios méritos, y si no, cuanto más ignore el mecanismo de lo que sucede, mejor.

Valera primero, Maura después, notaban, no sin reproche, la ausencia del mundo aristocrático en la obra galdosiana, como Anatole France censuraba a Zola que ignorara los salones, olvidándose todos, al parecer, de que el siglo XIX es un siglo democrático. La desaparición de la aristocracia en el siglo XIX es un fenómeno político-social que nada tiene de particular, pues desde el siglo XVI la burguesía estaba suplantándola y la Revolución Francesa la hace desaparecer; pero el asombro de Galdós es grande al observar que en España ha sucedido lo mismo que en Europa, sin burguesía y sin revolución. Hecho histórico que le confirmará en su idea muy siglo XIX, de que el Tiempo hace y deshace los organismos e instituciones sociales. Galdós no observó el mundo aristocrático porque no lo veía; y no lo veía porque no existía, como lo dijo más de una vez. Es de suponer que Valera y Maura no recordaran la afirmación de Galdós, y que de haberla recordado la hubieran negado, pues tanto uno como otro necesitaban creer o en su nobleza o en la de la sociedad, aunque ellos mismos fueron ejemplos típicos del aristócrata empleado y del empleado político.

Cervantes añora la época en que los hombres tenían un ideal, época de caballeros que luchan por su Dios y por su dama, dándose cuenta de que era una época irremisiblemente pasada: por eso su nostalgia, por eso su trágica ironía al mirar al pasado y contemplar el presente, por eso pudo crear el *Quijote*. Valera tiene únicamente un problema económico-social: sueña con que le aumenten el sueldo o se multipliquen sus rentas o se vendan más sus libros. Sueña con que la decaída clase social a que pertenece no esté en decadencia. Se refugia en el pasado, desdeñando el presente.

El autor naturalista no observa la sociedad aristocrática porque no existe, pero este fenómeno social no da la causa emotiva. El naturalista busca las formas más elementales y rudimentarias de la sociedad para sentirla en toda la fuerza de su dinamismo y materialidad. Acude al pueblo, a las formas marginales de la sociedad, para poder observar en su estrato menos complejo los elementos que coadyuvan a dar vida a la sociedad, como el científico busca en los organismos inferiores el secreto de la vida.

DIDACTISMO DE LAS OBRAS NATURALISTAS

En estas obras naturalistas se propone Galdós el mismo objetivo didáctico que al escribir *La Fontana*. Antes escribió para enseñar a los españoles su historia; ahora para explicarles su carácter, y ahora como antes saca la consecuencia de su lección: no hay que pensar que la imaginación alcance el triunfo social, sino la laboriosidad y el esfuerzo. No cree en la revolución, porque lo que hay que transformar es el carácter; por eso dedica su obra a los maestros, para que ellos inculquen en la juventud el horror a la vanagloria y a las apariencias, y el deseo a enfrentarse con la realidad, viviendo no de ilusiones, sino con la voluntad. El amigo Manso es el pedagogo, que tiene que sufrir de sus mismos errores, pues para que el maestro corrija a los discípulos tiene que corregirse él antes. En *El doctor Centeno* describe el sistema pedagógico de la época —escuela de D. Pedro Polo— al cual opone el ideal de la escuela futura —¿1963?—, en la forma de un pobre maniático que se escribe cartas a sí mismo: pero ¿a quién podía escribirlas, tratándose de pedagogía?

EL MEDIO

El escenario abstracto de *Doña Perfecta, Gloria y Marianela* desaparece para presentarnos en su lugar el medio donde viven los personajes. Uno de los capítulos de *La desheredada se titula* "Tomando posesión de Madrid" y se refiere a Isidora, pero en realidad es Galdós quien va conquistando la ciudad. Primero, los alrededores, las Peñuelas, donde Isidora cree estar en una ciudad hecha de cartón, "una piltrafa de capital, cortada y arrojada por vía de limpieza para que no corrompiera el centro"; luego la ciudad propiamente dicha, con sus calles, su aglomeración, su atmósfera agradable, cuyo encanto se apodera de todo el que llega a ella. La tienda de Schrapp y la joyería de Martini, esas cien aventuras que son los escaparates con sus telas y pieles, los metales preciosos, el marfil, el azabache y el ámbar, los vinos, los comestibles —al lado del jabalí colmilludo, el faisán con la gracia de la gelatina, y las lenguas a la escarlata con su rojo estridente—, los muebles, las tapicerías, y luego los cafés, el Retiro, la Castellana, la dulzura de las mañanas de abril y mayo, con ese cielo que va calando el alma de bienestar, o el encanto del atardecer mientras aparecen las estrellas y se encienden las luces de gas y en octubre la humedad del piso envuelve todo en una neblina otoñal. La multitud que desemboca de Fuencarral, de Carretas, de la calle Mayor, e inunda la Puerta del Sol, los trenes de lujo con las libreas de los cocheros. "Madrid, a las ocho y media de la noche, es un encanto, abierto bazar, exposición de alegrías y de amenidades sin cuento. Los teatros llaman con sus rótulos de gas, las tiendas..., los cafés fascinan con su murmullo y su tibia atmósfera en que nadan la dulce pereza y la chismografía. El vagar de esta hora tiene todos los atractivos del paseo y las seducciones del viaje de aventuras. La gente se recrea en la gente." No falta la nota certera sobre el Madrid aristocrático con sus palacios vulgares, pero donde se detiene es en el Madrid popular.

Al describir en *Lo prohibido* el paseo de Recoletos a todas las horas del día, Galdós ha ganado en soltura, en capacidad de expresión, en posibilidad de crear una atmósfera. Quizá no se encuentre en la literatura española una página anterior a ésta en que se haya dado mejor la emoción de Madrid. No es una pintura costumbrista; es el don de hacernos partícipes de esa tenue emoción de la calle de una gran ciudad. Cuando, en la misma novela, se describe París, respira el lector un aire saturado de individualismo. Todos los pintores naturalistas y después, todavía más hondamente, los impresionistas, nos han transmitido ese sentimiento de la naturaleza alrededor de una gran ciudad. Esa pradera llena de colores, o ese bosque denso de sombra y luz, la terraza del café con las mil pinceladas de los quitasoles, el lago, los paseos del jardín, las calles con su vaivén y la magia de los escaparates, la fachada de un hotel o de un café, las calles de las afueras saturadas de quietud. Galdós ha fijado para siempre en la literatura española ese momento. Sentirse —siempre dentro de la sociedad— desligado de toda atadura social, dejar manar la pasión y poner los sentidos en libertad para que se emborrachen de color, de luz, de ruidos, de agitación y movimiento, eso es lo que vemos en la estancia de Eloísa y de José María en París. Se siente la naturaleza, con todo el acuciado deseo nostálgico del habitante de la gran ciudad, y en la urbe también —nuevo yermo— se pone el hombre en íntimo contacto con el destino humano, con la grandeza y pequeñez de la vida, al recoger en un instante una mirada, un gesto, el cabo roto de un diálogo, un detalle minúsculo revelador de un mundo, de la novela que cada hombre vive sin saberlo.

DETALLES. LA REAPARI-
C I O N D E PERSONAJES

Acumulando detalles, como ya quería *Stendhal* y pontificaba Taine, pinta Galdós un manicomio, o un taller, la pedrea de los chiquillos o una casa de huéspedes, el cuadro de pelo que hace Bringas o los mil aposentos de Palacio, las angustias económicas, el tormento sexual, las ilusiones de Manso, la busca de una ama de cría, los remordimientos de la conciencia, la borrachera que a Celipín le causa el puro o una sonata de Beethoven. Todo es lo mismo, la cuestión reside en multiplicar la observación para poder asir la realidad.

Los personajes valen igualmente lo mismo. Cualquier trozo de vida puede dar de sí una novela. Como el tiempo incesante levanta y derrumba imperios, la realidad se encarga de presentar las más insospechadas aventuras, que la imaginación del hombre inútilmente trataría de superar. La aventura está ahí, para quien sabe verla.

La hermana de Balzac cuenta que un día del año 1833 el novelista fue a visitarla y al verla exclamó: "Saluez-moi, car je suis tout simplement en train de devenir un génie." A Balzac se le había ocurrido la idea de agrupar toda su obra haciendo reaparecer sus personajes de una en otra novela. Por este procedimiento quería que en su novela quedara viva la sociedad de su época, toda ella. A Balzac no se le pudo ocurrir el retorno de los personajes, sino cuando sintió como artificial el destacar a uno de ellos. El hecho de que un personaje avance hasta el primer plano del protagonista se debe únicamente a que el novelista ha querido fijarse en él, pero lo mismo podría sucederle a otro cualquiera. Así los personajes no sólo reaparecen, sino que cambian de plano. Galdós aceptó la reaparición de personajes de una manera orgánica a partir de *El doctor Centeno*, pues en las obras anteriores en realidad no existe, ya que las dos series de *Episodios* deben considerarse como dos novelas, que comprenden también *La Fontana* y *El audaz*, y en las otras obras no tiene todavía un plan. En cambio, los principales personajes de *Tormento* y *La de Bringas* los encontramos ya en *El doctor Centeno*, y en *Lo prohibido* reaparece la sociedad de *La familia de León Roch*, que ya se encontraba en *El amigo Manso*.

La crítica de su época notó la falta de protagonista y la sencillez del argumento, censurándolo, lo cual es disculpable; pero es de lamentar que aún continúe repitiéndose lo mismo, sin darse cuenta que son dos de las características de la escuela naturalista. Hasta tal punto cada hombre es una novela, un destino, que el primer capítulo de *La desheredada* se titula: "Final de otra novela", porque en él se cuenta la muerte de un personaje. Es claro que en la manera de expresarse hemos de hallar la emoción literaria del momento: una novela no tiene principio ni desenlace, es un trozo de vida. El estudio de un tipo, de una pasión, se tienen que presentar acabados, pero la descripción de un individuo, de la vida en general, sólo pueden tener un límite arbitrario: comienzo y final, que no es lo mismo que principio y desenlace.

EXPERIMENTACION. HIS-
TORIA DE UNA FAMILIA

Junto a la reaparición de personajes, se sirve también del procedimiento zolesco de historiar una familia. Los tres hermanos Miquis, por
ejemplo, y sobre todo los primos y primas de *Lo prohibido*.

En esta novela se desentiende de todo estudio social para fijarse
exclusivamente en los individuos, escribiendo la obra más estrictamente naturalista de toda su producción. Después de contarnos la historia
clínica de cada uno de los personajes, la transmisión hereditaria de
taras familiares con sus cualidades y defectos, el medio en que han
nacido y se han educado, comienza la experiencia, que se narra en
un relato autobiográfico.

La experiencia de que se informa al lector es la siguiente: Dados
los cuerpos A, B, C, cuyas propiedades llamaremos a', b', c', ver
cómo reaccionan en cierto medio, que designaremos por M, ante el
cuerpo N, cuyas propiedades las conocemos por n'. Los cuerpos A,
B, C, son tres bellas hermanas casadas, N es su primo, mozo sin nada
que hacer y con dinero. El medio: Madrid en 1880. El Madrid en
que se cultivan las pasiones de estos cuerpos es bastante diferente del
presentado en *La de Bringas*. Se han edificado amplias y hermosas
barriadas; los medios de comunicación son varios y rápidos; edifi-
cios, calles y personas han mejorado de aspecto; las plazas llenas de
polvo son ahora hermosos jardines; las tiendas pueden rivalizar con
las de París y Londres; los teatros abundan y son elegantes.

Como cada muchacha está casada, se estudia a los maridos y las
tres casas —medios— distintas, etc. Toda la retórica naturalista se
encuentra en la novela, y si hoy desde este punto de vista es muy
interesante su estudio, en cambio, es la parte más envejecida del
libro.

Lo prohibido se debió al deseo de máxima objetivación de Galdós,
de enfrentarse a solas con la materia y su mecanismo. Toda su labor
desde *Marianela* y especialmente a partir de *La desheredada* le conduce a esa observación de la realidad, pero su afán didáctico impidió
que lo alcanzara antes de ahora.

En las otras novelas ya no quedaba ni el menor rastro de composición abstracta, que todavía encontrábamos en *La familia de León*

Roch; sin embargo, al estudiar la sociedad, no puede por menos, dada su inclinación espiritual, de estudiar el carácter nacional, y al fijarse en éste, en seguida los trazos adquieren un relieve excesivo y se cargan de un contenido que un mero individuo no puede soportar.

EL CARACTER NACIONAL. LA SOCIEDAD.

La escena con que comienza *La desheredada* está situada en la realidad, en el manicomio de Leganés. El asilado es Tomás Rufete, padre de Isidora, y así podemos darnos cuenta inmediatamente que la exacerbada imaginación de la muchacha es un trastorno patológico hereditario. La descripción del manicomio es un dibujo a pluma. Vemos los pabellones de pago, el trato que reciben los asilados, las siluetas de los enfermeros. Galdós, guiado por Dickens, va trazando ese dibujo, preciso y vago al mismo tiempo, de calidad romántica y de contenido social. Pero la locura de Rufete tiene una amplitud y resonancia de indudable carácter simbólico: el alejamiento de la realidad de los españoles hace que su historia y su sociedad no tengan sentido ni dirección. Basta comparar esta escena con la del comienzo de *El doctor Centeno* (borrachera de Celipín) para darse cuenta de toda la diferencia entre una y otra. Las dos descripciones son idénticas, pero en la del mareo de Celipín, el novelista no tiene ningún propósito que vaya más allá de la misma descripción. Compárese también con el cuadro de pelo que está haciendo Bringas, al comienzo de la novela de su nombre. Todas las novelas de este período comienzan con un gran dibujo de pluma experta.

Pero sobre el Madrid de Isidora cae la sombra del Toboso, un Toboso que Galdós, diabólicamente, hace cuna de un naturalista, y, como el novelista exige la precisión, la claridad, el tío de la muchacha se llama Santiago Quijano-Quijada; temiendo que el parentesco tío-sobrina concrete demasiado la relación entre Quijano e Isidora, la carta que le escribe comienza: "Mi querida sobrina o cosa tal." La carta con que termina el primer volumen de la novela refuerza, explica, aclara el sentido de la locura de Rufete con que la obra comienza: españoles, hijos cada uno de su Rufete, descendientes todos de Quijano-Quijada. Y todavía al final de la novela una moraleja. El que no entienda será porque no quiera.

Se libra, no obstante, de lo abstracto, pues no está estudiando el quijotismo enfrente de la realidad, sino un mal actual, cuya raíz va hasta el *Quijote*. Cuando se nos indica lo que significan esas mantillas blancas que lleva la aristocracia al paseo de coches de la Castellana, durante el reinado de Amadeo, o al pintar la alegre cabalgata de las carrozas reales, o al enumerar escuetamente los hechos políticos del 73 y 74, entrelazándolos con la novela, quiere situar ésta no sólo en el tiempo y en el espacio, sino en otra dimensión, la dimensión del siglo XIX, en la Historia. No le basta situarla en Madrid, entre el 72 y el 75; necesita que la Historia la sostenga. Este apoyo histórico nos está revelando que Galdós tenía en su época naturalista el mismo concepto de la novela que en la época anterior: los hechos históricos por sí solos nada dicen, son el esqueleto que hay que recubrir de carne para poder infundirle vida. Mientras desfilan las mantillas y cambia la dinastía y se firman tratados y se matan los hombres, la vida de Isidora nos permite explorar en su profundidad y reconditez la España de la época mucho mejor que el estudio de una figura histórica o de un documento.

Amparo Sánchez Emperador se ve cogida en la espesa red de Pedro Polo Cortés y es salvada por Agustín Caballero (*El doctor Centeno, Tormento*). Pedro Polo es un espléndido temperamento. Hombre fuerte, robusto, sanguíneo, de familia campesina, hecho para respirar ante un dilatado horizonte, empleando su tiempo en ejercicios físicos agotadores, pasa su vida entre un convento de monjas y una escuela de párvulos. (Lo mismo que un autor realista divide a los personajes en buenos y malos, para que la oposición violenta marque bien la diferencia de los mundos morales contrapuestos, el escritor naturalista para aislar un temperamento hace resaltar con exceso su contraste con el medio). Pero Polo es sacerdote, ¿qué podía ser en España un pobre labriego que deseara salir de la miseria? La Iglesia aquietó, en cierta medida, sus ambiciones sociales. Otro hombre hubiera encontrado un medio acomodativo para acallar su temperamento, pero esto era lo que no podía conseguir Pedro Polo. Ni tenía fuerza de voluntad para dominar su temperamento, ni para someterse a él, abandonando el sacerdocio; y la vía media, contemporizadora, no le sosegaba. A su familia se le ocurrió lo más fácil, hacerle sacerdote; él, después de intentar débilmente vivir según las exigencias de la Iglesia, cuando su temperamento le hace su esclavo, no encuentra otro modo de escapar a su tormento que por la imaginación. ¡Soñar que no es lo que es! ¡Soñar que, por arte de magia o de revoluciones —es lo mismo—, se suprime el estado eclesiástico, transformándose entonces en un gran capitán que gana reñidas batallas o en un rico hacendado con inmensa tropa de segadores y vendimiadores!

Este sacerdote es un hombre, un individuo, que sufre y padece. Es el individuo que en lugar de obedecer a su vocación y hallar placer en el trabajo de cada día, se encuentra prisionero de su profesión: abogado, profesor, médico, empleado, comerciante, militar. La actividad no importa. Pero es también el español extremoso —Polo—, cuyas cualidades de hombre de acción, de conquistador —Cortés es sólo el segundo apellido— han quedado reducidas a servir de pasto a la imaginación.

Amparo Sánchez Emperador es una buena muchacha y a la vez España —con el Imperio tras el Sánchez—, que arrastrada a la indignidad y la miseria por el sacerdote Polo Cortés, es salvada por Agustín Caballero —el primer apellido es Caballero—, hombre pobre, que consigue una fortuna gracias a su esfuerzo y trabajo, y que tiene todavía la fuerza de carácter para despreciar los prejuicios sociales. Este Agustín Caballero, no es el caballero calderoniano, sino su opuesto, el pícaro redimido, el caballero naturalista. Mientras los héroes calderonianos han degenerado en unos Polo Cortés, capaces sólo de soñar que no son lo que son, conquistando imperios con la imaginación únicamente, causando de paso la ruina de España, el pícaro ennoblecido por el trabajo es el verdadero caballero que puede salvar y salva a España de la degradación en que la han hecho caer.

Sería un error leer estas novelas como se deben leer *Doña Perfecta, Gloria* y *Marianela.* Si nos fijamos, empero, nada más que en lo individual, corremos el peligro de perder el substrato nacional en que se arraigan.

Rosalía *Pipaón de la Barca* de Bringas es una señora de la clase media: marido empleado, pequeño sueldo, angustias económicas constantes, etc. Rosalía es una señora de la clase media, una pobre y buena señora. Galdós estudia ese mundo de la de Bringas, para el cual había trazado ya numerosos bocetos. La novela es un cuadro del medio social de Madrid en los últimos años del reinado de Isabel II. La vida de la de Bringas es una vida individual y nacional al mismo tiempo, pero no sólo porque ella refleje las características culturales, históricas y sociales de su país, lo cual es natural, sino porque al estrecho, mezquino, vulgar y pobre recinto de la de Bringas se le extiende hasta hacerle coincidir con el del reinado de Isabel II. El marido de Rosalía se llama Francisco; viven en un aposento alto de Palacio. Cambiada de clave, suena en los pisos altos de Palacio la misma melodía que en las habitaciones de Sus Majestades, tanto por lo que respecta a la vida matrimonial como a la vida económica y social. En esa casa de vecindad que es el Palacio en el siglo XIX, no brilla la aristocracia, ni en los salones de Rosalía —con alguna marquesa tronada que otra, todos los que la frecuentan son pequeños empleados de Palacio o de la Administración— ni en los salones de la Reina. El centro social más vulgar, menos inteligente, más inculto y ramplón, desde Fernando VII a Isabel II, se encuentra en las habitaciones reales.

El pobre Francisco Bringas, carácter pusilánime y apocado, es un trasunto del monarca. Su pérdida pasajera de la vista alude a otras cegueras, las cuales, Galdós, siempre insistente en exceso, nos aclara al hacerla coincidir con el adulterio de Rosalía. La vida espiritual es nula y el sentido moral no existe, sin que nada ocupe su puesto. Rosalía no es una gran pecadora, ni un ser diabólico, ni una mujer atormentada por los sentidos o devorada por la pasión o la ambición. Ella, como su marido, sus amigos, la sociedad de que forma parte, es algo rastrero y mediocre. Falta a todos sus deberes de madre, de esposa, y sin embargo su imaginación no va más allá de comprarse un retazo de tela o arreglarse un traje viejo.

LA SENSIBILIDAD NATURALISTA. IN-
DIVIDUALIDAD DE LOS PERSONAJES

Este es el drama que precisamente siente el naturalista: el drama de lo mediocre; lo cual le ha permitido emocionarse de una manera nueva con los tonos medios y colores apagados, sensibilidad que transmite al impresionista. Cuando Manso descubre que la mujer que quiere está enamorada de otro —su amigo y discípulo— y, además, que no es el ser ideal forjado por su mente, nota con asombro que todavía la quiere más que antes y que come con más apetito. El gesto trágico, que pide el coturno y la frase elocuente, no hace falta para nada. El universo no se conmueve, ni los rayos rasgan las nubes negras de la tempestad, ni se hunde la tierra, ni se viene abajo el cielo; lo único que sucede es que la criada anuncia el cocido con su vaho acostumbrado y olor apetitoso. El hígado funciona bien, los riñones también, el estómago, el corazón, víscera importante; y el hombre, entre bocado y bocado, ve que un ideal se deshace, que un sentimiento se esfuma. El hombre naturalista, tan lejos de la bella arquitectura humana renacentista, tan lejos del ser polarizado barroco —todo alma y espíritu, todo cuerpo y sentido—, del refinado rococó, del apasionado romántico, es un hombre fisiológico, que siente como debe el dolor del mundo. El impresionismo coge esa mediocridad y medianía que descubre el naturalismo, quien a su vez es heredero del romanticismo, y les infunde lirismo y poesía. Para que el impresionismo descubriera la poesía de la materia y de la realidad era necesario que ésta fuera descubierta por los naturalistas.

Si los personajes tienen un sentido extraindividual —Bringas cae en una ceguera momentánea que le impide ver lo que pasa a su alrededor, el hijo de Isidora es un monstruo— no pierden, sin embargo, la nota diferenciadora que les aleja del arquetipo. Con Gabriel Araceli, gracias al realismo sentimental, se redime al pícaro. Otro muchacho, Celipín Centeno, que pensaba hacerse doctor, no consigue pasar de criado. No hemos de olvidar, es verdad, la ayuda prestada por Marianela a Celipín, y así comprenderemos, dentro del sistema galdosiano, la crueldad de su destino; pero el muchacho pertenece a la realidad, realidad triste que ningún optimismo progresista tiñe de color de rosa. Lo mismo acontece con Isidora, Pedro Polo, Alejandro Miquis, Rosalía, Francisco Bringas. Todos ellos están arrancados de la realidad y copiados del natural, pero en la trayectoria de sus destinos, Galdós ha visto lo que había de español del siglo XIX. Por eso los personajes secundarios, aunque no escapen siempre a la sujeción del autor, tienen con frecuencia una libertad humana de que los otros carecen.

El análisis psicológico —éste será uno de los obstáculos más grandes que se encontrará Galdós para salir del naturalismo— se convierte siempre en la descripción de una situación o acción dramática. Por herencia romántica, en lugar de penetrar en el alma hace que el alma se exteriorice, y por herencia realista imagina plásticamente esta exteriorización. Los tensos estados psicológicos los proyecta o bien como una fuga lírica, a la cual suele llamar viacrucis ya desde *La Fontana,* o les da la forma de un sueño o de una acción dramática. No penetramos en el alma de los personajes, porque es un poco inútil. Tienen su alma tan a flor de piel, tan en los labios; expresa su exterior con tal exactitud lo que sienten y lo que piensan, que si ahondáramos en ellas no encontraríamos nada: tan totalmente en gestos, miradas, silencios y palabras se vierte su corazón.

Por último conviene observar que la manera de captar el mundo del naturalismo lleva consigo una modalidad estática y un peso que le diferencian extraordinariamente de la levedad impresionista y del dinamismo expresionista.

CAPITULO IV

LA MATERIA Y EL ESPIRITU

LA MATERIA Y EL ESPIRITU

Al terminar *Lo prohibido,* comienza la época de plenitud del novelista, que comprende sus obras monumentales : *Fortunata y Jacinta, Miau, La incógnita, Torquemada en la hoguera, Realidad, Angel Guerra, Tristana.* Esta época va del año 1886 al año 1892, de los cuarenta y tres a los cuarenta y nueve años del escritor.

Son todas ellas obras enormes, a la vez por el número de personajes, la cantidad de hechos, la riqueza de observación, y por la perspectiva y composición. *Miau* transcurre en dos meses ; *Torquemada en la hoguera* se contiene en unas pocas páginas ; es entonces cuando la inmensidad de la obra es más patente. Son obras de madurez y de gran aliento, que se conciben con una gran alegría creadora.

Galdós se ha quedado solo ante la materia. La tiene toda delante de sus ojos, la domina. Su mirada todo lo observa, y los detalles se escapan de la pluma en rápida sucesión e innumerables. Seguro de sí mismo, se adentra en la materia, se hunde en ella, avanza sin miedo, explorando lo más distante y lo más impenetrable. El medio, los temperamentos, la fisiología, las taras hereditarias, todo lo busca y rebusca, todo acude obediente a su mirada imperativa. Galdós se queda solo ante la realidad, y entonces la descubre : la realidad es un misterio. Gracias al naturalismo se puede volver a sentir en toda su intensidad la realidad como misterio. No se reniega del naturalismo, se supera. Los hechos se pueden observar, pero la observación no los descifra ; para comprenderlos hay que intuirlos.

Fortunata, espontaneidad y fuerza primigenia de la naturaleza, choca con Jacinta, lo formal, lo social, la ley. El hombre es siempre un cesante de la vida, *Miau*. La realidad es una incógnita. Torquemada está en la hoguera del sentimiento de la culpa. La conciencia es la realidad. *Angel Guerra* es la lucha entre el mal y el bien, lo particular y lo absoluto. En *Tristana* tenemos el fracaso de la rebelión contra una ley superior.

Los argumentos llegan a un máximum de sencillez. Juan Santa Cruz, el marido de Jacinta, tuvo antes de casarse relaciones con Fortunata, que continúan a intervalos después del matrimonio. De Jacinta no ha tenido descendencia; de Fortunata, sí: un niño, que murió a poco de nacido, y otro cuyo parto costó la vida a la madre. Juan es infiel a su mujer con Fortunata, y a ésta, con su mujer, y a ambas, con...

Villaamil, protagonista de *Miau*, queda cesante cuando le faltaban dos meses para la jubilación, perdiendo por lo tanto el sueldo de jubilado, fracasa en sus intentos de ser repuesto en el cargo y se suicida. Federico Viera muere, *La incógnita*, y no se consigue descubrir si es un suicidio o un crimen. El continuo correr de Torquemada tras el dinero se interrumpe unos días por la enfermedad y muerte de su hijo. *Realidad* repite el argumento de *La incógnita*, Federico Viera se ha suicidado. Angel Guerra, desengañado, se retira de la política y lucha por su perfeccionamiento espiritual. Tristana tiene que renunciar a emanciparse y se casa con su viejo seductor.

Esta sencillez le fue censurada ya cuando escribió *La familia de León Roch*, nada menos que por D. Francisco Giner; es seguro, sin embargo, que éste se dio pronto cuenta de lo que significaba. Es una manera de ver que apunta contra el romanticismo, el realismo sentimental e incluso las novelas por entregas, pero es más que una reacción literaria. El naturalismo no quería que el interés de su obra residiera en la traza o en la situación singular en que se encontraban los personajes; debía consistir en la capacidad de observar y en el análisis del personaje. Ahora la acumulación de detalles no disminuye, la presentación del personaje es la misma; la diferencia se encuentra en el distinto papel que representa el medio y en la exploración psicológica del personaje.

En el período abstracto los personajes eran personificaciones de ideas; en el período naturalista se estudia en los individuos el carácter nacional. A partir de *Fortunata* los personajes son simbólicos, como es simbólica la realidad o la obra de arte. Del mecanismo de *Doña Perfecta* se pasa a la orgánica libertad de *Fortunata* a través del naturalismo. La Plaza Mayor de Madrid es la prisión en que está encerrada Fortunata. No tiene necesidad de designar un lugar abstracto, porque cualquier plaza, la sociedad, es sentida como cárcel. Villaamil —mil en la Villa— es un cesante como tantos otros en Madrid, pero en ese Madrid descubre el sentido misterioso de la vida. Poco importa que el lugar de la acción de *Tristana* sea Madrid; podría suceder en cualquier parte. Galdós llega en estas obras a lo simbólico, a lo universal poético. No hay que creer que incida en el método antiguo, cuando en *Angel Guerra* tiene la acción en Madrid primero y en Toledo después (representando aquélla el mundo político y particular, ésta el espiritual y universal). La acción de *La loca de la casa* sucede en un pueblo de los alrededores de Barcelona, llamado, convencionalmente, Santa Madrona.

En vez de pensar en el período abstracto, debemos tener en cuenta que lo que busca es un ambiente adecuado a la acción. La vida recogida, silenciosa, de Toledo, con los conventos e iglesias y la catedral, le parece ofrecer una atmósfera más propicia al conflicto espiritual de Angel Guerra. La misma explicación es válida para Pepet, el protagonista de *La loca de la casa,* teniendo que desenvolverse en un medio industrial: era Barcelona la ciudad de España que se prestaba mejor a la acción.

Los personajes no cambian, pero descubren religiosamente que tienen que someterse a una ley superior. Ley del espíritu: Torquemada; ley social: Angel Guerra; ley de la naturaleza: Tristana. Si León Roch no podía rebelarse es porque siente ya la relación de superioridad entre el orden y el desorden, la sociedad y el individuo. Fortunata pone al descubierto el conflicto que resulta del choque entre la materia, lo espontáneo, y lo formal, la sociedad. Entonces es cuando Galdós siente con toda fuerza el valor religioso del Espíritu y cómo el hombre tiene que aceptar la ley que rige la vida, que no es otra cosa que la interior razón de ser de lo existente.

1. *LA REALIDAD Y EL ESPIRITU*

Fortunata y Jacinta tiene lugar de 1870 —con precisión, diciembre del 69— a 1876. Como prólogo a esos años, se cuenta la transformación social y económica de Madrid, desde comienzos de siglo hasta que Santa Cruz encuentra a Fortunata. La desamortización quita la propiedad a la mano muerta, cambiando el aspecto de la ciudad, pues todos los conventos se edificarán en lo que entonces eran las afueras; el gas hace su aparición; el oro se ve con sorpresa suplantado por los billetes de Banco; se inventan los sobres de cartas y los sellos de correos; los trajes de las damas dejan los colores vivos en el 50 al 60 por los colores oscuros; se pasa del rojo bermellón o amarillo tila al color de hollín y verde botella o pasa de corinto. D. Baldomero I, en 1796, trabajaba de sol a sol, amasando una fortuna, que su hijo, D. Baldomero II, conserva y aumenta en la dirección del comercio que hereda, y el nieto, Juan Santa Cruz, la disfruta sin quebraderos de cabeza. Esta excursión por un largo período de tiempo no obedece al pueril afán de desplegar ante la mirada del lector un pintoresco desfile de hechos. Estas decenas de años están en el libro para mantener el equilibrio con el apretado, denso y reducido espacio en que las figuras colosales se mueven.

En ese recinto reducido, por esa Plaza Mayor, por ese espacio limitado y angosto, siempre igual a sí mismo, pasa el tiempo, que todo lo cambia. Una forma fija que ahoga y constriñe, esa Plaza Mayor, creada por el hombre, ese Madrid, y atravesándola de parte a parte el tiempo que hace la Historia. Tiempo y espacio pesan lo mismo en la balanza, dispuesta a cada instante a registrar el menor cambio.

Galdós trata el tiempo lo mismo que el espacio, adensándolo y haciéndole que pese. Nunca podrá conseguir la fluidez necesaria para dar al tiempo su especial calidad, por la misma razón que no podrá nunca hacer un análisis psicológico, obstáculo nuevo, que ahora todavía no nota, pero que se hará patente en su última época. Hasta tal punto tiene el naturalismo una visión plástica del mundo que, a pesar del romanticismo, todavía se representa la Historia, la Memoria, la Conciencia, como figuras: Estupiñá, en *Fortunata*; la tía Roma, en *Tor-*

quemada en la hoguera. Simétricamente a la descripción del medio coloca el paso del tiempo sirviéndose de las familias Santa Cruz, Amáiz y Rubín. Fortunata y Jacinta están frente a frente, y entre ellas Juanito Santa Cruz, amante de la una, marido de la otra. Con la amante tiene hijos, con la mujer no. Pasa de lo legal a lo ilegal, gozando en este vaivén de la vida y su encanto. La ilegalidad siempre, contraría sus hábitos; siempre la legalidad, acabaría por entumecerle. Jacinta acusa a Fortunata de robarle el marido, Fortunata a Jacinta de quitarle el amante. Para Fortunata sólo el hombre del cual se tienen hijos es el marido. No comprende nada que se relacione con el artificial mecanismo de la sociedad, estando siempre pronta a defender sus derechos naturales. Acaba de dar a luz, cuando se entera de que Juanito tiene otra amante. Se levanta del lecho, acude a verla, dispuesta a hacerla abandonar al padre de su hijo; lucha con la otra contrincante a brazo partido, y de resultas de la lucha la parturienta muere. La actitud de Jacinta respecto a su vida matrimonial es la de una cortés tolerancia. Fortunata y Jacinta se odian y se aman al mismo tiempo. Necesitan la una de la otra; se completan mutuamente, encontrándose en el hombre. Galdós apenas insiste en la incomprensión de Fortunata por todo lo que sea materia de Derecho, no haciendo de sus personajes ni por un momento personificaciones de ideas. Describe la fuerza elemental, la vida rebosante de Fortunata, cuya mirada no puede traspasar el horizonte de la naturaleza, a pesar de estar rodeada espesamente por lo social. Fortunata, al morir, entrega su hijo a Jacinta. No hay una relación de superior a inferior, sino dos valores distintos con función diferente; incluso, si se quiere, dos temperamentos diversos, opuestos, que se complementan. La naturaleza es la base de la sociedad y del individuo, pero además está el elemento intelectual o racional, encargado de dar forma a la naturaleza.

Al lado de la vida la muerte. En *Fortunata y Jacinta,* los personajes —el primer hijo de Fortunata, Mauricia la dura, Moreno-Isla, Evaristo Feijóo, Fortunata— mueren, como en otras novelas, ya del corazón, ya de sobreparto, ya de alcoholismo, etc.; incluso, el número abundante de personajes que mueren no es tal si se tiene en cuenta los que figuran en la obra. La muerte desde el punto de vista de los personajes no ofrece nada digno de atención. Les llega el final de la vida dentro de la novela y queda anotado, nada más. Sin embargo, la muerte como una telaraña, como una red que envolviera todas esas vidas, toda la vida, está presente constantemente. Su presencia se hace sentir en esos coches fúnebres que van y vienen sin cesar por la calle, en esa caja de niño que es llevada a hombros al cementerio, en las procesiones de los entierros, en las tumbas ocupadas o que esperan su inquilino. Es una muerte triste y gris. A pesar de que acudan los confesores y el viático, no hay nada espiritual; al morir, queda un cadáver, pasto para las moscas. Moreno-Isla, que pasa largas temporadas en Inglaterra y está acostumbrado al regalo y comodidad de la vida inglesa, incrédulo y gentleman, no medita en la muerte, pero piensa en los carros fúnebres, como él los llama, con el mismo horror que en los trenes que se ve obligado a tomar en Irún.

Con Moreno-Isla, se critica, es claro, al individuo de fácil caricatura que una vez salido al extranjero sólo tiene denuestos para su país. Galdós satirizaba esta clase de individuos superficiales tanto más cuanto que él mismo estaba convencido de la necesidad de que España tomara por modelo lo bueno de otros países. Pero la caricatura de Moreno-Isla representa algo más, como se confirma en *Realidad* y en *Halma*. La civilización moderna ha llegado a producir, en el siglo XIX, un sistema político razonable y una organización social eficaz. Los trenes llegan con puntualidad, las carreteras son magníficas, un hombre puede ir por la calle sin que le roben, un trozo de papel con una cifra es mejor que el oro, los hoteles son limpios, cómodos y silenciosos, la higiene privada y pública es extraordinaria. Hay un país, unos países, en que se ha conseguido todo esto y mucho más. Orden, exactitud. Galdós lo admira, y es admirable; es digno de imitarse y tiene que ser imitado. Las carreteras deben ser transitables; si se dice que un tren llegará a tal hora, a tal hora exactamente debe llegar. Los hombres deben discutir y ponerse de acuerdo en lugar de andar a tiros. Cuanto más limpios sean los individuos, las casas, las ciudades, mejor. Comodidad, orden, tranquilidad, eficacia, son ideales conseguidos y que no hay que desdeñar, sobre todo cuando no se poseen. El pensamiento y la actitud de Galdós son terminantes, sin admitir el menor género de duda. Dicho esto, hay que afirmar en seguida que Galdós se asfixia en esa sociedad materialista y materializada. En esa sociedad donde al morir el cuerpo no queda nada, donde el cuerpo vive sin saber por qué ni para qué; esa sociedad en donde las ceremonias más espirituales, las instituciones dedicadas más exclusivamente a la vida del espíritu, son las que están más desposeídas de todo aliento vital y vivificante, de toda alma.

Los hombres van buscando la felicidad en la tierra, y si se encuentran con Dios en un momento de borrachera, como Mauricia la dura, o de locura, como Maximiliano Rubín, lo único que hallan todos es el vacío, la nada de la vida. La tierra es lugar de sufrimiento y dolor, lugar de servidumbre; la vida "esclavitud de esclavitudes y todo esclavitud". Feijóo, desde su cumbre racional, fracasa; Maximiliano, subido a la cima de su locura religiosa, es encerrado en un manicomio; los otros personajes viven sin dirección y sin sentido, amurallados en su egoísmo, cercados por su yo. Pero en la tierra, lugar de desolación y de tristeza, hay una llama viva, la caridad ardiente de Guillermina.

Antes de llegar a poseer el credo de amor de Guillermina —*Nazarín, Halma, Misericordia*—, Galdós tiene que pasar por la experiencia de Maximiliano Rubín: no esperar a la muerte gris, triste, hedionda, como la vida, sino ir a su busca. Liberarse de la realidad. Maximiliano quería que su vida y la de Fortunata terminaran en el suicidio, que toda la humanidad se matara; esperaba el Mesías, pero le recogen en un manicomio. Entonces toda la novela revela su sentido: "No encerrarán entre murallas mi pensamiento." De las murallas de la realidad se escapa el Espíritu. Fortunata es eso, una fuerza aprisionada. Galdós con su técnica naturalista nos da toda la pletórica abundancia de Fortunata. Fortunata es materia, nada más que materia, naturaleza pura. Pero en su gesto, su mirada, su cuerpo afirmativo, en su amor y en su instinto, en su ansia del hombre, en todo, rebosa algo que no puede ser materia. Con una fuerza naturalista prodigiosa, Galdós ha sentido la dualidad y la incertidumbre del límite, pues no sabe si la Materia circunda al Espíritu o éste a aquélla, o si la Materia es Espíritu o el Espíritu Materia. Lo cierto es que él siente la vida por todas partes, vida que lucha con lo inerte y meramente mecánico, descubriendo así, con todo vigor, el conflicto entre la Materia y el Espíritu.

"MIAU"

El tipo del cesante de los costumbristas entra en Galdós como problema social, histórico y político. En *Miau*, el tema se hincha de contenido agobiante. Madrid es el mundo, y el empleado, el hombre. Morir es quedar cesante. El hombre incapaz de perforar el mundo hostil que le rodea, de abrirse una brecha que le conduzca a lo estable y lo permanente, que deshaga el misterio y le sitúe en la zona diáfana del ser y del conocimiento, esto es lo que ofrece la novela. La angustia metafísica y religiosa no se resuelve en una desesperada queja de protesta como en el romanticismo; se excluye de ella todo elemento subjetivo, enfrentando al hombre inerme con la incógnita abrumadora de su destino.

El romántico ante la muerte y el dolor de la vida se desespera; su demonio le incita a la rebelión y la blasfemia. Heroicamente se alza contra Dios, y cuando su actitud luciferina es condenada, cae con la aureola del que ha luchado llevando como bandera su corazón. El romanticismo sintió lo religioso en la rebelión de Lucifer, en el pecado, en una dimensión fáustica: el hombre tratando de adueñarse de su destino, el esclavo luchando por su libertad. *Fortunata y Jacinta* ha mostrado a Galdós la miseria del hombre. El empleado se siente permanentemente amenazado por la cesantía, el hombre por la muerte. Es inútil preguntarse dónde, por qué y cómo se enreda y desenreda la madeja de los destinos, y es igualmente inútil tratar de inquirir la finalidad del destino humano. Artificiosidad de la sociedad que envuelve al individuo, irracionalidad del mundo suprasensible que rodea al hombre. Al mismo tiempo, como debía ser, resaltan la finitud, la nada e impotencia del hombre, y la inmensidad e infinidad de su destino. La relación de estas dos magnitudes —punto infinitamente pequeño con una enorme masa como fondo— crea este sentimiento cuasi religioso de trágica opresión, que de manera menos plástica y aun más angustiosa encontramos en Dostoievsky, y al cual Kafka dará la expresión más atormentadora y alucinante.

En *Fortunata y Jacinta* había descubierto el mundo que limita y el mundo limitado en su constante fricción opresora. Ese descubrimiento, al situarlo en un nuevo plano de experiencia, le permite elevar el tema del cesante al nivel religioso que encontramos en *Miau*.

El fondo de la novela está formado por los despilfarros de la mujer del cesante, Doña Pura; la inutilidad de su hermana Milagros y la poquedad de su hija Abelarda, juntamente con la vida del nietecito, Luis Cadalso, que es el lazo de unión entre las miserias de la casa

del cesante y la inmoralidad, arbitrariedad e injusticia de la vida del
Estado, reflejadas en los ascensos del desfalcador de los bienes públicos, Víctor Cadalso —viudo, recién nacido el hijo—, que, guapo y
audaz y sin escrúpulos, logra, gracias a la protección femenina, lo que
su suegro honradamente no consigue.

El mundo de la burocracia, con todos sus sufrimientos, bajezas,
miserias y vergüenzas, en su doble proyección, la individual y la colectiva, queda agotado en *La de Bringas.* A partir de esta obra, Galdós
lo utilizará solamente como instrumento secundario que sirva de apoyo a tal o cual escena, de la misma manera que pasará a ser algo
episódico su compañero sempiterno, el despilfarro y los deseos de
aparentar, encarnados casi siempre en cuerpo de mujer.

En *Miau* ya este material es meramente accidental, aunque, gracias a la virtuosidad que Galdós había alcanzado en el manejo del
tema, hace que se adapte perfectamente a su propósito, que es el
mismo que está patente en *Fortunata y Jacinta,* pero que alcanza ahora su plenitud expresiva. En un piso madrileño de baja burguesía, con
sus olores, sus ruidos —la sartén, la escoba, el canto del elemento femenino—, las ventanas y balcones por donde entra la maravillosa
luz de Madrid, que eleva todo a rango de arte, y que sirven también
de medio de comunicación, la humanidad vive su drama. Tres temas
se entrelazan constantemente : la dualidad del mundo, el teatro y la
realidad, lo sensible y lo suprasensible.

Lo observable y lo físico no manifiestan la manera de ser de un
individuo. Los ojos cansinos de Abelarda no dejan sospechar las pasiones que la atormentan. La frente noble, la mirada serena de Víctor,
encubren un ser pérfido. El mundo externo y el interno pueden llegar
a ser completamente independientes el uno del otro, adquiriendo el
mundo de los hechos, los signos, las formas, absoluta autonomía respecto al de la voluntad, la conciencia y el espíritu. Esta relación de
los dos mundos se agranda al confrontar Galdós la mera apariencia
espectacular con la realidad dramática, y obtiene de este contraste un
efecto cómico que nos muestra su actitud irónica, es decir compren-
siva, ante la vida. Por último, ambos temas desembocan en el conflicto
entre lo sobrenatural y la zona de los sentidos.

Luis, el hijo de Víctor y nieto del cesante Ramón Villaamil, es
niño de naturaleza enfermiza, propenso a ataques, que son sin duda

tara hereditaria, pues su madre murió loca y su tía Abelarda tiene igualmente raptos de locura. A Luisito en cuanto le da el ataque se le aparece Dios. Cualquiera que sea la base de este cantacto con el mundo sobrenatural y la misma calidad de éste, lo cierto es que, en la vida terrenal de Luisito, hay un boquete abierto por el cual nos ponemos en presencia del Señor.

No es un Dios tonante, ni envuelto en llamas de amor; es un Dios naturalista. Habla vulgar y llanamente para hacerse entender, como le hacían hablar Fortunata y Mauricia la dura. Este buen personaje de las barbas blancas, pasado el pavor del primer momento, inspira confianza. En ocasiones, Luisito pone al personaje en un aprieto, del cual sin duda no sale porque no quiere, al preguntarle por qué el mundo es como es y por qué las cosas suceden como suceden; pero lo más frecuente es que el niño no cese en su asombro ante lo bien informada que está la aparición acerca de su vida. A pesar de su insignificancia, ve que Dios sabe todo lo que le sucede y lo sabe rápidamente, inmediatamente. Luisito se atreve a rogarle que vuelvan a colocar a su abuelo. Todo lo puede el Creador, el que acaricia a Luisito con la misma mano con que creó al hombre; todo, menos intervenir en su propia obra, que ha adquirido personalidad frente a El, que marcha movida por su propia fuerza y de cuya desolación y sufrimiento no puede ser otra cosa que espectador. Primero aconseja paciencia; después asegura que ha recomendado al cesante; por último le dice a Luisito que ya no volverán a colocar a su abuelo y que lo mejor que puede hacer es morirse.

Mientras Luisito habla con Dios, mientras los hombres representan la comedia de la vida, mientras la sociedad y su familia se ensañan en Villaamil, éste decide escapar de la cárcel del mundo, de la angustia que aprisiona al hombre. Lucha un momento, pero ve claramente que la única manera de libertarse es buscando la muerte. Con los ojos puestos en la muerte, la naturaleza recobra toda su belleza. Por primera vez, cuando sus ojos están fijos en el blanco de la muerte, montes y árboles, tierra y cielo, dan a conocer su destino. Galdós no insiste en la vieja antítesis de cielo y tierra, alma y cuerpo. La muerte en *Miau* es sólo huir de una vida que no tiene sentido ni se le puede encontrar; es entrar en el área de lo desconocido; es descansar, quizá, para siempre. El empleado, cansado, aburrido de luchar con lo que no comprende, puede presentar su dimisión antes de que llegue el cese: el hombre puede suicidarse.

"LA INCOGNITA"

La incógnita y *Realidad* tratan el mismo asunto desde dos puntos de vista distintos y por diferente procedimiento literario. Este artificio no es nuevo en Galdós. Ya en *Tormento* hace que las vidas de Amparo y Refugio, contadas por él de manera naturalista, inspiren a otro personaje, José Ido, una novela idealista. *Doña Perfecta* y *Marianela* tienen dos desenlaces, uno, el del autor, objetivo; otro, que nos muestra la realidad deformada por una personalidad. El alejamiento de la realidad del hermano político de Doña Perfecta, arqueólogo, anticuario e historiador, es la causa de que no comprenda lo que ha sucedido en su misma casa. Como la mayoría de los españoles, él no puede observar lo que acontece a su alrededor. *Marianela* nos presenta la historia transformada en leyenda. Las ideas literarias de Ido convierten la vida miserable y degradante de dos muchachas en el ejemplo sentimental de dos doncellas modelos.

En todas estas obras había estado estudiando el problema de la objetivación y la observación en la obra de arte. Con *La incógnita* y *Realidad* trata el mismo problema, de parecida manera, para llegar a conclusiones distintas: la observación de los hechos puede lograr un encadenamiento de causas y efectos, pero esta lógica concatenación que, aparente, falaz y engañadoramente, parece revelarnos algo, no dice absolutamente nada. Una novela nos da a conocer los hechos contados por un personaje; la otra, por el diálogo. Penetrando en la conciencia de los personajes es como conseguimos enterarnos del drama de Francisco Viera, Orozco y su mujer Augusta.

Es innecesario advertir que al abandonar la narración por el diálogo, Galdós no demuestra nada. Lo importante es notar la necesidad que siente el novelista de pasar de lo externo a lo interno. Ha cambiado su manera de concebir la realidad, la cual ya no se le presenta como algo exclusivamente mecánico y material, sino espiritual también: presencia del Espíritu que siente desde *Fortunata* y que ahora pasa a ocupar el primer plano.

Fortunata y *Miau* llevan directamente a Galdós a sentirse perdido ante la realidad, a ver en la realidad una incógnita, que puede despejarse únicamente con ayuda del espíritu. A partir de *La incógnita* el drama individual se le aparece en toda su intensidad. Las tres obras anteriores nacen del conflicto entre Materia y Espíritu. Las cuatro que siguen nos presentan al hombre en presencia del Espíritu.

2. *EL HOMBRE Y EL ESPIRITU*

"TORQUEMADA EN LA HOGUERA"

La figura del prestamista es antigua en la obra galdosiana, y ya con el nombre de Torquemada se encuentra en *El doctor Centeno, La de Bringas, Lo prohibido* y *Fortunata*. La gestación del personaje ha sido lenta, y su presentación ascendentemente graduada; no obstante, si no hubiéramos tenido más conocimiento de él que el que nos ofrecen las obras indicadas, sobre todo *Fortunata,* en donde ya se ha fijado su perfil, no pasaría de ser uno de tantos personajes secundarios, aunque de individualidad reconocible, como creó la mente de Galdós, tan fecunda en caracteres. Pero en la primera obra a la cual su nombre sirve de título, Torquemada alcanza el lugar sobresaliente, reservado tan sólo a las creaciones geniales. *Torquemada en la hoguera* es una de las obras maestras de Galdós, y su protagonista, el personaje creado en el momento de más plena y feliz inspiración.

Es la obra de ritmo más acelerado. El tono rápido de la narración expresa el afán, el ansia de dinero que devora al prestamista. Este afán del personaje se traspasa a su creador, que dice "me urge apuntar", "tengo prisa por presentar", "lo que ahorita mismo voy a referir". En el momento en que va a comenzar la narración de la enfermedad del hijo, que es la causa del conflicto interior de Torquemada, este ritmo rápido queda detenido, en suspenso; es como un silencio sostenido, que al interrumpir el constante trajín, el afán de riqueza, lo va a mostrar en la otra pasión, que le domina igualmente, el amor a su hijo. Este momento de reposo es brevísimo, y sirve para lanzarnos a la vorágine en la que se ve arrastrado Torquemada por la presencia de la muerte.

El oro y la muerte. El prestamista vivía feliz con su familia, allegando dinero y trabajando sin cesar. No hacía daño a nadie. Si caía una víctima en sus manos, es verdad, la aniquilaba, pero él no iba a buscarlas, no las incitaba a malbaratar su fortuna; antes bien, les predicaba para que fueran ahorrativas y no gastaran más de lo que tenían. Conocía su fuerza, sabía el mecanismo para acrecentarla, no hacía de ello un secreto. Ignoraba la compasión. No concebía al hombre nada más que como vencedor o vencido; es decir, con dinero o sin dinero.

Torquemada ni había tenido tiempo ni se le había presentado la ocasión de pensar en el sentido de la vida; por eso la primera reacción del prestamista, al ver a su hijo enfermo, es querer comprar la salud. Los doctores no pueden venderle lo que quiere. Hay algo que no se somete a su dinero, al dinero. Ya contemplando a su hijo, Torquemada había sentido vagamente "la ingénita cortedad de lo que es materia frente a lo que es espíritu", y ahora no tarda en comprender que debe tratar de penetrar en un mundo del cual no sabe nada. ¿Por qué se vive? ¿Por qué ha nacido Valentín si ha de morir sin dar los frutos que su inteligencia prometía? El concepto pesimista del mundo surge en seguida, y su alma se ve batida por oleadas de odio y de desprecio. Hay algo en su espíritu, sin embargo, que está madurando: ¿no tendrá que morir Valentín para rescatar la crueldad y la falta de piedad de su padre para con el prójimo? Es inútil que Torquemada intente engañarse, y por eso se lanza con toda pasión a hacer obras de caridad, pues en su alma ha surgido, junto con la idea del bien y del mal, el sentimiento de la culpa. Por primera vez en su vida, tras terrible lucha consigo mismo, Torquemada se desprende de lo suyo. Busca al pobre y siente la necesidad de que exista para que la caridad pueda realizarse; él, que había buscado sólo la riqueza, corre ansioso tras los que no poseen.

A nadie logra convencer con sus buenas obras. Compendio de tanta incredulidad es su vieja criada, la tía Roma, personificación del Tiempo, de la Memoria, y, por lo tanto, de la Conciencia; pero ella tampoco logra que anide en el alma de Torquemada el remordimiento. El prestamista había pasado toda su vida apoderándose de cuanto caía en sus manos, y creía que si esto era una falta había que hacer lo contrario. Si había agraviado a Dios cogiendo el dinero, había que desagraviarle dándolo; pero él lo da con el mismo espíritu con que lo había cogido. Para él todavía es un negocio. Lo que no podía sentir era remordimiento, pues esto significaba penetrar en un mundo que le era desconocido.

Cuando muere el hijo, su negocio le ha salido mal —ya le había ocurrido alguna vez que un deudor se le escapara sin pagar—, y continúa su vida de siempre. Torquemada está rezumando su humanidad española en todos sus gestos, en todos sus actos y palabras. No es la idea abstracta del deber, sino el concepto "palpable" de lo bueno y lo malo, lo que le acucia. Cuando descubre su culpa, quiere ocultársela a sí mismo primero; después le atormenta con su volumen. Con sus manos hechas a contar oro, toca la culpa. Podría luchar con ella a puñadas, y precisamente lo que le atormenta es no poder estrangularla, ver que se le escapa, que es algo a lo cual no está acostumbrado, algo interior, de la conciencia.

Torquemada, como ser hondamente humano, tiene que inspirar simpatía, y Galdós ha sabido, sin traicionar a su personaje, mostrarnos toda la ternura de que es capaz su corazón (véanse las escenas del usurero ante la pizarra de su hijo, o ese paisaje de dolor y de felicidad de los proyectos de Isidora (la de *La desheredada*), Martín y Torquemada, en que la mirada piadosa del autor contempla a la humanidad en su momento de soñar la dicha en medio de la miseria).

"REALIDAD"

Orozco, uno de los personajes principales de *Realidad*, debió ser concebido con antelación a Torquemada, puesto que *La incógnita* precede a la novela del prestamista; pero *Realidad* se publicó unos meses después que ésta, y hay que suponer que la concepción final de Orozco sea posterior a la de Torquemada, aunque teniendo siempre en cuenta que su configuración es anterior a la del usurero.

Galdós no trata de inquirir ¿por qué vivir? y ¿para qué vivir? Lo que esencialmente se está preguntando es ¿cómo vivir? Desde este plano todavía ético es como siente el misterio de la vida. Considera meramente externos los ideales naturalistas de trabajo, ciencia, voluntad. No reniega de estos ideales; lo que quiere indagar son los ideales del hombre después de haber luchado por la existencia y de haber vencido. ¿En qué consiste el honor?

Federico Viera y Orozco son dos perfectos caballeros. La conducta de Viera es ignominiosa; la de Orozco, modelo de honradez. No hay una relación de superioridad entre Orozco y Viera; lo que acontece es que Orozco vive como se debe vivir ahora; Viera, como se vivía en el pasado. Los ideales de Viera, que ya habían sido estudiados desde un punto de vista político y religioso, se estudian ahora en la moral. En el enfrentamiento de pasado y presente, éste no es superior por ser mejor, sino por ser presente. Es claro que en su calidad de presente, Galdós, fiel a la idea de progreso, ve una mejoría, un avance. De todas maneras, Orozco acepta a Viera en un plano de igualdad. Ambos no pueden vivir en un mundo de mentiras. Lo negativo en ellos es idéntico, pero mientras Viera vive sujeto a una serie de principios y su honra consiste en ser leal a ellos sin entrar a examinarlos, Orozco se rige por la propia conciencia, cuya severidad y exigencia no conoce paliativos. Viera cree deshonroso trabajar, y si tuviera dinero, sus ideas, acertadas o no, no tendrían consecuencias prácticas; pero como no lo tiene, se halla en conflicto constante con la sociedad. No se suicida por causas económicas, sino por estar deshonrando a su amigo, como amante de su mujer. Federico no sucumbe ante un enemigo, sino ante su idea del honor. Importa poco que su idea del honor no tenga validez hoy día: es un principio como el imperativo del deber. Sin embargo, el uno conduce a la destrucción de sí mismo, al suicidio, porque ya no puede ofrecer nada constructivo, nada afirmativo, nada fecundo. Ese ideal del honor no puede inspirar una conducta, o bien se pierde totalmente en una serie de ceremonias vacías o bien conduce al aniquilamiento, lo que acontece con todo ideal muerto. Viera tiene que hacerse desaparecer, pero Orozco, a pesar de ser el ofendido, puede comprender su conducta. Orozco es el hombre nuevo. Tan individualista como el trabajador o el científico del naturalismo, cuyos ideales conserva, pero presentándose ahora como un luchador moral. No trata de reformar la sociedad ni a nadie. No juzga nada. Se aparta del mal, siguiendo inflexible el camino que le dicta su conciencia. El individuo se tiene que salvar a sí mismo por su propio esfuerzo; de aquí que no pueda ayudar a su mujer a salvarse. Augusta no tiene el valor de acusarse a sí misma, y, al mostrar su falta de carácter, el divorcio espiritual entre los esposos es inevitable.

Al margen de la tragedia de Federico, que presenta el fatal desenlace de una cultura muerta, Galdós pone a su hermana Clotilde, dándonos con ella la única posibilidad de supervivencia: renunciar al pasado, aceptando el presente. La joven aristócrata se casa con un modesto muchacho que se gana la vida trabajando.

Realidad se coloca en la misma línea de *La desheredada* y *Doña Perfecta*, novelas en que su manera literaria y su concepto del mundo van a confluir al tema perenne: España. Intransigente fanatismo contra espíritu crítico y racionalista, imaginación contra realidad, concepto del honor tradicional contra el concepto del honor moderno. Al pensar en la libertad ve su imagen opuesta: el espíritu autoritario; al entregarse a la realidad siente la fuerza de la imaginación; cuando está buceando en el espíritu y la conciencia, y piensa en la manera de ser de la conciencia moderna, en seguida tiene ante él la figura de la conciencia tradicional. Cada etapa en la evolución de su propio pensamiento y sensibilidad le permite elaborar el tema de su constante preocupación —España— desde un punto de vista distinto y clarificador, a la vez que le sitúa en una posición desde la cual obtiene una visión más amplia de su mundo. *Doña Perfecta* le pone en camino de *Gloria*; *La hesheredada* le presenta desbrozado el carácter nacional desde *El doctor Centeno* a *La de Bringas*. De *Torquemada en la hoguera* y *Realidad* sale *Angel Guerra*.

"ANGEL GUERRA"

El conflicto entre el mundo del pasado y el del presente se transforma en el conflicto entre lo particular y lo absoluto. El mundo de lo particular, de la política, ocupa en *Angel Guerra* el lugar que en *Torquemada* tiene el dinero. Angel Guerra, cuando se le muere su hija Ción, se encuentra en la misma situación que Torquemada cuando se le muere su hijo. Angel Guerra descubre entonces un mundo superior al de la política, y tampoco sabe penetrar en él; pero mientras el usurero queda desamparado, Guerra encuentra un guía en la persona de Leré, el aya de su hija.

Galdós nos presenta el proceso espiritual de Angel Guerra, que va de Dulcenombre a Leré, de lo particular a lo universal, de la realidad al espíritu —evolución que es la del mismo autor—. Al estar en el ambiente religioso, Angel Guerra emprende su perfeccionamiento moral, que le permitirá arrancarse de la política y vivir en el Espíritu. Leré le ha indicado que para lograrlo debe primero dominar su carácter; segundo, no ser avaro, esto es, dar todo lo que le sobre; y tercero, no considerar a nadie, por ningún motivo, enemigo; no matar.

En el primer volumen de la novela vemos al protagonista en el medio de lo relativo —lucha política, relación con su madre—; en los volúmenes segundo y tercero, Angel Guerra, tras duro pelear, consigue su perfeccionamiento. Cuando, habiendo matado, vuelve herido al lado de Dulce, ésta le cuida y le cura. En Toledo cae herido también, y mortalmente, pero él no sólo no ha matado, sino que se niega a denunciar a los asesinos. Leré no puede sanarlo, pero ha salvado su alma mostrándole el camino del Espíritu. Con sangre de su primera herida leve se purificó del engaño de la política; con la sangre de su herida mortal se ha salvado del falso misticismo. Estas dos heridas, estos dos desengaños, marcan el punto de partida y el de llegada de Angel Guerra; señalan la trayectoria que va de un amor personal y exclusivo a un amor que comprende "a toda la humanidad, a todo ser menesteroso y sin amparo". Guerra muere sin recibir los sacramentos. No ha habido conversión de ninguna clase, sino depuración y perfeccionamiento del propio yo.

Todo el elemento religioso, que aparece cuando Angel Guerra cree sentir vocación sacerdotal, es dentro de la novela una sublimación de lo sexual, debiéndose por parte de Galdós al esteticismo de fines de siglo, que se acerca a Roma en busca de una belleza espiritual.

La atracción sexual que ejerce Leré en Guerra la subraya insistentemente el novelista, indicándonos con ello cómo, de acuerdo con su época, ve en el misticismo una última transformación de lo sexual. Para explicar el fenómeno de la vida religiosa se sirve todavía de la doctrina naturalista, pero sin tono peyorativo y haciéndola entrar en el cuadro general de la vida espiritual. A Leré se le ha aparecido la Virgen, y ya había sufrido un ataque epiléptico cuando murió la niña Ción. Es más, pertenece a una familia de anormales; pero se presentan estos datos como explicación científica de la vida espiritual genial. Por eso hay que tener en cuenta que al lado del fervor religioso de Leré está su hermano, genio musical, y otro hermano que es un "monstruo". De una manera que hoy nos puede parecer pueril, nos muestra Galdós una familia cuyos miembros o mueren al nacer, o no alcanzan

el nivel normal, como el "monstruo", o bien lo superan en dos direcciones distintas, la religiosa y la artística. La diferencia entre la actitud
anterior de Galdós y la actual es que antes consideraba el fenómeno
místico y aun religioso como algo patológico y negativo; ahora no.
Por eso pone de un lado a Leré y el músico y del otro al monstruo.
Admite la transmisión fisiológica de lo anormal constitutivo del individuo, no de lo moral, y muestra, siempre de acuerdo con su época,
que la anormalidad puede ser genial si rebasa el límite de lo normal,
o quedarse en monstruosidad.

"TRISTANA"

El fracaso impuesto por la naturaleza a una muchacha que intenta
independizarse del hombre es el asunto de *Tristana*. La emancipación
de la mujer es un tema que Galdós no podía dejar de tratar. En España la evolución social no reclamaba todavía, a fines del siglo XIX, que
se concediera a este tema particular atención, aunque ya desde 1869
se hubiera organizado la Asociación para la enseñanza de la mujer,
creada por don Fernando de Castro en Madrid, y aunque hacia 1885
empiece la mujer a figurar en reuniones políticas. Quizá tan sólo en
un reducido círculo —proletario, intelectual— y de una manera más
bien individual, comenzaba la mujer a tener conciencia política y social
a fines del siglo pasado. Pero la situación social, en lugar de ser un
obstáculo, favorecía al novelista.

Dejando a un lado la idea superficial de la mujer moderna, que
consiste en medir la modernidad femenina por la mayor o menor
cantidad de alcohol que se beba o en fumar en sitios públicos, salir
sola, viajar sin compañía, etc., el problema de la emancipación de la
mujer suele descentrarse al considerarlo desde el punto de vista del
Derecho, o político, o económico, o social, y no sólo se descentra sino
que se desfigura totalmente cuando se le estudia en relación con la
vida sentimental o sexual.

Ibsen supo verlo y sentirlo exento de toda adherencia secundaria.
La emancipación de la mujer consiste en dejar de ser muñeca para
tener una personalidad propia; esto es, tener una conciencia moral.
En el fondo, como el hombre apasionado del romanticismo tenía que
formar pareja con la mujer apasionada, igualmente, al hacerse consistir
la personalidad del hombre en la conciencia moral, se debía dar a la

mujer el mismo atributo. Ibsen pudo transmitir la emoción profunda del momento en que Nora ve claramente el papel que representa la mujer en la familia y el drama intenso de su decisión para recobrar un puesto humano al lado del hombre. *Casa de muñecas,* sin embargo, condiciona la conducta de Nora, al hacer que sea un reflejo del proceder del marido. Nora en su extrema feminidad, guiada por el sentimiento, choca con el mundo de lo legal. Si el marido hubiera sabido darse cuenta de la motivación de la conducta de su mujer, la hubiera comprendido, y a Nora no se le hubiese presentado la ocasión de trocarse de juguete en ser humano.

El realismo del medio y las circunstancias, la fina calidad del sentimiento de lo femenino, la fuerza con que se captan los personajes y su ambiente, todo contribuye a hacer resaltar el origen accidental del drama y a oscurecer el verdadero conflicto. Ibsen nos presenta a Nora sintiendo de pronto la revelación de la conciencia de su personalidad. Pero lo que el espectador tiene ante sus ojos es un medio materialista y asfixiante que aprisiona y agosta a un alma viva y grácil. Es un mundo de banqueros y muñecas, banqueros para muñecas, con mucho árbol de Navidad, reblandecimiento de la médula, golosinas, champañas, música y deseos sexuales, todo ello recubierto de una espesa capa de moral formulista que una corriente sensual horada, haciendo florecer al lado del refinamiento material un confort espiritual bajo la forma de suficiencia, eficiencia, respetabilidad, música, viajes, etc. El medio está maravillosamente aprehendido, y hoy es muy fácil de sentir a la vez lo repugnante que es socialmente y su encanto histórico, que Ibsen entrega con una sensibilidad casi impresionista. De la disolución del hogar burgués se salva la hija-muñeca, la esposa-muñeca, Nora, que va a ser mujer.

Pero tal como Ibsen presenta el tema, queda oscurecido. La decisión de Nora se debe a una exigencia de su conciencia, que despierta al fin; pero también conduce a esta decisión la desilusión de su vida sentimental. Al abandonar Nora la casa, Ibsen quiere que sintamos la rectitud de su conducta, la fuerza de su voluntad, la firmeza de su carácter moral; sin embargo, lo cierto es que vivir separada de su marido, que ha puesto al descubierto la bajeza de su carácter, parece, tanto como un gesto moral, una manera cómoda de evitar una presencia desagradable. Cuando se lee *Casa de muñecas* hay que poner

sumo cuidado en no desfigurar el pensamiento del autor, riesgo en que
se puede caer fácilmente, incluso con buena intención.

Galdós, con una sensibilidad completamente diferente a la de Ibsen, en un medio social y cultural distinto, con otra ideología, trata
el tema de una forma diversa. Cualquiera puede llamar a una mujer
muñeca; no obstante, en esto es en lo que hay que apoyarse para
pensar que Galdós conocía la obra de Ibsen cuando escribió *Tristana*.
Por otra parte, no es algo tan baladí, pues no se trata de la palabra
en sí, sino de la antítesis que ella comporta: muñeca-mujer, que Galdós utiliza sin que le haga falta, ya que Tristana no tiene nunca nada
de muñeca. Galdós presenta el tema de una manera aún más desnuda
que Ibsen y mucho más clara, si bien es verdad que lo ganado en la
precisa exposición se pierde en la calidad artística.

Concibe su novela partiendo de *Tormento*. El caso de Tristana
y Amparo es análogo, con la diferencia de que el seductor de aquélla
es el viejo Garrido, y el de ésta, un sacerdote; pero las dos se enamoran después de seducidas, surge en ellas la necesidad de confesar su
situación, y a partir de este momento las dos novelas toman rumbo
distinto. El drama en *Tormento* consiste en la propia confesión; su
desenlace se logra rompiendo con los prejuicios sociales. En *Tristana*,
la confesión no representa una lucha moral, y Horacio está dispuesto
a casarse con la protagonista. En *Tormento*, pues, el tema es sinceridad en la mujer y voluntad en el hombre para no conformarse con la
moral de su época, pudiendo relacionarse con el tema de la redención
de la mujer caída, siempre que se vea la diferente manera de ser tratado por el realismo-sentimental y el naturalismo, teniendo en cuenta,
además, el sentido que le da Galdós.

El conflicto de *Tristana* es distinto. La mujer no quiere ser ni
amante ni esposa. Imagina sus relaciones con el hombre en un plano
separado del tradicional, en el cual la mujer puede enfrentarse de igual
a igual con la figura perfectamente delineada del varón. La esclavitud
de la mujer y sus deseos de liberación es el tema de la novela.

López Garrido —D. Lope, como se llama él mismo, o D. Lope de
Sosa, de sobrenombre— es el hombre en general respecto a la mujer.
La relación entre hombre y mujer es una relación de harén. Lo característico de esta relación no es que la mujer mande o no mande, sea
culta o inculta, tenga derechos o privilegios, sino su falta de perso-

nalidad, el vivir del hombre y para el hombre. Esto es un primer
acierto de Galdós, que no consiste tanto en que viera en su época el
problema con toda limpidez, lo cual no era muy difícil, aunque todavía hoy muchos sean incapaces de verlo, cuanto en presentarlo nítida-
mente. Tristana en el fondo es completamente libre. Hubiera podido
abandonar a Garrido cuando hubiera querido; es más, al sospechar el
viejo seductor que Tristana le engaña, tiene celos, pero no hace nada
para impedir los amores de la muchacha, y termina escribiéndole él
mismo las cartas para su amante, y hasta le va a buscar, porque Tristana, enferma, desea verle. Galdós nos da constantemente la sensación
de que la mujer está encerrada en una cárcel sin rejas ni cerrojo.

De los obstáculos que en su época se oponían a la emancipación
de la mujer, no se habla siquiera, por innecesario. Se alude a su falta
de preparación técnica para ganarse la vida y, aunque se insiste en ello,
no se le otorga especial importancia. Surge el problema del hijo, pero
se pasa por él rápidamente, para poder plantear el conflicto en su des-
nudez esencial : ser libre del hombre, especialmente del hombre a
quien se ama, gracias a su personalidad moral.

No se trata de la personalidad social de la mujer; esto es un problema político. En la evolución política, social, económica, de algunos
países y bajo ciertas circunstancias, la condición de la mujer cambia,
como cambia la del hombre; es decir, como cambia la sociedad. La
exigencia del siglo XIX, última consecuencia del cristianismo, es la
plena realización de la personalidad moral de la mujer, independiente
y autónoma del hombre. No se trata de un problema político o social,
sino de la manera de concebir la personalidad humana.

Galdós plantea en términos tan claros el problema, porque quiere
que resalte bien la solución negativa. Piensa que la naturaleza, no la
sociedad, ha sometido la mujer al hombre. Y Tristana en su fracaso
descubre la ley que la naturaleza ha impuesto a su sexo. No es posible
que Galdós llegara caprichosamente a esta conclusión; seguramente se
basaba en la literatura antifeminista de carácter científico. Creyendo
que la fisiología imponía esta servidumbre, Galdós no pudo adelantar
nada en el estudio de la relación entre hombre y mujer; por eso quizá
no le inquietó, y al tratarla, a pesar suyo —*Amor y ciencia*—, da con
una situación falsa.

El fracaso de Tristana es arbitrario, arbitrariedad que se traduce en la novela lamentablemente. En cambio el gesto rebelde de Nora es de una calidad moral que inspirará siempre y hará entrar al hombre y la mujer en un mundo nuevo, en el cual el varón pierde su rango de protector y director para encontrarse con una compañera.

Nos explicaremos, sin embargo, la actitud de Galdós, si tenemos en cuenta que en estas cuatro obras —*Torquemada, Realidad, Angel Guerra, Tristana*— está estudiando al Hombre en su relación con el Espíritu, no considerando, por lo tanto, a la mujer aislada, sino formando una pareja indisoluble con el hombre. No le preocupa el problema del perfeccionamiento de la mujer como tal; pero hay que añadir que tampoco le interesa el del hombre como individuo. Al sentir el conflicto entre Materia y Espíritu, sintió la tragedia del hombre genérico, de la pareja humana, frente al Espíritu. *Tristana* nos muestra la relación de los dos elementos que forman la pareja humana, presentando a la mujer sometida por la Naturaleza al hombre, pero este sometimiento no indica una relación de inferioridad, así como ya vimos que la muerte de Fortunata indicaba el papel de ésta con respecto a Jacinta, su función, no su inferioridad. El pensamiento galdosiano es claro, pero a veces —lo que ocurre en *Amor y ciencia*— la acción hace que los personajes se individualicen, siendo entonces cuando surge la confusión. Para comprender el período espiritualista de la obra galdosiana, es necesario tener siempre presente este sentido de la mujer y el hombre, tal como queda expuesto.

CAPITULO V

EL ESPIRITUALISMO

EL ESPIRITUALISMO

1. *ESPIRITUALIZACION DE LA MATERIA.*
LA MATERIA SIN EL ESPIRITU

"LA LOCA DE LA CASA"

Leré, fiel a la mujer tradicional, había sido la guía del hombre en su marcha hacia la perfección. Convenía, pues, a Galdós definir claramente su actitud respecto a la emancipación de la mujer, antes de comenzar la serie de obras —novela y teatro— en que la pareja humana se debatirá sin reposo para encontrar un camino de luz. Galdós no cree que exista la mujer en la Naturaleza como ser independiente del hombre, sino que la ve sometida a éste por una ley superior: la ley de su ser de mujer, la ley que hace de ella lo que ella es. Su papel consiste en elevar al hombre a una vida moral más alta, en ser su alma, su espíritu; o en rebajarle a un nivel inferior. Acepta, pues, Galdós la tradición cristiana y medieval, que hace de la mujer la perdición o la salvación del hombre, Eva o la Virgen.

Pepe Rey, Teodoro Golfín, Agustín Caballero, son ejemplares del hombre naturalista, pero es en *La loca de la casa,* superada por completo la etapa naturalista, en donde, precisamente para superarlo, presenta con todo vigor al héroe del naturalismo, Pepet, músculo y voluntad, rudeza primitiva y lealtad, esfuerzo inagotable, ausencia de todo sentimiento compasivo, máximo individualismo, sentido religioso del dinero y de la propiedad, alud que arrasa cuanto se interpone al paso de su yo. El hombre se ha puesto de nuevo en contacto con la Tierra y ha recobrado de nuevo su fuerza. Pero este Anteo naturalista se ofrece a nosotros domado, y no porque de sus ojos de verdadero héroe se derrame una mirada infantil, sino porque este gigante —gigante como Rey, como Golfín, gigante físico y moral— quiere unirse a la antigua familia en cuya casa anduvo descalzo.

Esta mole que es Pepet vuelve a la casa de sus antiguos señores, los Moncada, llevando en sus manazas su deseo palpitante —deseo que le ha acompañado en todas sus horas de lucha y que, lejos de ser sepultado por el montón de oro que su trabajo acrecía día tras día, ha servido de acicate a su voluntad.

La clase baja, último estrato social, se siente impulsada hacia arriba sin querer socavar los cimientos de las clases superiores, antes al contrario, sostenerlas e impedir su derrumbamiento, prestándose ayuda mutua : de un lado abolengo, prestigio, nombre; de otro, poder.

El problema social, empero, es completamente secundario; ya había quedado resuelto con la boda de Clotilde, en *Realidad*. Así como el tema del cesante, conservando su papel social, cambia de sentido en *Miau,* así la unión de las clases sociales cobra un nuevo significado en *La loca de la casa,* aunque guarde su alusión al problema social.

Pepet no es sólo el representante de una clase que ha conquistado el poder y que le da a éste el prestigio de una tradición, sino el hombre que ha logrado descubrir en sí mismo la fuente de toda fuerza originaria, elemental y primitiva. Ese hombre es el que, hundido en la realidad de la materia y en contacto con ella, habiéndola hecho suya, teniéndola dominada, instintivamente tiene necesidad de superar su mundo.

Si Cruz —Pepet, José María Cruz— representa la materia, Victoria encarna el espíritu. Cuando estaba a punto de casarse con un noble, la hija de Moncada se cree llamada a profesar, pero de pronto desiste, aparentemente para salvar de la ruina a su familia, casándose con Cruz, que había elegido a su hermana Gabriela. Esta es la razón visible y anecdótica de la unión de Victoria con Cruz, porque de un lado se insiste en la imposibilidad de que Gabriela se sacrifique, no obstante ser mujer a quien todos los trabajos le parecen pequeños; de otro, Victoria ve en su unión con Cruz la ocasión de realizar una obra como la que siempre ha ambicionado, encontrando en el mundo la ocasión propicia que no cree se le presentará en el convento. La decisión de casarse la toma tras larga lucha, pues lo que teme Victoria es abandonar el convento sólo por motivos materiales, y como la circunstancia que le pone en contacto con Cruz es la ruina de la fábrica de su padre, esta duda la atormenta fuertemente; pero, verdadero ser elegido, sabe discernir el bien del mal, y tiene el valor de escuchar su voz interior, que le manda unirse con la materia para purificarla.

Si desiste de ir al convento, no es porque la vocación que creía tener fuera falsa ni porque se plantee de nuevo el viejo tema de que en todas partes se sirve a Dios, sino porque el deber del espíritu es no abandonar la materia. El convento en el siglo XIX (en realidad desde el siglo XVI), ya no es el lugar donde se encuentran los héroes del espíritu, sino, todo lo más, refugio para personas timoratas, y ¿cómo un ser en el cual reside el verdadero espíritu puede sentir la necesidad de refugiarse? Por eso Daniel, el antiguo novio, al verse abandonado por Victoria, quiere hacerse franciscano; busca un asilo para su alma quebrantada y dolorida; mas un nuevo mundo aparece ante sus ojos, cuando Cruz le habla de vivir y de trabajar. Vivir, vivir trabajando, creando, he aquí un ideal que Daniel no se había atrevido a buscar por sí mismo y que tiene que esperar a que Cruz se lo ofrezca. Entonces lo hace suyo, entreviendo su verdadera redención. Daniel se redimirá de todo lo falso —convento, falsa vida espiritual— y encontrará en la acción el camino de la verdad, en la acción y en el mundo.

A Victoria le muestra Cruz los secretos de la realidad, de la obediencia a la materia, mientras ella tiene que ablandar el corazón del hombre fuerte, del individuo, hasta hacerle dúctil a la caridad y la compasión. Para Cruz, vivir es luchar y salir de la lucha vencedor o vencido. Esto le permite "ser" frente al resto de la humanidad, formada de muñecos; y Victoria da a ese hombre un alma, alumbrando en su corazón el manantial del amor.

Teodoro Golfín era humanitario y también lo era Agustín Caballero; ambos, sobre todo el primero, tienen ese típico amor a la humanidad tan característico del siglo XIX, producto religioso de la unión del sentimiento, la ciencia y el trabajo, que es de tono muy distinto a la filantropía racionalista del siglo XVIII. Pepet es exclusivamente un luchador. Galdós quiere aislar esta característica del hombre naturalista, que por otra parte le define, para que se destaque fuertemente su contraste con lo espiritual. De esta manera quedan frente a frente el máximo egoísmo de la Materia y la generosidad suma del Espíritu.

Doña Perfecta y Pepe Rey son dos mundos distintos en oposición. Gloria y Morton están inmersos en dos medios histórico-culturales que la religión irremisiblemente separa. Los personajes que les acompañan son los elementos secundarios de esos dos mundos: Don Inocencio, Caballuco, Licurgo, Jacinto, para Doña Perfecta; Pinzón, para Pepe Rey. La madre de Morton, la hebrea fanática, y todos los Lantiguas con sus amigos, el fanatismo católico. La misma dualidad irreconciliable tenemos en *Marianela,* y con ella las dos zonas de Nela y Golfín. En *La familia de León Roch,* esta oposición se individualiza y después desaparece. La encontramos de nuevo en *Fortunata y Jacinta,* aunque de calidad completamente diferente, en lugar de la oposición de dos principios relativos, la oposición de dos principios absolutos. A partir de *Torquemada en la hoguera,* esta antítesis desaparece y en su lugar tenemos un conflicto interior, que en *La loca de la casa* se transforma en movimiento en una misma dirección.

SERIE DE TORQUEMADA

Galdós consigue, quizá por excepción, aislar un conflicto interior y describirlo cuando crea Torquemada, pues tanto en *Angel Guerra* como en *La loca de la casa,* obedeciendo a su visión plástica, tiene que proyectarlo en figuras —Dulce y Leré, Pepet y Victoria—. Los mismos personajes de *La loca de la casa* tienen un perfil que les aleja de la realidad, a pesar de que Pepet sea una copia del natural, lo que por otra parte también sucede con Doña Perfecta; así Gabriela y Victoria reviven la contienda entre Marta y María.

De un trazado mucho más desenvuelto y libre es la serie de los tres volúmenes de "Torquemada", *Torquemada en la cruz, Torquemada en el Purgatorio, Torquemada y San Pedro,* donde se vuelve a tratar el tema de *La loca de la casa* para completar su sentido: la Materia sin el Espíritu es la muerte, en lugar de la redención de la Materia por el Espíritu, que es la vida.

Los tres volúmenes forman una novela completamente independiente de *Torquemada en la hoguera.* El mismo Galdós debía considerarlo así, pues en *Torquemada en la cruz* hay una nota que dice:

"Antecedentes : *Fortunata y Jacinta, Torquemada en la hoguera*", y anuncia el volumen de *Torquemada y San Pedro* como el "*tercero* y último de la serie". Estos cuatro volúmenes forman dos novelas distintas, las cuales sólo tienen de común los elementos puramente externos —nombres, gestos, algunos hechos, algunos personajes, entre los cuales se encuentra el protagonista.

Que tal ocurra obedece, de un lado, a que si Galdós había superado desde hacía tiempo su concepción naturalista de la vida, no pudo superar nunca su concepción naturalista del arte y le pareció posible hacer reaparecer su personaje. No creo que Galdós se opusiera a esta interpretación, pues dada su formación naturalista consideraba como seres idénticos al hombre y al personaje de novela, haciendo del hombre personaje de novela. El intelectualismo impresionista de fin de siglo tendrá todavía como válida esta identidad, pero cambiará los términos y considerará al personaje de novela como un hombre. Ambas actitudes derivan en última instancia del barroco, del *Quijote*, cuando, habiéndose roto la unidad espiritual y ofreciéndose además escindidos arte y vida, el poeta los une fuertemente, haciendo resaltar más su diferente calidad.

No sólo la "reaparición" del personaje le invitaba a servirse del mismo personaje, sino también el hecho de ser Torquemada un prestamista. En la ideología de Galdós, de acuerdo con su época, el negociante en dinero tiene un sentido negativo opuesto por completo al creador de riqueza. Pepet, como Agustín Caballero o el hermano de Teodoro Golfín o Pepe Rey, es un creador, capaz, por lo tanto, de penetrar en las zonas superiores de la vida espiritual. En los negocios de dinero, Galdós no ve sino una actividad social parasitaria. Importa muy poco que en esto como en otros puntos pueda no estar en lo cierto, ya que no se trata de discutir sus ideas, sino de comprender su obra. Torquemada sale de la estampa del usurero para llegar a ser el gran financiero moderno. Esta línea que va del tanto por ciento usurario, teniendo como garantía un abrigo o un reloj, hasta las finanzas de cifras astronómicas respaldadas por los bienes de toda la tierra, marca el límite de la realidad infecunda, la realidad que no cambia ni progresa, la realidad muerta. El negociante de dinero es un acaparador. En Torquemada no hay evolución; se va hinchando, hinchando, hasta que estalla. Torquemada, hundido en sus millones, en el palacio que fue del Duque de Gravelinas, muere —simbólicamente— de una enfermedad del aparato digestivo.

La comicidad en *Torquemada en la hoguera* surgía del confrontamiento de la realidad con el espíritu; en la serie de "Torquemada" deriva de los esfuerzos del protagonista por adaptarse a un nuevo medio social o bien de la lucha entre el prestamista y Cruz. El dinero se ha ido amontonando prodigiosa y rápidamente, y a medida que se acumula se va Torquemada deformando, hasta adquirir un perfil grotesco. Como un nuevo Midas, sus manos tienen la virtud de transformar en oro cuanto tocan, y este vertiginoso acrecentamiento de riqueza va acompañado del rodar de una carcajada plena y continua. El dolor de los Aguila al tener que unir su sangre a la del plebeyo prestamista, el mismo sufrimiento de éste al ver cómo se le quiere transformar, quedan encerrados y ahogados en un cómico arabesco que se resuelve en una mueca. Galdós ha subrayado en *Torquemada en la cruz* y *Torquemada en el Purgatorio* ese espíritu de farsa, presente siempre a través de ambos volúmenes, pero intencionadamente acentuado al final del primero y al terminar cada una de las tres partes del segundo, como contraste con el sentimiento de la nada, de muerte, que reina en el tercero.

En el primer volumen se estudia el pasado ante el presente; en el segundo, el presente y su conflicto; en el tercero, la muerte en el presente. En ellos confluyen *Realidad* y *La loca de la casa*. Los Aguila son una aristocrática familia arruinada, formada por tres hermanos: Cruz, Fidela y Rafael. La unión de Torquemada y de Fidela, decidida por Cruz, representa en particular la aglutinación de la sociedad española, y, en general, la de toda la sociedad europea de los últimos treinta años del siglo XIX, que no transige con la democracia política, pero sí con la democracia del dinero.

En su marcha ascendente y descendente, se cruzan la plutocracia y la aristocracia. Ascensión y caída que están ejemplificadas en los esplendores del banquero Salamanca y en el desmoronamiento de la casa de Osuna. Cruz busca en esa unión el perdido prestigio y sobre todo el poder. La plutocracia no ansía verdaderamente el poder político; el ansia de poder político, por muy bajo que sea, siempre es un valor espiritual. Lo único que desea la plutocracia es la riqueza; de aquí que en la época capitalista se haya producido el raro fenómeno de que los que tenían realmente el poder —financieros— hayan regido la sociedad sin responsabilidad ninguna, y que los gobiernos hayan tenido que estar al servicio de una fuerza que, dominando la sociedad, no ha sentido la necesidad espiritual de tener la responsabilidad de dirigirla.

Torquemada agradece a Cruz que le ponga en situación de ir extendiendo cada vez más su círculo de operaciones financieras, pero no comprende la necesidad de dominar la sociedad, como quiere la dama aristocrática.

Rafael —otra figuración de Federico Viera— quedó ciego antes de que su familia se arruinara. Puede sentir su decaimiento, el presente, la realidad, pero no puede verlos. El ciego se opone al enlace y ofrece otra solución a sus hermanos: el suicidio. Cruz podría suicidarse, mas Fidela no. Cruz cree en la posibilidad del matrimonio; ella es quien ve la realidad, pero ignora que esta unión es necesariamente monstruosa, híbrida, que es lo que Rafael sabe. Cruz es quien ve; Rafael, el clarividente.

Es cierto que el ciego se equivoca en todo lo accidental —deslealtad de Fidela, esterilidad del matrimonio, fracaso social de Torquemada—; ve, sin embargo, lo esencial: la imposibilidad de soldar estas dos clases sociales, y ve principalmente que su papel en el mundo ha terminado. La imposibilidad de la unión de estas dos fuerzas, la monstruosidad del hijo de Fidela, confirman el juicio del ciego. Esto no impide que, entre él y Torquemada, la sociedad sirva al último; que entre él y el monstruo, sus hermanas se inclinen más y más hacia el niño y olviden al ciego.

Rafael se suicida, y entonces vemos a toda la sociedad rendirse sumisa a los pies del usurero, que, transformado en financiero, llega al ápice del atesoramiento, gracias a Cruz, lo cual le hace vivir con todo prestigio —Senador, Marqués— y con todo boato —coches, palacio, numerosa servidumbre.

El hijo es un pobre anormal (se le llama salvaje, monstruo, bruto, etc.), y su misma madre lo sabía y reconocía. A partir de la muerte de Fidela, la lucha entre Cruz y Torquemada llega hasta el rompimiento. Cruz ha sido el mentor de Torquemada, como Leré lo fue de Ángel Guerra; pero, mientras ésta buscaba una transformación interior, a Cruz le preocupa únicamente el cambio externo: vestidos, len-

guaje, maneras, modo de comportarse, comidas. Torquemada morirá
con un arrepentimiento puesto en duda (repitiéndose el juego de *La
Fontana* y *Fortunata* y *Jacinta*, Mauricia la dura). En cambio, y aquí
se ve el triunfo de Cruz, en las combinaciones bursátiles, que planea
encerrado en su palacio, ya sabe desprenderse del vil tanto por ciento
y remontarse a la altura de los grandes banqueros, buscando una ci-
mentación metafísica y hasta religiosa a su dinero, y haciendo coincidir su interés privado, con el de toda la humanidad. Pide para sus
riquezas el agradecimiento de toda España; no tiene ya por qué presentarse como el tacaño usurero, que a su paso por las calles suscita
odios y levanta ofensas, sino que, portador del becerro de oro, sabe
que se le debe reverencia y con la reverencia gratitud.

Fidela muere y muere Torquemada. En la mansión de Gravelinas
resuena otra vez la campanilla del viático y los cirios funerarios le dan
su resplandor. El tercer volumen de la novela comienza con la descripción de una misa de difuntos por el alma del ciego Rafael; pero
en realidad no comienza así, sino con el despertar del palacio y el
ponerse en movimiento de la servidumbre. Se nos hace penetrar en el
palacio por la puerta de servicio —chillidos y denuestos, golpear de
zuecos y de cascos de los caballos, caras malhumoradas, y luego, en el
tinelo, chismes y olor a aguardiente—. Todo es bajo, todo es vil y rastrero. Desde esta ruindad se enfoca la vida en el palacio del multimi-
llonario. No importa que se nos lleve al Archivo donde se guardan
manuscritos venerandos, o a la Galería con sus firmas de prestigio,
pues no vemos nada más que la pedantería, miopía y calvicie de unos
cuantos eruditos, que hacen del arte y de la historia pasado, que son
pasado ellos mismos, y sólo vive un cuadro en el presente al dársenos
su valor en libras esterlinas.

De esta acumulación de bienes se nos permite ver únicamente su
vileza y, con ella, las enormes galerías, los salones espaciosos, los gabi-
netes íntimos, que el misionero Gamborena (Torquemada le llama San
Pedro) llena con los nombres exóticos de países extraños, habitados por
tribus salvajes. Los ruidos del monstruoso hijo de la aristócrata y del
financiero acompañan la danza de los salvajes que el misionero evoca.
Pero estos sonidos, estas luces y sombras, estas perspectivas, estos cuadros y armaduras, no son otra cosa que el decorado y escenario donde
se contiene la materia sin espíritu, la falta de voluntad para vivir, que

no se puede llamar abulia. Los personajes viven en una atmósfera de frío y de nieve que se transforma en barro, chapoteando sin brío y sin ánimo en un barrizal. Fidela no desea salir de él, sino hundirse definitivamente, terminar de una vez. No ve en la muerte una liberación, sino el descanso de la nada. Gamborena pisa las calles de Madrid como las selvas de Africa o las tierras encharcadas de la Polinesia, y, aunque él prefiera adoctrinar salvajes a convertir civilizados, Galdós no deja de decirnos el papel que juegan las misiones en los designios imperialistas de colonización: protestantes y católicos sólo saben predicar la doctrina de Cristo para adquirir nuevos mercados. Mercados y mercadurías, bienes materiales, la única razón de vivir de los países de cultura occidental; aquello que no deja vivir a Fidela.

Torquemada no se resigna fácilmente. Su esqueleto, recubierto por una espesa capa de carne y grasa, bien envuelto en un abrigo de pieles y encaperuzado con un sombrero de copa, se encuentra a gusto en este mundo con el horizonte cerrado por la materia. Huye de su casa, es verdad, pero para recalar en una taberna. Su huída es parecida a la de Villaamil (*Miau*) —escapatoria de la casa, contacto con la naturaleza, comida en la taberna—; son idénticas, pero de significado completamente opuesto. Villaamil se escapa de la cárcel del mundo, cuando ha descubierto la naturaleza de la libertad. Torquemada se escapa de su casa espoleado por su incapacidad de digerir; también descubre la naturaleza, pero este descubrimiento no le guía hacia la libertad, sino que le abre el apetito, le hunde más en lo material, y le hace creer que se está salvando cuando se pierde irremisiblemente. Muere de una indigestión; se le indigesta la comida y el oro.

La loca de la casa nos muestra al siglo XIX en su marcha hacia el futuro; los tres volúmenes de "Torquemada", al siglo XIX encenagado en lo material: son el camino de vida y de muerte, que quedan demarcados con toda precisión. Como acontece con frecuencia, la materia y la muerte se dejan plasmar mejor que el espíritu y la vida.

2. EL TEATRO

EL HEROE ESPIRITUALISTA

Al cerrarse en 1892 el proceso que había comenzado con *Fortunata y Jacinta*, Galdós escribe para el teatro, buscando, como ya queda dicho, una comunicación más viva con el mundo, y sobre todo obedeciendo a la necesidad artística de crearse un nuevo medio de expresión, en el cual los personajes puedan actuar según sus propias determinantes, independizados de la voluntad de su creador. El motivo estético que le llevaba al teatro era un error, que se basaba aún en la creencia naturalista de suponer el diálogo un modo de expresión en que el autor consigue una mayor objetividad; razón por la cual *La desheredada* estaba ya en parte dialogada. Pero, aunque sea importante señalar esta equivocación, es más importante darse cuenta de que el mundo galdosiano atraviesa por una grave crisis formal, que se debe a que el autor siente la necesidad de dar al arte, no ya una objetivación, sino una personalidad independiente de la de su creador.

Realidad era una adaptación teatral de la novela dialogada del mismo título; la primera obra que escribió directamente para el teatro fue *La de San Quintín*, en 1894, y el mismo año le siguió *Los condenados*.

De *Torquemada en la hoguera* a *Tristana* ha estado trabajando en el descubrimiento de las raíces de la personalidad, que se encuentran en la conciencia del propio individuo y de la especie. A Pepet le ha visitado el espíritu, y desde este momento concibe Galdós al héroe espiritualista, cuyo cometido esencial es el de ser creador de sí mismo.

Frente a la familia Buendía, que representa de una manera general la trayectoria de toda cultura —creación, Don José; poder, Don César; aislamiento, Rufina— y de una manera particular la de la cultura naturalista, se pone en *La de San Quintín* al héroe espiritualista, el cual, es claro, se llama Víctor. Inteligente y con voluntad, trabajador, con mil habilidades distintas y cien capacidades diversas, se diferencia del naturalista, no tanto por su despego de lo material, como por la fuerza de su imaginación. Sabe hacer muchas cosas: agujas, vidrio, cerámica. Puede fabricar locomotoras y edificar catedrales. Ha estudiado, pero rechazó siempre títulos y diplomas; incluso ha sentido repugnancia por la enseñanza en escuelas organizadas, lo cual no impide que las haya frecuentado. Mientras el naturalista se ha formado en su lucha por la existencia y ha sido la vida su maestra, el espiritualista tiene una formación libresca, intelectual, y se halla libre de sujeciones económicas. Se nos presenta a Víctor como socialista, clasificación errónea de Galdós, porque el espiritualista, como vemos por el impresionismo y por el mismo Ganivet (el héroe espiritualista galdosiano pasa a Ganivet —Pío Cid—, aunque éste lo siente ya con rasgos más marcadamente impresionistas : intelectualismo muy acentuado, falta de voluntad y ansia de ser, de crear), era anarquista ; por eso el socialismo de Víctor es inconvincente, y el mismo Galdós lo hace notar, subrayando además su carácter revolucionario individualista. El error de Galdós ofrece uno de los casos más bonitos en que se ve al autor en plena función creadora, captando la vida de su mundo y fallándole, sin embargo, la expresión exacta.

Galdós había rechazado la imaginación para poder encontrar la realidad, pero ahora se da cuenta de que es el hombre el que crea la realidad circundante con su imaginación. La imaginación no es únicamente la creadora pueril de los mundos fantásticos de Isidora o el monstruoso lazarillo de ciegos. El naturalismo fue un sueño del hombre, tan sueño como el idealismo; la diferencia consistía en cómo y en qué se soñaba. Víctor, en oposición a Pepet y como Victoria, pone de relieve el valor de la imaginación : "Delirando a mi antojo, construyo mi vida conforme a mis deseos : no soy lo que quieren los demás, sino lo que yo quiero ser." El hombre crea su destino, es libre, y eso presupone que tiene una intuición clara del bien, que puede elegir entre el bien y el mal, entre la vida y la muerte.

LA PERSONALIDAD. EX-
PIACION DE LA CULPA

La libertad humana, elegir entre el bien y el mal, poseer la verdad. El problema se plantea otra vez en Europa con toda fuerza en el siglo XVI. Hay dos posiciones extremas : la de los que afirman el libre arbitrio y la de los que lo niegan ; y una posición intermedia : la de los que creen en una libertad condicionada, en una verdad relativa. De esta última actitud ha salido el mundo moderno, racionalista y democrático. Racionalismo, democracia, que consiguen el primer triunfo máximo con el naturalismo y que entra en la primera crisis con el espiritualismo, el cual no se conforma con una verdad relativa, sino que quiere la verdad absoluta ; al que no le basta la tolerancia democrática, sino que quiere el reino de la ley justa. La situación es sumamente delicada para Galdós, pues tiene que revocar su actitud anterior de sometimiento al orden establecido. Además su nueva posición coincidía exactamente con la doctrina de la Contrarreforma, adscrita gene-

ralmente a los jesuitas. Galdós tenía que defender que el valor moral
de los actos humanos reside en la intención. La diferencia, sin embargo, con la doctrina de la Contrarreforma es total. La Contrarreforma
no trataba de indagar la verdad, sino de confirmar *su* verdad, que para
la Iglesia era la verdad. Galdós, por el contrario, se dirige a la busca
de la verdad, sacrificando, si para ello es necesario, su verdad. Victoria
abandona el convento para salvar de la ruina a su padre, aunque todo
puede hacer creer que el motivo de su conducta es únicamente resti-
tuir a su familia la fortuna perdida; pero ella sabe que la convivencia
con Pepet es una verdadera penitencia, una verdadera cruz, y que el
valor moral reside en aceptar lo aparentemente más fácil. En *La de
San Quintín* hay un ejemplo más claro. Víctor pasa por hijo ilegítimo
de Don César, quien se dispone a legitimarlo y a hacerle, por lo tanto,
partícipe de sus bienes. Rosario, Duquesa de San Quintín, es pobre y
está enamorada de Víctor, pero esto no le impide hacerle saber a César
que no es el padre de Víctor, con lo que destituye a éste de su posición social y económica. A pesar del daño que causa a Víctor, se
puede ver como muy natural que Rosario dé a conocer la verdad que
posee; pero la conducta de Rosario tiene todas las apariencias de estar
motivada en un deseo de vengarse de César. Rosario tiene que elegir
entre someterse a la mentira y gozar de la riqueza de Víctor, aparen-
tando renunciar generosamente a vengarse, o renunciar sinceramente
a la venganza, aceptando con lealtad lo aparente, o poner al descubierto la verdad, causando un daño a su amado y dando a su conducta
una apariencia vil. Sólo en lo recóndito de su conciencia podrá decidir
si ha actuado por amor a la verdad o por espíritu de venganza. No
podemos juzgarla; ella tiene en sí misma el secreto y la seguridad de
su conducta.

Pero todavía no le basta a Galdós. De la casuística de la Contrarreforma, uno de los casos que se hicieron más populares fue el del
juramento con reserva mental; es maravilloso cómo el espíritu académico y conservador consiguió aunar la libertad de intención con la
severa sumisión a lo formal. La casuística jesuítica, alejada de todo
heroísmo martirial, es, según su época lo imponía, un artificio inge-
nioso. En *Los condenados* se jura en falso, juramento que permitirá
a José León, el hombre, el condenado, salvar su alma, aceptando voluntariamente la pena de su culpa.

Analizar en qué consiste la esencia de la personalidad, tarea capital del impresionismo —en España llega a ser el tema central de Unamuno— es el núcleo de *Los condenados*. Federico Viera sale del mundo de la mentira y de lo falso por medio del suicidio; Villaamil y Rafael se suicidan también. Ante el conflicto entre el Espíritu y la Materia, el hombre desconcertado se suicida. Pero Víctor consigue ya huir de la mentira con ayuda de Rosario, como Pepet consiguió, gracias a Victoria, entrar en el mundo del Espíritu. El suicidio es inmoral porque, en la lucha entre la vida y la muerte, el hombre que se suicida se pasa cobardemente a la última. *La loca de la casa* nos presenta el equilibrio entre materia y espíritu, y las concesiones que tienen que hacerse mutuamente para dar lugar a la vida. Víctor es ya un héroe espiritualista. *Los condenados* nos muestra el devenir de la personalidad, el paso de lo falso a la verdad. Todo lo que no es verdad es mentira; nuestros sentidos nos tienen sujetos al engaño de lo aparente. Todo lo que no es espíritu es materia, es letra muerta. Por eso se jura en falso, porque el juramento es una fórmula y como toda fórmula, toda forma —la ley, el estilo— puede ser verdadera o falsa, espiritual o material, vida o muerte, según la intención, según el espíritu que la informe. El hombre crea su personalidad, purificándose por medio del dolor libremente aceptado, por la expiación de su culpa. Si no se hubiera jurado en falso, José León hubiera perdido, quizá, la vida, pero no hubiera sentido dolor por el mal cometido; el juramento con reserva mental no le evita la muerte, pero da lugar al remordimiento. José León muere, no porque los hombres lo decidan, sino porque el hombre quiere ir a la vida del espíritu, a la cual se llega únicamente por la muerte del cuerpo.

El hombre tiene que ser sincero consigo mismo y aceptar el dolor y el sufrimiento de la vida para alcanzar su propio perfeccionamiento. Pepet, Víctor, José León, han encontrado a su lado una mujer que se ha sacrificado para que el hombre pueda llegar a ser. El sacrificio máximo es el de Salomé, que pierde la razón por amor y, libre, en su locura condena a muerte al criminal que ama, al hombre, a José León, a quien la demencia de Salomé le convierte y hace que se arrepienta.

Esta figura del hombre arrepentido, del héroe espiritual, la proyecta Galdós en la sociedad y crea la figura de Nazarín.

3. *LA DOCTRINA ESPIRITUALISTA*

"NAZARIN" Y "HALMA"

El sacerdote Nazario Zaharín, o Zajarín, natural de Miguelturra, en la Mancha, y a quien familiarmente llaman Nazarín, impelido por la doctrina y el ejemplo de Cristo, da socorro a quien le ha menester y vive en la miseria. Su pobreza le aleja de Madrid, le separa de su ropa talar y le lleva a los caminos. Dos mujeres le acompañan y siguen, la indómita Andara y la sumisa Beatriz. En la encrucijada, en la noche manchega, en el palacio del gran señor y en la humilde morada, en el pueblo apestado, entre ingenuos creyentes y malhechores desalmados, Nazarín es manantial de misericordia. Pero ponerse en camino no es liberarse de la sociedad, y con ella topa el buen sacerdote para ir a la cárcel, en donde le dejamos al terminar la novela, mientras ricos y pobres, aristócratas y plebeyos, sacerdotes, magistrados, periodistas, desconcertados ante una vida cristiana en pleno siglo XIX, se preguntan si se trata de un caso de delincuencia vulgar o de extravío de la mente.

En *Halma*, Nazarín deja de ser la figura central para servir de fondo al alma dolorida de una Condesa, e indicar con la estela de su ejemplo —piedad, rectitud, obediencia— el camino a aquellos espíritus que necesitan de guía alentadora. Catalina de Artal, Condesa de Halma-Lautenberg, después de los sufrimientos de su breve, pobre y feliz matrimonio con un aristócrata alemán, se cree llamada a la vida religiosa, e intenta crear un Instituto que se dedique a aliviar la pobreza y consolar al triste. Allí va Beatriz, allí Nazarín y allí también el primo de la Condesa, José Antonio de Urrea. Madrid se alarma, ya se están formando una serie de intrigas que van a agostar la empresa de Catalina de Artal, cuando Nazarín le abre los ojos, y le hace ver que no es fundando un nuevo y original Instituto religioso como podrá hacer el bien, sino casándose con su primo y dejando libre la entrada de su casa para quien necesite confortamiento y amor.

Paso a paso va Galdós superando su concepción naturalista del mundo. Cuando escribe *Nazarín* ya está muy lejos de *Lo prohibido*, obra en donde se encontraba en pleno mundo naturalista.

Enfrentado con la sociedad desde el nuevo mundo en que vive, su sorpresa no podía menos de ser grande al ver en ella el naturalismo triunfante; al ver que aquellos hombres y mujeres, que aparentemente no habían cambiado, eran naturalistas.

Nazarín y *Halma* son las dos valvas que encierran las normas de un nuevo modo de vivir, posible sólo si, volviendo las espaldas a la materia, se elevan los ojos hacia el espíritu. En la primera novela, Nazarín se realiza a sí mismo, pone en acción su doctrina; en la segunda, su doctrina, perseguida e incomprendida, está ya injertada en la sociedad. Los antagonistas de Nazarín son, en el primer libro, el repórter; en el segundo, otro sacerdote, Don Manuel Flórez. Y en ambas obras dos mundos diferentes: una casa de vecindad —miseria, pobreza, pueblo—, y la mansión de un aristócrata —intereses, fórmulas, positivismo.

El repórter se limita a contemplar y desdeñar. Su caparazón intelectual no puede ser atacado por la doctrina y el ejemplo de la vida de Nazarín. El sacerdote de la casa del Marqués de Feramor, Don Manuel Flórez, se siente sobrecogido de angustia e inquietud al ponerse en contacto con Nazarín. El pueblo sirve de fondo en la primera novela a Nazarín, y vemos cómo la vida de éste —redimiendo a una pecadora, salvando a un alma del mal, convirtiendo a un ladrón— se refleja en el pueblo. Es la parte externa de la obra, pero necesaria para exponer su nueva concepción del mundo. En *Halma* aparece Nazarín sólo hacia el final del libro; con lo cual Galdós quiere mostrarnos que el protagonista ya no es el sacerdote, sino su doctrina, y, por eso mismo, el que deje que Nazarín dé con el desenlace al problema por él planteado.

El mensaje que trae al mundo Nazarín no es el del trabajo ni el de la acción ni el de la ciencia, sino el de la imitación de la vida de Cristo, el de la humildad, pobreza y resignación absoluta. Separarse de la materia y de la realidad para vivir según el espíritu y para el espíritu. No observar; contemplar, y poder sentir otra vez en toda su fuerza la presencia del misterio y de la verdad.

Salta a la vista de todo lector que el marco de estas dos novelas ha sido sacado del *Quijote* y de los Evangelios. Galdós descubre, muy a lo siglo XIX, lo que las andanzas del Hidalgo manchego tienen de peregrinación, lo que tienen no tanto de ir tras un ideal como de realizar un ideal al ir tras él. Lo de menos es que el manchego Nazarín se encuentre en situaciones literalmente idénticas a las del caballero andante —esto es un homenaje de Galdós a Cervantes—; lo importante es que el espíritu es el mismo. Por esto no sólo es Nazarín el Quijote, lo son también otros personajes: Andara, Beatriz, Don Manuel Flórez.

La vida de Nazarín en cuanto abandona Madrid hasta que vuelve para entrar en la cárcel, es un compendio de la vida de Cristo, especialmente desde la Oración en el Huerto hasta que es llevado ante Poncio Pilatos, con episodios como los del buen ladrón.

Este buscado paralelismo puede parecer innecesario e ingenuo en extremo. No sólo la novela no lo exige, sino que hubiera ganado sin él; pues fatalmente el peso del Evangelio puede más y arrastra a la novela, aparte del riesgo que se corre de que el lector se divierta y distraiga viendo la mayor o menor habilidad con que el autor hace coincidir los dos perfiles. Sin embargo, esta transposición no se debe a motivos frívolos; hemos de ver en ella un reflejo de ese afán finisecular por renovar los temas religiosos, dando a la imaginería cristiana una apariencia actual. De la misma manera que en la pintura, especialmente en Alemania y en Francia, aparece Cristo como un pobre del siglo XIX y entre pobres del siglo XIX, con la repulsa por parte del público que todos saben; así también en la literatura. En Galdós, y con propósitos diversos, se da con frecuencia. Nazarín hasta físicamente se acerca a Cristo, pues su barba crecida y color bronceado le habían hecho perder su aire clerical y hacían resaltar su tipo arábigo.

El querer sentir a Cristo otra vez en el mundo es la buena intención que guía a estos artistas y, aunque defendida por algunos críticos, llamada a un fracaso total, pues la repulsa completa del público mostró claramente que la iconografía cristiana era algo definitivamente fijado. Que no lo comprendieran así, indica cómo un buen deseo puede hacer errar el camino, pues ellos mismos tenían que referirse al tipo tradicional de Cristo para infundir en sus creaciones ese nuevo sentir religioso que manaba de sus corazones.

Nazarín y *Halma* son dos novelas muy interesantes, en las cuales se encuentra el nuevo sentir de Galdós y sus nuevas ideas, pero hay que considerarlas como un boceto de las dos grandes obras de este período: *Misericordia* y *El abuelo*, donde en completo dominio del tema y de la forma, no se entretendrá en hacer estudios de figuras y países.

Estas dos novelas son del año 1897; antes había dado al teatro *Voluntad*, escenificó *Doña Perfecta* y escribió *La fiera*, drama estrenado en diciembre del 96.

NUEVA CONCEPCION DE LA VOLUNTAD

Voluntad precisa y especifica el sentido de su obra espiritualista. En su busca del Espíritu, Galdós vuelve a la filosofía hegeliana, que había tenido que rechazar en su época naturalista: *Marianela* y *El amigo Manso*. El sistema monístico de Hegel le ofrece el camino que conduce a la superación de la dualidad del mundo y de la contradicción esencial del hombre. Cuerpo y alma, materia y espíritu, muerte y vida, suprasensible y sensible, bien y mal, la inacabable serie paralelística que hace de la vida del hombre lo que ella es. Galdós vuelve a Hegel porque en él halla resuelta la oposición del mundo sin rechazar ninguno de los términos opuestos. El mundo sin Dios es impensable, pero también Dios sin el mundo. El antagonismo es necesario. Vida es un permanente salir victorioso —Victoria, Víctor— de la confrontación de dos elementos opuestos. Victoria, vida, que no es la resultante del vencimiento de uno de los factores, sino de la reintegración de ambos en un proceso viviente; reintegración, síntesis, de los dos elementos antitéticos, que no es una mera adición sino un producto nuevo. Junto a Hegel hay que tener en cuenta a Schopenhauer. El uno le presta el sistema con que sostendrá su mundo espiritualista, su valorización de la voluntad como espíritu práctico y su sentido del Estado; el otro le permite confrontarse sentimentalmente con el mal. Schopenhauer le ayuda también a comprender el nuevo concepto de voluntad, acentuando, por encima del espíritu práctico, su irracionalidad.

Para el naturalista la voluntad era la facultad racional de regir su conducta según ciertos principios. El héroe naturalista es un hombre resuelto y determinado que tiene la fuerza para decidirse. Guiado por Schopenhauer, Galdós concibe, en su etapa espiritualista, la voluntad como fuerza irracional y ciega que desea ser; la voluntad es el instinto de vida con el dinamismo necesario para realizarse. Esta hambre de ser, de existir, de tener una personalidad, de individualizarse, es la culpa primigenia del hombre, que se expía con el dolor, con la constante insatisfacción y sufrimiento. La voluntad es, pues, como una fuerza de la naturaleza, figurada por Galdós en forma de mujer —Victoria, Rosario, Salomé— que acucia al hombre y le conduce a su plena realización.

La protagonista de *Voluntad* se llama Isidora, como el personaje de *La desheredada*, y esto es significativo, porque Galdós nos muestra que, si se tiene que servir de las mismas palabras, les da un sentido diferente: Voluntad, imaginación, personalidad, Isidora. La actitud del escritor no tiene nada que ver con la del siglo XVII. Se jura en falso, precisamente para ser sincero, para destruir la idolatría de las formas, para servir no a la autoridad, sino a la libertad. Es un gesto de hombre libre el que le lleva a cortar, en *La fiera*, la cabeza de los dos bandos de la guerra civil. Condena a los sectarios porque son todos lo mismo, y él no pertenece a un partido. Nunca ha sido un sectario, pero ahora menos que nunca. Desde la zona espiritual en que se encuentra tiene la fuerza para condenar a aquellos que son iguales en crueldad y perversidad, diferentes sólo en los nombres; aquellos que hacen de lo particular y relativo esencia de su vida. Lo cual no quiere decir que sea neutral, ni mucho menos que se sienta por encima de las luchas humanas. Por el contrario: Galdós está comenzando a sentir la necesidad de la muerte de Doña Perfecta. En la escenificación de la novela, Pepe Rey tiene un papel mucho más activo y un tono de desafío mucho más decidido; pero Doña Perfecta morirá y será vencida solamente por hombres diferentes a ella y de una calidad moral superior. *La fiera* quiere que no se confunda la actitud de Galdós. Ni al defender la imaginación defiende a la Isidora de *La desheredada*, ni cuando mate a Doña Perfecta estará en connivencia con los isabelinos, los liberales o los progresistas.

La imaginación de la desheredada llevaba a la destrucción y al aniquilamiento; su personalidad era una fábrica ridícula de sueños, que, si no fuera por las consecuencias, sólo despertaría risa y desprecio. La Isidora de *Voluntad* es una muchacha seria, formal, razonable, que abandona su casa para ir a vivir maritalmente con un hombre todo pasión, idealismo, indisciplina. Ambos se admiran y se quieren, pero no pueden vivir juntos. Al separarse llevan los dos como el reflejo del uno en el otro. Isidora vuelve a su casa cuando el comercio de su padre está en quiebra, y vuelve a unirse con Alejandro, esta vez para casarse. Salva a Alejandro del suicidio —la imaginación destructiva del hombre conduce a la muerte—; salva el comercio del padre, pues su familia materialista no sentía el anhelo de vivir, y mientras todo iba bien podían trabajar, pero cuando se presenta un contratiempo sucumben. Para el naturalista, vivir es salir victorioso de la lucha, subsistiendo porque ha destruído a su contrario. La vida es el premio que recibe su victoria. Vive porque triunfa. Para el espiritualista, la actividad, la acción, el trabajo, no son la manera de ser, sino la esencia del ser. El naturalista tenía que formarse a sí mismo, el espiritualista tiene que crearse a sí mismo; aquél lucha con la sociedad, lucha con los seres de su propia especie para poder existir y subsistir; vivir, para él, es triunfar. El hombre espiritualista, hijo del naturalista y a él opuesto, se encuentra ya con la vida y a partir de este momento es cuando comienza su tragedia. El espiritualista lucha consigo mismo, con su conciencia, para encontrarse a sí mismo, para encontrar la verdad y la esencia de las cosas. La vida que le entrega el naturalista no es nada más que la materia, a la que el espiritualista ha de infundir un alma —compárese Ganivet, *El escultor de su alma*—. En esta obra de creación —creación en general y creación de sí mismo— consiste el verdadero heroísmo para el espiritualista. En su lucha no hay victoria. Triunfar equivaldría a dejar de ser, a ser otra cosa. El triunfo se conseguirá en el futuro. Según Don Santos, los hijos de Isidora y Alejandro serán la perfección humana —la síntesis—. Berenguer lucha con los constitucionales por odio al absolutismo; pero la misma mujer de que quiere vengarse le inspira amor, y entonces puede encontrarse a sí mismo, destruyendo a la fiera de dos cabezas, matando a los dos jefes contrarios, deshaciendo la antítesis del odio.

SUPERACION DEL MAL POR EL AMOR

En *Fortunata y Jacinta* el mundo se nos aparecía inmenso y denso; Madrid era ciudad estrecha para tantas pasiones y tanta vida, y el orbe todo, en su grandeza enorme, era cárcel reducida para la naturaleza del hombre. En *Misericordia*, la obra con la cual Galdós comienza a cerrar su labor, el mundo es algo pequeño, microscópico. El novelista se fija en diminutos detalles, pero esta sensación de pequeñez proviene de que el mundo, contemplado desde la cima del Espíritu, que en *Fortunata y Jacinta* empezaba a descubrir, es algo de reducidas dimensiones.

¡Qué lejos nos encontramos de aquellas muestras de audacia con que el escritor nos indicaba en *Marianela* su entrada en el mundo naturalista —la notación bien cogida, por ejemplo, de cómo el fumador enciende una cerilla—! Para los ojos observadores del naturalista un detalle es un mundo; éste fue su gran descubrimiento. Para la mirada de un espiritualista el mundo no es nada o muy mezquina cosa. El naturalista se llena de jubiloso asombro al darse cuenta de que la observación solícita tiene en un detalle una zona inmensa de exploración. El más pequeño insecto se convierte, gracias a la observación, en una gran alimaña. De aquí que el naturalista recurra a la ampliación de las líneas para expresar su mundo. El espiritualista no rechaza esta manera de dirigirse a la realidad y de verla, pero no se satisface con ella, pues lo que quiere es encontrar una dirección, un sentido, a esa realidad. Aparentemente, *Misericordia* es idéntica a *La desheredada* o a *La de Bringas*; sin embargo, son obras de intención y sensibilidad completamente distintas.

Galdós no renuncia al naturalismo, lo supera. Por eso se nos explica la conducta de Doña Paca por su temperamento. Pero mientras el naturalista no había pasado de aquí, y toda la obra no había sido otra cosa que un examen de las consecuencias de las condiciones fisiológicas y del medio, ahora es una aclaración que, sin ser superflua, se le obliga a permanecer al margen. El cuerpo y su fisiología es un pequeño detalle, cuando el hombre se enfrenta con Dios, y, ya sea desde un punto de vista individual, ya colectivo, Dios está constantemente presente en *Misericordia*.

Contrastándolo con Dios, el mundo y la sociedad dejan de tener ese carácter imponente y opresor con que se aparecían en *Fortunata*. Todos los valores naturalistas quedan desencasillados, y el cambio de perspectiva, al ofrecérnoslos en nuevas relaciones, nos pone ante un paisaje de dilatado horizonte.

Hasta ahora habíamos visto soñar riquezas, pero desde *Nazarín*, y según su doctrina, hay que soñar pobrezas. Un céntimo, dos céntimos, cinco, son cantidades enormes, y, si se trata de cinco pesetas, la cifra produce verdadero vértigo. En pleno crédito, cuando se empieza a contar por millones, al elevarse esos templos del siglo XIX que son los Bancos, Galdós nos introduce en un mundo microscópico, en el cual una cantidad ínfima adquiere proporciones inusitadas, gracias al amor. Mientras unos hombres, en algunos minutos de suerte, pueden ganar millones en una afortunada operación financiera, hay miles y miles de hombres, toda una muchedumbre, que, después de horas y horas de estar a la intemperie, han logrado ganar quién tres céntimos, quién siete o doce. ¡Y qué genio financiero y administrativo son necesarios para alcanzar que una moneda de cobre dé de sí todo lo que debe dar! Con la moneda de los mendigos penetramos en un mundo de complicadas transacciones mercantiles.

Este medio de lo infinitamente pequeño es matemáticamente igual al de lo infinitamente grande: ambos no tienen límite. Inmerso en este mundo de detalles, en este mundo naturalista, no había más remedio que perecer, morir como muere Fortunata. Pero Benigna, a quien, por cierto, unos cuantos pobres la confunden con Doña Guillermina Pacheco —la dama que en *Fortunata* se desvive haciendo la caridad—, puede salir de este laberinto gracias al amor. Benigna, pobre mendiga, con su céntimo, con sus dos céntimos, socorre a todo el mundo, a todos con el mismo espíritu de caridad, de misericordia, de sacrificio, y por eso ella puede abarcar la inmensa variedad del mundo.

Para entrar en el mundo de la realidad, la imaginación tiene que desaparecer; ésta es la razón de ser de *Marianela*. Galdós, entonces, no sólo se hunde en la realidad, sino que marca incansablemente el derrotero fatal a que conduce toda desviación de la realidad causada por la imaginación. Cuando, firme en la realidad, puede Galdós otear el Espíritu (*Miau*), la imaginación, vuelve a adquirir un signo positivo, llegándose, en *La incógnita*, a mostrar la inanidad de los hechos observables, y, en *Nazarín*, lo imaginado alcanza ya un grado de verdad de que lo real a veces carece.

Misericordia nos da el mundo de lo imaginado y el de lo real, primero yuxtapuestos, estrelazados después; por fin, la imaginación se sobrepone a la realidad, crea la realidad. Dios no se aparece, como en *Fortunata* y *Miau*, ni se penetra en el sentimiento religioso como en *Angel Guerra* o *Nazarín*. Galdós siente, por fin, el pavor de lo santo y la necesidad de purificarse para entrar en la zona de lo numénico; por esto se atreve a moverse únicamente en el círculo de la magia y de la superstición. El naturalista buscaba la sociedad y al hombre en las formas más elementales; el espiritualista se acerca a lo religioso a través de las expresiones más primitivas.

En *Nazarín* hay que soñar pobrezas, en *Misericordia* hay que soñar justicia; es decir, hay que inventar, que crear la justicia en la tierra. Esto es lo que diferencia la función de la imaginación en esta obra de la que tenía en la etapa naturalista. Antes la imaginación servía para eludir la realidad, ahora crea realidades.

Para que Benigna fuera creada era necesario que la semilla de Nazarín fructificara. En Nazarín, sin embargo, hay una cierta sequedad intelectual que no se encuentra en Benigna; esto proviene de que el sacerdote tiene que resolver un problema. La realización del amor en la tierra para él es todavía un problema; su actitud, por sincera que sea, está coloreada de un tinte falso o a lo menos extravagante, y es que su amor es ante todo y sobre todo un acto volitivo; en cambio, brota espontáneo, jubilante, del corazón de Benigna.

Benigna siembra la justicia en la tierra fecunda del amor. Como en *La loca de la casa* se purifica el hombre naturalista —esfuerzo y trabajo—, *Misericordia* regenera al organizador, al administrador. Galdós, es claro, oponía el trabajador al ocioso, al empleado; e igualmente al despilfarro lo confrontaba con la buena administración. Ablandando la sequedad de corazón del administrador rígido y severo como antes había domado al luchador despiadado. Doña Paca no tenía la menor noción del dinero, podía gastar cuanto tuviera y más; la consecuencia es que siempre estaba nadando en deudas. Pero su nuera Juliana (asóciese su nombre a Julio César) consigue que no dilapide la última fortuna que hereda; sin embargo, no logra que en la casa entre la felicidad, que desapareció con la buena administración. La misma Juliana —personificación de la ley que emana de la fuerza, del Estado— no puede librarse, a pesar de su rectitud, de los remordimientos de una conciencia que la acusa incesante: desamparó a Benigna, la criada, que había pedido limosna para socorrer a su señora, Doña Paca.

Juliana, aunque sus hijos están buenos y sanos, piensa siempre que van a morir, y no recobra la tranquilidad hasta que, confesando su ingratitud a Benigna, ésta le dice: "tus niños están buenos y no padecen ningún mal... No llores... ahora vete a tu casa, y no vuelvas a pecar".

Como Victoria salva al hombre fuerte, Benigna devuelve la tranquilidad a Juliana. Esta merecía salvarse, porque representa la razón contra la insensatez, el Derecho, pilar de la sociedad, pero verdaderamente fuerte sólo cuando se une a la Justicia, es decir, cuando es capaz de amor. En esta novela se confirma plenamente el sentido moral que Galdós había dado, a través de toda su obra, a la oposición entre el despilfarro y la buena administración. El título, que durante todo el libro alude a la casa-asilo de los pobres: "La Misericordia", al final adquiere su pleno significado de suma bondad para con todos: los que hacen el bien y los que hacen el mal.

Galdós supera la sociedad naturalista por él creada —el trabajador y el organizador se hacen fecundos gracias al amor y al sacrificio—. Pero quedaba por resolver el problema de la lucha entre el bien y el mal, solución que tiene que coronar la arquitectura de su obra.

Para el naturalista el mal y el bien marchan paralelos sin encontrarse nunca. En realidad ni existe el bien; lo que sucede es que la materia ciega, en un número reducido de casos, se adapta al medio, y entonces se produce un cierto progreso, lo que comúnmente se llama triunfo o a veces virtud. El credo espiritualista afirma la existencia del bien y presupone la posibilidad del paso del mal al bien. Sin estos postulados hubiera sido imposible la creación de toda la obra de Galdós desde *La loca de la casa* a *Misericordia*.

En *El abuelo* reaparece el tema naturalista para ser refutado. La ley de la herencia podrá aplicarse al mundo fisiológico, pero no tiene validez respecto a la vida moral. En ese sentido la vemos utilizada ya en *Realidad* y en *Angel Guerra*; *Misericordia* se sirve de ella desde un punto de vista estrictamente fisiológico. *El abuelo* nos presenta al Conde de Albrit casi ciego haciendo el descubrimiento de que la nieta legítima no acude a la voz de la sangre, mientras la ilegítima obedece a la voz del espíritu; el mal ha engendrado el bien. El ciego con sorpresa asiste a la revelación de la libertad de lo espiritual. Al lado de la física, de la fisiología, de la observación, hay que volver a poner la metafísica, la ética, la contemplación. Junto a la filología, la mitología; es decir, al lado de los hechos, los símbolos de las ideas. Los hechos y la acumulación de detalles no son inútiles, pero tienen un rango secundario, pues lo importante son las ideas con que interpretamos los hechos; aún más, con las que nos fijamos en unos hechos y no en otros. El Conde de Albrit, en el momento culminante de la crisis espiritual por la cual está pasando, entra en una zona tragicómica, en la que tiene como fondo figuras mitológicas y bíblicas.

Cuando Don Pío Coronado se hace la pregunta —frase final de la novela—: "¿El mal es el bien?", Galdós ha terminado por completo su labor. Su obra futura es un continuo meditar sobre el mundo por él creado. Y ya lo fija y aclara, como en la escenificación de *El abuelo,* donde se declara con toda precisión que el descubrimiento del Conde de Albrit es el amor a la humanidad, la verdadera familia del hombre, sin que la obra termine ahora con un interrogante, sino con una afirmación: la verdad que el hombre busca, la verdad eterna es el amor. Ya, en posesión de la Libertad y el Espíritu, dicta a la humanidad y sobre todo a los españoles la conducta que seguir. No busca en el pasado las raíces del presente, en éste planta las que han de engendrar el futuro. Su amargo pesimismo al contemplar la realidad española, se deshace en ironía, optimismo y bondad al soñar en un futuro mejor.

CAPITULO VI

LA LIBERTAD

LA LIBERTAD

EPISODIOS DE LA GUERRA CIVIL. EXPE-
RIMENTACION, ESTUDIOS Y ENSAYOS

Galdós ha creado el héroe espiritualista y ha centrado su mundo,
desde *La loca de la casa* hasta *El abuelo,* en el problema de la personalidad: voluntad de ser y capacidad de perfección, elección entre el
bien y el mal, expiación de la culpa. Las obras de esa época anuncian
a Ganivet y a Unamuno, y también a *Azorín.* Las primeras páginas de
Misericordia, especialmente las dos primeras, en que se describe la parroquia de San Sebastián, tienen un ritmo casi azoriniano. En ellas se
habla del "encanto de las cosas vulgares"; pero no se ve lo vulgar
envuelto en el ambiente melancólico y sentimental de Baroja. Está
captado humanamente, bondadosamente; con una actitud que parece-
ría fría e impasible si no tuviera ese acento comprensible y cariñosa-
mente amable, que es lo que le acerca a *Azorín,* alejándole del mundo
de Baroja, visto siempre a través de unos ojos velados por una lá-
grima.

Galdós ya no se siente atraído por la cantidad de detalles, sino
por la calidad. A medida que penetra más en el mundo espiritualista,
siente más fuertemente la necesidad de una forma de expresión que
le permita pasar de lo objetivo a lo subjetivo, del temperamento a la
psicología de los personajes, de lo externo a lo interno, de lo aparente
a lo esencial.

Esta crisis de arte le lleva a considerar su obra desde un punto
de vista espiritual, moral y estético nuevo, y le hace dudar del valor
de todo su trabajo. La duda no se apoderará del escritor hasta unos

años más tarde, porque en 1898, por una simbólica coincidencia, Galdós tiene que presenciar la pérdida de las últimas colonias y su ruina personal. El novelista, que había estado estudiando siempre lo nacional en el individuo y lo individual en la nación, la relación entre la política y la vida civil, debía sentir cómo se entretejían misteriosamente las circunstancias de su vida y las de España.

Su reacción fue la que era de esperar: un máximo esfuerzo de voluntad, del cual sale la tercera serie de *Episodios nacionales*, reanudando así la obra de su juventud. Sabemos que había abandonado los *Episodios* por creer que estaba todavía muy cerca de los acontecimientos posteriores a la muerte de Fernando VII, y también por la imposibilidad de penetrar ese período que va del 34 al 68, de una manera objetiva. "Son años a quienes no se puede disecar, porque algo vive en ellos que duele y salta al ser tocado con escalpelo."

Para saber cómo ha de juzgar los levantamientos carlistas y los pronunciamientos militares basta recordar su actitud respecto a los guerrilleros de la Independencia. Si el amor a la patria, mortalmente en peligro, no podía ocultar a Galdós las terribles consecuencias de las acciones armadas individuales, se puede imaginar fácilmente cómo considerará a los responsables del estado de anarquía en que España ha vivido desde hace más de cien años. Por lo que se refiere a las ideologías, sentimientos e intereses en lucha, el autor de *Doña Perfecta* nada podía ni tenía que añadir.

La tercera serie de *Episodios nacionales* comprende desde el comienzo de la primera guerra civil hasta la boda de Isabel II, *1833-46*. Su manera de tratar la historia no ofrece novedad de ninguna clase. Presenta alguna de las figuras más culminantes de la época, no muchas, alguno de los hechos principales, muy pocos. Dando más importancia a la historia civil, hasta el punto de que varios volúmenes son casi totalmente novelescos. En la historia de la cultura, dos hechos de importancia tienen lugar en este período: el paso del clasicismo al romanticismo y del romanticismo al sentimentalismo realista. La sociedad también ha cambiado; se nota el enriquecimiento de una nueva clase social, gracias a la desamortización —Mendizábal—, a la misma guerra civil y, ya al final de la época, a la introducción de los ferrocarriles.

Galdós cuenta los principales hechos de la guerra civil y al mismo tiempo los acontecimientos políticos que tienen lugar en los dos campos. Es completamente imparcial, en el sentido de que no trata de ocultar las virtudes y defectos de los hombres que están en los dos bandos, lo cual no quiere decir que sea neutral. Ni por un momento deja de mostrar sus ideas a favor de un régimen de libertad y democracia, aunque tampoco disimula, y éste es su dolor, que el gobierno cristino apenas puede diferenciarse, con frecuencia, del partido carlista. Los horrores, las crueldades, los crímenes, abundan más en la zona carlista; pero la arbitrariedad, la falta de respeto a la ley, reina por igual en las dos partes contendientes.

Junto a los acontecimientos político-militares, presenta la transformación económico-social y la evolución ideológico-sentimental de estos años. La lucha que se entabla en España en un plano militar (esto es lo característico español y lo que da un tono tan arcaico a nuestro siglo XIX), se dispone en Europa en un plano económico, aunque no sea ni menos dura, ni menos cruel, ni menos bárbara, ni menos inmoral, ni menos fratricida. Diferenciar estas luchas, sin embargo, es algo muy importante. En Europa se está luchando por tomar posesión del nuevo mundo industrial, por adueñarse de esta nueva dimensión del mundo. La lucha es algo creador. En España, en cambio, estamos en plena Edad Media. Son los pretendientes a la corona los que pelean, y por eso los generales adquieren en seguida los rasgos de señores feudales, medievales, que no tienen nada en común con los nuevos capitanes de la industria y de la Banca.

La segunda y tercera serie de *Episodios nacionales* tienen de común entre sí el presentar la lucha política desde el reinado de Fernando VII hasta la boda de Isabel II, lucha política cuyos orígenes se encuentran en la primera serie; pero en ésta lo que tenía más relieve era la guerra contra el invasor. Hechos históricos de una importancia más o menos relativa, pero en general bien elegidos, forman el núcleo y al mismo tiempo son el límite de cada episodio. La manera de presentar la Historia no varía a través de los treinta volúmenes; la forma va desde la narración autobiográfica hasta la epistolar, pasando por las memorias, diarios, narración indirecta, etc. A veces el contenido histórico encuadra el contenido novelesco; otras se presentan entretejidos; por último, algunas veces la parte novelesca ocupa la mitad o los dos tercios del volumen, reservando el final para los sucesos históricos.

La función de la novela en la serie de *Zumalacárregui* es la misma que en la segunda serie —infundir vida a la Historia—. Un hilo simbólico corre a través de toda la serie. Dos aristocráticas damas, hermanastras, están divididas por intereses, ideas y maneras de ser. En la lucha por casar a sus hijas, gana la más simpática. El simbolismo, lejos de destacarse, desaparece bajo la rica materia novelesca, cuyo cometido consiste en recrear la historia cultural y política. Una serie de parejas nos hacen vivir el amor romántico o el amor sentimental o un amor todo peripecias con un fondo de Edad Media, que trata de dar al individualismo moderno un tono medieval. Luego ya no es el amor, sino las dificultades de dos familias para casar a su doble pareja de hijas.

Galdós no imagina un argumento que abarque los diez episodios como en las series anteriores; al contrario, pasa de un asunto a otro como si estuviera trazando bocetos literarios en que considerara un número de temas desde diversos puntos de vista: psicológico, social, económico, sexual, religioso. Interesándose especialmente en ejercicios de estilo.

La guerra civil no le preocupa de una manera primordial en sus consecuencias políticas. La ve, situada dentro del cuadro de sus nuevas ideas y sentimientos, en presencia del Espíritu. Mientras la materia histórica la utiliza para estudiar la reacción del Espíritu ante la Guerra, la novelesca le sirve para desbrozar el camino que ha de llevarle a la zona estética nueva.

En *Vergara*, por ejemplo, describe el momento en que Fernando vuelve a ver, después de largo tiempo, a Aurora: "La impresión recibida fue como una serie de impresiones muy rápidas, de centésima de segundo; la luz vibrante cambiaba el color y las líneas. ¿Había visto una imagen temblorosa en ráfagas del aire?" Cada frase es significativa; en cada una de ellas se ve al escritor incapaz de expresar lo que siente y forzado a describirnos sus sentimientos y su visión impresionistas, en lugar de transmitírnoslos. En el mismo episodio, Fernando se aparece a otro personaje como un ángel. No se trata de un sueño ni de desequilibrios nerviosos que transportan al lector a una zona irreal, sino el bien, la bondad, la misericordia y el amor, que la humanidad transforma en mitos.

Galdós está a punto de descubrir la visión de la España del siglo XIX de Valle-Inclán, pero se tiene que contentar con definirla, al observar la manía de España de hacer "verosímil lo absurdo". Valle-Inclán nos dará esta verosimilitud del absurdo; Galdós tiene que escapar de ella, desdoblándose, haciendo, que la imaginación le libre de la realidad. Como Doña Leandra —*Bodas reales*— cuando, perdida la ilusión de poder abandonar Madrid, cae enferma y se queda paralítica: entonces pasa su vida en un ensueño, asomada a la España eterna: a la tierra con sus frutos, el aire, el sol. Los hombres pasan, pero España está ahí, siempre la misma.

Los tres años, 1898-1900, que empleó en escribir la tercera serie de *Episodios nacionales*, representan un esfuerzo máximo de voluntad; son unos años de incesantes ensayos en busca de una nueva reorientación. Con *Electra* entra otra vez en un terreno seguro, que se caracteriza, sin embargo, por la duda, la inquietud y la tristeza.

ESTETICISMO IMPRESIONISTA

Alejado por completo del naturalismo, se esfuerza en adquirir esa nueva técnica que le permita crear el ambiente y la atmósfera y dar a su obra una levedad que el acarreo de hechos le impedía conseguir.

El tratamiento impresionista de la luz y del color fue una de las novedades del momento que llamaron más la atención. El impresionista, sin embargo, no hacía otra cosa que avanzar en el análisis de la luz y el color, comenzado por los realistas y naturalistas que ya habían salido del estudio al aire libre. Galdós comprendía muy bien la nueva manera impresionista y se sentía atraído por su viveza y vibración, que hacían resaltar más la inmovilidad y pesadez naturalista. En *Doña Perfecta* y *Fortunata y Jacinta* se emplea la luz de una manera simbólica y dramática, haciendo que subraye la acción, y utilizándola, por tanto, como el toque de clarines de la primera novela; pero en *Vergara* ya queda despojada de todo valor moral, teniéndose en cuenta por ella misma. No obstante, aquí es más patente el propósito que la realización. *Los duendes de la camarilla* nos ofrecen el esfuerzo más conseguido de tratar la luz como tal, sin segunda intención. A Lucila no le cabe la menor duda de que la desaparición de su amante se debe a intrigas de Domiciana, y va a ver a ésta para que

se lo devuelva, o matarla. Domiciana, después de una noche de constante ajetreo velando a una enferma, llega por la mañana a su casa y
se encierra en su alcoba para descansar. Está vestida cómodamente y
sentada en un sillón. Ha dado la orden de que no se deje pasar a
nadie. Lucila, sin embargo, consigue entrar y cierra con llave la puerta
que lleva a las habitaciones de Domiciana. "Al oído de la señora ador-
milada no llegó ruido de pisadas gatunas en la escalera y pasillo. Más
que por efecto de sonido, por efectos de luz se le sacudió aquel sopor.
La menguada claridad solar, como de entresuelo, que alumbraba el
gabinete, a la alcoba llegaba tan reducida, que, si la interceptaba en
la puerta un cuerpo de persona, era casi nula." Todo simbolismo ha
desaparecido. Lo único que le preocupa es un análisis de la luz. Por
ser un entresuelo —esos entresuelos tan típicos del Madrid comercial,
sobre las tiendas, con pequeños balcones o ventanas— había poca
luz, y la alcoba no tenía otra claridad que la que venía del gabinete;
si una persona se interponía entre el gabinete y la alcoba, ésta quedaba casi a oscuras. No analiza la calidad de la luz, sólo la cantidad,
pero también tiene en cuenta la sensación. Las pisadas de Lucila no
han producido el ruido suficiente para llamar la atención de Domiciana; es el cambio de luz lo que la despierta.

La escena entre Lucila y Domiciana, que no puede y no debe producir ningún efecto artístico en el lector, tiene para el crítico un valor
grande, pues le muestra el cambio de sensibilidad de la época y le señala el momento en que Galdós logra penetrar en la nueva estética.

Ese afinamiento de la sensibilidad que permite al impresionismo
aprehender, no el detalle (naturalismo), sino el matiz, y transmitir
la sensación de la manera más directa, consiguiendo así al máximum
de naturalidad en la composición del conjunto y de las partes, hasta
el punto de lograr producir un efecto de máxima libertad, de no composición, no atrae a Galdós, precisamente por haber sido uno de los
objetivos del naturalismo. Hay que añadir también que este paso del
detalle al matiz, de la cantidad a la calidad, exigía una reeducación,
que inexorablemente le llevaba a otra de las características del impresionismo: el esteticismo.

En su obsesión didáctica y moralizante, el naturalista, austeramen-
te, había abandonado todo propósito de belleza, temiendo caer en la
retórica. Reclamaba los hechos vulgares, la fabulación prosaica, la len-

gua hablada, amurallándose así contra el estilo oratorio y el sentimentalismo huero. El espiritualista, por el contrario, se empeña en penetrar en una zona noble y poner en función a la imaginación. Galdós, ahora, se acoge ansiosamente al aristocratismo impresionista con su vuelta al Renacimiento y a Grecia, tanto más cuanto que él veía en la Edad Media, de un lado el individualismo anarquizante, cuyas últimas consecuencias las encontraba en las guerras civiles y en los levantamientos militares; de otro, el ascetismo, que condenaba a la Humanidad a la depauperización, a la tristeza y al odio del mundo. El Renacimiento, en cambio, es para él la implantación del cesarismo, de la organización estatal, de los grandes individuos —artistas, pensadores, hombres de acción—, del impulso vital y la alegría de vivir, de la redención de la tierra fecunda, de la belleza helénica del cuerpo que es alma. En el esteticismo impresionista, comprendido a su manera, ve un credo de belleza, de alegría y de vida para enfrentarlo a la Iglesia inquisitorial: fealdad, tristeza y muerte. Sintiendo, como era fatal que sucediera, el afán de belleza impresionista como ansia de belleza moral.

Para dar con un medio impresionista, comienza pintando uno de esos cuadros de la vida romana tan frecuente en la segunda mitad del siglo XIX. Cuadros de costumbres y de fantasía, cuyo brillante colorido y verbo se debe a los trajes eclesiásticos y a la vida de alto clero en la corte pontificia. En un medio de Cardenales y Obispos, decorado con las ruinas de la antigua Roma, ennoblecido por estudios sabios y con el prestigio de los nombres del Renacimiento, Fajardo (*Las tormentas del 48*) seduce en la villa del cardenal Antonelli, en Albano, a la bella Barberina y es seducido por ella.

Mientras tanto se habla de la elevación al solio pontificio de Mastai Ferreti, con el nombre de Pío IX, de sus ideas liberales, del *Risorgimento* y la joven Italia, de Manzini, de Alfieri y Leopardi, de Monti. Galdós pinta este cuadro con placer, pero se da cuenta inmediatamente de no haber pasado de la pintura de género, decidiéndose entonces, sin duda, de ninguna clase, a trazar la escena impresionista. En el mismo episodio se cuenta otra aventura amorosa de Fajardo; su entrevista, en el Casino de la Reina, con Eufrasia. "La vi entre la arboleda corriendo gozosa, y fui en su seguimiento: se me perdía en el ameno laberinto, pasando de la verde claridad a la verde sombra, y no

encontraba yo la callejuela que me había de llevar a su lado. Llamé
y sus risas me respondieron detrás de los altos grupos de lilas. Se es-
condía, quería marearme." El ambiente modernista de esta escena no
se ocultará a nadie; además, es seguro que debemos buscar su modelo
en D'Annunzio; piénsese en *Il Fuoco,* la escena entre Stelio y la
Foscarina en el jardín. En el drama *Alma y vida* se representa una pas-
torela dieciochesca. *Bárbara* tiene lugar en Siracusa, a comienzos del
siglo XIX. El fondo helenístico —esculturas, columnas, ruinas, mitología, numismática, nombres exóticos— va acompañado de un estilo noble, que el autor logra mantener siempre a la misma altura y al parecer sin esfuerzo. Sus últimos *Episodios* nos ofrecen numerosos ejemplos del estilo nuevo, acentuando sobre todo lo decorativo. "Se afectó
dolorosamente Don Wifredo, que hubo de llevarse a los ojos su pañuelo marcado con la cruz de San Juan de Jerusalén sobre las iniciales",
"Tan bonita como los ángeles que acompañan en su duelo a Nuestra
Señora de las Angustias", "El canto del gallo rasgó el velo de la noche", "Dejáronse ir quedamente a un paseo lateral, a donde llegaba...
hecho polvo de sonidos el parloteo de galancetes y damiselas", "Lógica poemática", "Sílabas aperladas que rebotaban en el cristal de la
noche".

No es muy fácil reconocer por el estilo una página galdosiana,
pero nadie, de no saberlo de antemano, adjudicaría estos ejemplos a
Galdós. Es completamente sincero al buscar estos medios y expresarse
de esta manera; indudablemente sentía el mundo impresionista, quizá
con la fuerza redoblada del que sabe que no puede hacerlo suyo. Por
eso hay algo de postizo y de disfraz. Demetrio Paleólogo (*Bárbara*),
a pesar de su nombre, de sus riquezas, ganadas traficando en Oriente,
que consisten en perlas y esmeraldas, esculturas y tapices, es Pepet,
que en lugar de hablar de la Bolsa, pagarés, cheques, fábricas, hace
desfilar ante los ojos atónitos sus largas caravanas de bellas merca-
derías.

PSICOLOGIA IMPRESIONISTA

La psicología de los personajes debía resentirse de esta influencia
del impresionismo, pero afortunadamente le descarrió sólo por excepción, ayudándole, las más de las veces, a profundizar en los caracteres.
Eufrasia es un ejemplo de la psicología perversa y amoral de los im-

presionistas, y la que da una nota más falsa. Lucila y la ex monja Domiciana, en cambio, pertenecen a lo mejor del repertorio galdosiano. Estas dos enamoradas reproducen tipos femeninos muy antiguos en la obra de Galdós; sus orígenes pueden trazarse hasta *La Fontana de Oro*. Lucila, toda instinto, amor elemental, ingenuidad de mirada, vive del hombre y para el hombre a quien ama. Domiciana es aquella mujer que, sin norte, ha dado a su vida una dirección falsa y, al notarlo, trata de deshacer el error y sobre todo de recobrar el tiempo perdido. Esta es su esencia dramática: haber dejado pasar la lozanía de la mañana, el esplendor de mediodía, y al llegar la tarde descubrir en los últimos rayos de sol el encanto de la vida. Domiciana se enamora, porque ve a Lucila enamorada; se enamora del hombre a quien ama Lucila, del cual ésta habla continuamente; se nutre del amor de Lucila hasta que no tiene más remedio que robarle su amante para poder continuar viviendo. Domiciana es el parásito que defiende su derecho a la vida. Todo el mundo sabe que en estos personajes Galdós se supera a sí mismo: además ahora casi se libra de caer en lo melodramático. Un personaje nuevo, en el que es lástima que Galdós no se detuviera, lo encontramos en *Carlos VI en la Rápida*. Donata, habiendo pasado toda su vida entre gente de Iglesia, no concibe amar a un hombre que no sea sacerdote. Santiuste la conquistó porque aparecía como seminarista; cuando le confiesa que no hay tal cosa y que la sotana era un medio para poder entrar en relación con los partidarios de Carlos VI, la desilusión de la chica es grande. El personaje, como se ve, hubiera permitido hacer un interesante estudio de psicología individual y social.

El estado psicológico más fino y presentado con mayor contención se encuentra en *Bárbara*. Lotario ha tratado siempre brutalmente a su mujer Bárbara, y después de la espiritual amistad de ésta con Leonardo de Acuña, su conducta se hace aún más intolerable: Leonardo tiene que marcharse a un largo viaje, y el mismo día de su partida, al caer de la tarde, Bárbara paseaba en el jardín, entre las ruinas, donde había gozado alguna vez la pura conversación de su amigo. Bárbara se deleita en la soledad, en íntima comunión con sus recuerdos; su marido la sorprende y la trata brutalmente, pero su brutalidad se transforma en sensualidad y desea a su esposa; ésta, no pudiendo soportarlo, le mata.

Ese juego de interferencias de pasiones, ese trastrueque de sentimientos y sensaciones, ya conocido del barroco, en que Goethe trabaja y el romanticismo ahonda —en España, Larra, Espronceda, Hartzenbusch—, ha sido en el impresionismo y el post-impresionismo cuando se ha expresado mejor: el Joyce de la época azul lo trata magistralmente en *The Dead*. El tema se encuentra en Galdós en época temprana, *El siete de julio*, persiste a través de toda su obra y abunda especialmente a partir de 1900; pero donde lo presenta mejor es en *Bárbara*.

La depuración de su técnica y la agudeza de observación se aúnan para trazar cuadros de una sencillez de líneas sorprendente. Galdós ha estudiado numerosas veces la influencia del sexo en la vida psíquica en general —los mejores ejemplos se leen en *Fortunata, Angel Guerra, Miau*—, fijándose especialmente en lo anormal; pero en el último episodio de la tercera serie, *Bodas reales,* consigue describir un estado psicológico completamente normal con un mínimum de recursos, lo que hace de este episodio el precedente de *Bárbara*. Eufrasia, de quien ya hemos hablado, da a su vida irregular una nueva dirección al escaparse de su casa. La caída de Eufrasia es un voluntario eco literario de la caída de Gretchen —ejercicios literarios que ya he indicado—. Con el padre siempre fuera de casa y la madre baldada, Leandra es la única en darse cuenta de la vida de su hermana; quiere retenerla en el hogar, pero fracasa. La noche en que se escapa Eufrasia, Leandra, la buena hija, tiene que soportar sola el dolor. Sola no, porque allí está para compartirlo su novio, el boticario. Los dos están en el cuarto, Leandra recostada en el sofá, y ambos envueltos en la atmósfera sensual de pecado que había creado Eufrasia. Leandra es la virtud, la mujer fuerte, acechada por las tentaciones. ¡Gustar a qué sabe la vida! ¡Probar el pecado! Y sus sentidos están ahí apretando el cerco. Ondas de perfume flotan en la habitación, las esmeraldas todavía brillan en sus ojos, y luego la libertad, las caricias, quién sabe qué mundo insospechado. Junto a ella un hombre, su novio. Pero Leandra triunfa. Quizá —nos hace observar Galdós— si en lugar de estar a su lado el boticario, hubiera estado otro hombre, la virtud de Leandra se la hubiera llevado el viento. La calidad humana de Leandra se debe a que el autor contempla ahora la naturaleza sin propósito ulterior de ninguna clase, lo cual le permite captar en Bárbara toda una serie de sensaciones que casi no llegan a ser sentimientos, transmitiendo éstos con una levedad que casi produce la impresión de que han sido solamente aludidos.

LA LIBERTAD

La cuarta serie de *Episodios*, 1902-7, y las otras obras escritas durante este período: *Electra, Alma y vida, Mariucha, Bárbara, Casandra, Amor y ciencia,* no obedecen a un afán de experimentación como los *Episodios* de la tercera serie. Galdós, gracias a la concepción del mundo impresionista, se ha remontado a una zona de libertad, en la que se muestra, de un lado, fuerte, seguro de sí mismo y optimista; de otro lado, atormentado por la duda y entristecido. Su fortaleza y optimismo provienen de haber descubierto la verdera realidad; su tristeza y pesimismo, de contemplar cuanto le rodea, entre lo cual se encuentra su misma obra.

La tragedia de la vida espiritual consiste en que no se pueda definir y fijar el Espíritu. Se llega a él por vía intuitiva, y una certidumbre y seguridad interior son la única guía del hombre. Galdós al final de su experiencia ética adquiere esa clarividencia de los iniciados, que introduce los actos humanos en un mundo regido por leyes diferentes de las ordinarias.

Salvador Pantoja —nombre y apellido simbólicos— disputa a Máximo —el hombre máximo, superior— la posesión de Electra. Galdós exige con el nombre de su heroína que se tenga presente la tragedia de Sófocles. Salvador miente como Doña Perfecta, pero también como Paternoy. Miente por dos veces. La primera mentira —al declararse padre de Electra— puede parecer únicamente un exceso de celo, pero en la segunda —al decir que Máximo es hermano de Electra— Pantoja miente conscientemente. Como Paternoy, Pantoja vive igualmente en el mundo del Espíritu, aunque sea un Espíritu periclitado, y al mentir, Galdós está insistiendo en la independencia del Espíritu respecto a toda forma; subraya que lo que otorga valor, calidad a la forma es la intención. En Doña Perfecta se ve solamente el mal, y su existencia aparece como un elemento extraño a la vida del hombre. Su triunfo es más que una desgracia; representa el imponente absurdo de la vida. Pantoja, en cambio, puede ser vencido y es vencido. Representa el espíritu de la muerte, de la destrucción, de lo agotado e infecundo. Su existencia es algo normal y anejo a la vida, pues ésta consiste precisamente en la lucha constante contra la muerte. Galdós ya no se siente anonadado ante la presencia de Pantoja, de Doña Perfecta. Lo infecundo, lo periclitado, el espíritu reaccionario, existen y coexisten con lo fecundo, lo vivo, la libertad. Crear es vivir, oponer la voluntad de ser a la voluntad de no ser. Electra vive porque, como la heroína de Sófocles, se ha negado a someterse.

EL TRIUNFO DEL MAL. EL PODER

Por eso en *Mariucha*, junto al triunfo del bien, tenemos el triunfo del mal. Los Marqueses de Alto Rey se han refugiado en Agramante, cuando la ruina los expulsa de Madrid. Tienen varios hijos, los dos mayores son María y Cesáreo. La Marquesa pone sus esperanzas en Dios; el Marqués, en el Gobierno y en sus amistades. Cesáreo piensa conseguir una posición brillante y remuneradora y casarse con una millonaria. Unicamente María se da cuenta de la realidad, y sufre al ver cómo su padre se humilla sin querer aceptar la situación en que se encuentra. Cuando el Marqués le dice que escriba una carta al vecino, León, que tiene una carbonería, pidiéndole dinero, María prefiere hablarle. León se niega a socorrerles y le cuenta su historia: regeneración de una vida por el trabajo y el sufrimiento. María, en presencia de León, se siente salvada con su ejemplo. Se pone a trabajar, se enamora de él, y todo iría bien si los Marqueses no se opusieran a la boda. La negativa de los padres se refuerza con el triunfo de Cesáreo; pero María les da a elegir entre uno de los dos. Eligen irse con el millonario Cesáreo. María, casada con León, sabe que esta separación significa la separación de la muerte y la vida, del pasado y el presente, de lo falso y lo verdadero.

En su época naturalista, Galdós nos hubiera presentado las humillaciones de los Marqueses de Alto Rey, consecuencia de su incapacidad para adaptarse a la realidad y por no dedicarse al trabajo. En su época espiritualista hubiéramos visto la victoria de María y el fracaso de Cesáreo. En este período de libertad puede poner junto a la victoria de María el triunfo de Cesáreo, del espíritu de la Tierra, del Poder. La existencia de María no excluye la de Cesáreo: éste es su descubrimiento. Y los padres, el hombre en general, tienen que elegir entre uno de los dos. Electra, gracias a la revelación del Espíritu, eligió a Máximo, pero lo corriente y humano es que se elija a Cesáreo.

Lo corriente y humano, e incluso, quizá, lo necesario. El César representa siempre la realización de un ideal, ideal que al realizarse se ve disminuído. Para Galdós todavía, como es natural, forma y contenido son dos conceptos distintos, como cuerpo y alma, derecho y justicia, etcétera. El contenido puro, el alma, la justicia, para ser, tienen que manifestarse en forma, cuerpo, derecho. Actualmente ya no es válida esta dualidad, pero su supresión no ha tenido lugar hasta la época post-impresionista. Galdós empezó descubriendo los valores formales, luego los valores puros, después su coexistencia y en *Bárbara* su diferente papel. Electra se une a Máximo, y Pantoja es vencido. Mariucha se casa con León, Cesáreo con la millonaria; los dos triunfan. Bárbara, al matar a su marido, queda libre y podría unirse con Leonardo; pero Horacio, el hombre que encarna el poder, la entrega al hermano de su marido, a Demetrio, la materia. Bárbara es el impulso vital, como la Duquesa de San Quintín, Salomé, Isidora, Electra, pero no puede unirse al Espíritu, a Leonardo; su deber es fecundar la Materia, ser la voluntad de la Materia. El Espíritu, como tal, tiene que quedar en la soledad, siempre consigo mismo; su deber es el sacrificio redentor. El hombre espiritual tiene que recogerse en su soledad, en una depuración constante de su esencia para conseguir la perfección, la completa liberación de lo terrenal, de modo que su pura espiritualidad sea la que rescate a la Materia. Leonardo —el Espíritu— inspiró a Bárbara —el impulso vital— el deseo de libertarse de su marido, el crimen, el separarse de la materia y, purificándose, unirse a él. Pero la vida, el mundo, la sociedad tienen que continuar; por eso es necesario que Bárbara se una a Demetrio, hermano de Lotario, al cual aconseja Horacio que se transforme como Pepet se transformó. Mas entonces, ¿qué se hace de la realidad separada siempre del Espíritu? La realidad es y será siempre la misma. No es que no cambie; cambia, pero de una manera aparente. La transformación esencial, que consistiría en devenir Espíritu, es impensable. Estrictamente hablando, la sociedad no cambia. El progreso social es exclusivamente relativo, pues la índole de lo social exige que no llegue a ser espiritual; ése es su destino. Horacio ha tenido que hacer reformas; éstas han sido, no obstante, de pura apariencia. "Parece que he reformado, y no es verdad. Todo es como fue." Bárbara no acepta la opinión de Horacio, y le dice: "¡Volver siempre al estado primero! ¿Y cuándo los sucesos se van a donde quieren? —Horacio: Se les tuerce, se les encarrila... para que tornen a su principio. Ya veis: la Historia misma me da la razón. Este Waterloo que hoy celebramos no es más que el grito de un mundo que dice: Quiero ser lo que fui." A la concepción de Horacio llega guiado por la idea hegeliana del Estado. León Roch era el sometimiento del individuo a la sociedad, la negación de la rebelión romántica e individualista; Horacio representa el momento en que la Justicia se hace Derecho, la revelación de Dios en lo relativo, el sacrificio del individuo ante el bien universal. El Estado, por lo tanto, no será nunca la idea pura de lo bueno: sólo la perfección del individuo, piensa Galdós, es posible. Ahora se comprenderá que dude acerca del valor de toda su obra.

GALDOS ANTE SU OBRA

Bárbara tuvo un maestro que se llamaba Filemón, el cual está a punto de terminar una obra en la que ha trabajado durante cuarenta años: *Tesoro enciclopédico, sinóptico y alfabético de las divinidades y mitos celestes, terrestres, infernales, etc., etc., de la antigua Grecia.* Un año más o dos, y quedará concluída. Filemón es una variante de Fajardo, Santiuste, personajes de los *Episodios* de esta época, y precedente de Becerro y Tito de la última serie de *Episodios.* Personajes, todos ellos, con los cuales, de una u otra manera, Galdós alude a su obra. Con ellos, irónica, a veces humorísticamente, Galdós reflexiona sobre su obra, nos dice sus dudas, sus desengaños y desilusiones, afirma su valor.

Para orientar a sus compatriotas, para guiarles e influir en ellos, ha escrito toda su obra. La idea de servir a España, tratando de comprender su pasado, de manera que éste marcara el rumbo que seguir, ha sido lo que le ha mantenido en su trabajo. Cuando escribe la cuarta serie de *Episodios,* Galdós ha perdido toda esperanza, y duda de la utilidad de su labor. Su obra no suscita una mera reflexión romántica acerca de la expresión de su yo, o una valorización de orden estético, sino, principalmente, una cuestión de índole moral. Lo que le angustia y atosiga es el valor moral de su obra. ¿La España post-galdosiana es diferente de la anterior? Si no lo es, su obra ha sido infecunda, y es claro que él no puede rechazar la parte de responsabilidad que le corresponda. Ha escrito pensando dirigir, orientar, educar al pueblo español; si su obra ha sido inútil, ¿no será porque él se haya equivocado? Esta pregunta, a partir de 1902, se la hace cada vez con más insistencia.

El desastre del 98 y el recrudecimiento del clericalismo y del militarismo, le llevan a un estado de desaliento, cuyo nivel más alto quizá se encuentre en *La revolución de julio*, 1904, episodio en el cual Galdós se muestra completamente decaído. "Mis ilusiones de ver a España en camino de su grandeza y bienestar han caído y son llevadas del viento. No espero nada; no creo en nada." Estas frases son las más explícitas, las que condensan el dolor y la depresión de ánimo que siente Galdós y que impregnan todo el episodio. Su descorazonamiento es semejante al de todos los escritores de esos años, y su obra da la misma nota pesimista, que inútilmente se buscará en la producción anterior, pues no se encuentra ni en *Doña Perfecta*. Los sucesos militares de 1898, el ambiente político y social de comienzos del siglo xx, bastan para explicar el lado pesimista, el "no espero nada; no creo en nada" de los episodios y novelas de este período. Sin embargo, sería un gran error buscar solamente en ellos la causa del dolor y las dudas de Galdós. La juventud del 98 podía sentirse deprimida por el desastre, mas el novelista, que ha mostrado un gran valor en todo su trabajo y una gran sinceridad, que no se ha dejado engañar nunca por el falso patriotismo, con toda su experiencia y conocimiento de lo español y de los españoles de su época, ¿cómo podía apesadumbrarse tanto ante la pérdida de las colonias? Las últimas colonias se perdieron en 1898, pero en realidad se podían haber perdido mucho antes. Con colonias o sin colonias, España continuaba siendo la misma. Otros países europeos conservaban y conservan un imperio colonial, lo cual no impide que sea evidente su decadencia político-militar, e incluso, en alguno, su postramiento social-económico-cultural. Hasta países que en el mismo siglo xix habían creado un imperio colonial vivían militarmente de precario y políticamente desconcertados. Galdós podía haber sido tan pesimista en 1897 como en 1898, y, por otra parte, la mayor fuerza política que adquirían la Iglesia y las Ordenes religiosas daba más y más la razón al autor de *Doña Perfecta*. Añádase a esto el clamoroso triunfo de Electra, que debía confirmarle en su labor y mostrarle que su mensaje reunía cada vez un mayor número de adeptos. Después de toda una vida de lucha, no podía dejarse dominar por la desesperanza en el momento en que era más necesario su puesto en el combate. No es el desastre la causa de su dolor, sino el remordimiento de ser él el causante del desastre, el remordimiento por su moderación, primero, cuando escribe *Doña Perfecta;* por su escepticismo, después, cuando crea *Fortunata* y *Angel Guerra.*

Su crisis moral tiene el punto de arranque en su crisis estética. Mientras Larra amargamente se preguntaba *¿dónde está la España?,* Galdós había creído que el problema se tenía que formular inquiriendo *¿cómo es España?* Pero ahora, influído por Unamuno y Ganivet, lo que quiere es descubrir el ser español, el alma española, saber *¿qué es España?* Estas diferentes actitudes obedecen a otras tantas transformaciones del pensamiento y la sensibilidad en el siglo XIX. La generación del 98, incluída en las tendencias psicologistas finiseculares, tenía que desplazar el problema tal como lo había sentido Larra, románticamente, o como lo vio Galdós, de una manera positivista, porque lo que buscaba era la esencia del alma española, del espíritu español. Galdós había acudido a la Historia para que los hechos le entregaran la causa de la desorientación española; ahora su ambición es llegar a captar aquellos rasgos perennes y definidores de lo español, adentrarse en el alma española, y en este momento tiene plena conciencia de la crisis por la cual está pasando. "Por eso estoy enfermo: mi mal es la perfecta conciencia de una misión, llamada aptitud, que no puedo cumplir."

La Historia que merece ser escrita, dice Fajardo en *Narváez,* "es la del ser español, la del alma española". Galdós no puede continuar siendo un observador objetivo del paso del tiempo; no: tiene que entregarse en un acto total de amor a España. No basta con saber lo que ha sucedido en España; es necesario unirse apasionadamente a ella. Galdós siente muy bien que su tarea es otra, pero no puede modificar su actitud respecto al motivo de su preocupación, y así sigue pensando en los mismos términos que antes. La Historia del ser español, del alma española, es lo que hará la generación del 98, es decir, no Historia, sino Metafísica, Lirismo, Psicología. Galdós no puede pasar de lo cuantitativo, del hecho a su significado, de la expresión de lo real a su evocación, de la observación a la intuición. Se da cuenta de su incapacidad para penetrar en el nuevo mundo que siente, equivocándose todavía en la razón de esta incapacidad, que cree que proviene de la imposibilidad de vivir la Historia en el pueblo y junto al trono.

La razón de su desaliento creo, pues, que hay que buscarla en la crisis interior por la que está pasando desde hace tiempo. Del naturalismo ha llegado al espiritualismo, y a partir de 1898 se encuentra en pleno mundo impresionista. Su alma, saturada, de realidad, ansía la belleza; belleza que siente y no puede expresar. Debía juzgar y sentir su propia obra con la misma actitud, en el mismo estado mental y sentimental con que los impresionistas juzgaban y sentían el naturalismo. Se veía separado de la nueva generación —la del 98—, y si a él le arrastraban los nuevos ideales y la nueva sensibilidad, comprendía muy bien que los jóvenes no podían sentirse afines a su obra. Veía, con razón, que esta incapacidad de renovarse implicaba una solución de continuidad entre su obra y la nueva generación. El hecho era de suma gravedad, ya que su obra contenía un mensaje moral y una lección histórica que iban a ser desoídos. La crisis estética le lleva a una crisis moral. Galdós se ve obligado a plantearse el problema del valor de su propia obra con respecto a España. ¿Bastaba haber expuesto el mal que padecía España? Censurar al clero, al ejército, a los políticos, ¿era suficiente para tranquilizar su conciencia? Con otras palabras: ¿el deber del intelectual debía consistir en ser un mero espectador de las desgracias del pueblo español, de su sacrificio, mientras se gozaba de todos los privilegios de las clases dirigentes a las cuales se estaba censurando?

Galdós se compara con este pueblo que trabaja de sol a sol para morirse de hambre; que, siempre disciplinado, acude a toda llamada del ideal, dispuesto a sacrificar todo lo que tiene: la vida. Y al compararse, se llena de dolor y vergüenza, se ve empequeñecido, se considera indigno de este pueblo, al cual todos traicionan. No sabe qué es más repugnante, si su moderación primera o su escepticismo posterior. Es en este momento de remordimiento, de amargura y dolor, cuando Galdós se pone a la altura de su obra.

DESDOBLAMIENTO DE GALDOS

El dolor y el arrepentimiento —causa de su nueva actitud— coexisten, y Galdós para expresarlos tiene necesidad de desdoblarse. José Fajardo —personaje de la cuarta serie de *Episodios*— representa al escritor. Con Fajardo ha expresado Galdós sus angustias, sus tormentos, y en *Prim* se sirve de él para indicarnos el desenlace de su obra al mismo tiempo que la idea que le persigue de la inutilidad de su vida: "¿Sabes que sufro un inmenso mal, la conciencia de no haber hecho en el mundo nada bello ni grande, nada que me diferencie del común de los hombres de mi tiempo? ¿No te he dicho mil veces que cuando me ennegrece el alma el tedio de la inacción, de la inutilidad, tengo para mi consuelo un remedio que tú no tienes, y es inflar mi globo, meterme en la barquilla y subirme a las nubes, desde las cuales te veo como una pobre hormiga que se afana en la realidad, mientras yo respiro y gozo en las altas mentiras?" En realidad no es Fajardo el que se separa de cuanto le rodea, pues aparece siempre dominado por las circunstancias y el medio; pero, como es el mismo Galdós el que está hablando, se olvida de que el personaje que se escapa del mundo circundante en Santiuste, su doble fantástico, el historiador enloquecido, cuyo desatino consiste en escribir la Historia de lo que debió ser en lugar de la Historia de lo que fue.

Desde *Fortunata y Jacinta* hemos vista a la Materia en lucha con el Espíritu, y a partir de la etapa espiritualista, la regeneración de la materia y la creación de la propia personalidad, gracias al triunfo del bien sobre el mal. La solución de *Electra* era, pues, obligada. Esta vez, Pepe Rey (= Máximo) no sería el vencido, sino el vencedor, y Doña Perfecta (= Salvador Pantoja) tendría que resignarse a ver ante ella un mundo tan fuerte o más fuerte que el suyo y capaz de dominarla. El público comprendió inmediatamente la obra, pero la comprendió a su manera, que con el tiempo resultó exacta; sin embargo, en 1901, Galdós estaba muy lejos de haber encontrado la solución que el público aplaudía. *Electra*, en el fondo, es una obra como *Voluntad* o *La de San Quintín:* la lucha entre el bien y el mal para ser, con el triunfo del bien (Máximo). El drama se podía traducir en términos políticos; la prueba es que el público lo traducía, haciendo coincidir el mal con el clericalismo, y Galdós aceptaba esta interpretación, que era válida, pero él todavía no sabía cómo iba a enfrentarse con el problema de España, con Doña Perfecta. La solución no la encuentra hasta 1905 : al escribir *Aita Tettauen* su decisión está hecha.

Movido por su nueva orientación estética, al escribir la cuarta serie de *Episodios* ya no se propone la interpretación de los hechos históricos que narra, lo que quiere es adentrarse en el alma española. Una cosa es lo que se propone y otra lo que consigue. Lo único que logra es convertir el símbolo restringido, que servía para un período —lucha de hermanastros y hermanastras, legitimidad e ilegitimidad, etcétera—, en uno más amplio, que abarca toda la Historia de la España cristiana. "Vestidita por la moda griega, con túnica muy ceñida, que marque bien las formas. Así representa el Arte todo lo ideal, así el ser de las cosas, así el alma de los pueblos." Así es Lucila, española castiza y morena, tostada por el sol de España, pero en lugar de pliegues griegos cubren su cuerpo harapos. Es hija de Jerónimo Ansúrez y tiene seis hermanos. Son hijos de madres diferentes. Ansúrez se casó primero con una manchega, después con una aragonesa, y por último con una valenciana. Las tres han muerto. Ansúrez, con sus hijos, está viviendo en las ruinas de un castillo. Cuando los encuentra Fajardo, Jerónimo Ansúrez relata su vida en un discurso que es nuevo homenaje a Cervantes. Galdós tiene sumo cuidado en que el simbolismo sea muy claro, de manera que se perciba inmediatamente lo que representa : la formación de la España cristiana y su decadencia. Es evidente que con esta figuración poco podía adelantar en su captación del alma española, y Lucila se transforma pronto en una mujer española, para terminar siendo un personaje cuyo sentido se pierde. Lucila, sin embargo, es la que intenta matar a Domiciana, y con su mismo puñal el sacerdote Merino lleva a cabo el atentado contra Isabel II. El atentado significativo del episodio no es el histórico, sino el novelesco, el de Lucila —España— contra Domiciana —la Sor Patrocinio novelesca—, las fuerzas oscurantistas que tratan y logran separar al Capitán (al ejército) del servicio de España (del amor de Lucila) para ponerlo al suyo propio.

Muerta la Reina nada hubiera cambiado, a quien había que matar era a Domiciana ; pero la buena Lucila, el buen pueblo español, se

deja engañar y dominar fácilmente por las arterias de los reaccionarios, que no sólo salvan su vida en el momento de su mayor peligro,
sino que desarman al pueblo y le dejan indefenso, mientras ellos van
afianzándose cada vez más fuertemente en el poder. Galdós a pesar
de todo su deseo de renovación sigue exactamente el mismo procedimiento que en las otras series: transponer la Historia a la novela
para dar el sentido del hecho histórico. Su actitud no ha podido cambiar. Sigue apegado a la Historia: Domiciana no muere, porque Isabel II salió ilesa; además, al pasar la responsabilidad de Isabel II a Sor
Patrocinio y al hacer que ésta sea representación del clericalismo y del
espíritu reaccionario de la época, diluye, en un afán de precisión, los
términos del problema, y la consecuencia es que, con el deseo de abar-
carlo todo, no se hace nada.

DOÑA PERFECTA, CON-
DENADA   A   MUERTE

Es el año 1903. Galdós ha escrito tres episodios: *Las tormentas
del 48, Narváez, Los duendes de la camarilla,* y dos obras de teatro:
Electra, Alma y vida, y no ha conseguido absolutamente nada. *Alma
y vida* fracasó. Llevado por el impresionismo, quiso dar la sensación de
ocaso del alma española y no tuvo éxito; después hizo lo mismo en
Narváez con la familia Ansúrez, que apenas si era otra cosa que el
árbol genealógico naturalista. *Mariucha,* julio de 1903, fue más fecunda en resultados: descubre el triunfo del mal paralelamente al del
bien; sin embargo, esto era muy poco, y así nos explicamos el estado
de depresión en que se encuentra cuando escribe, en 1904, *La revolución de julio* y *O'Donnell.* No es tanto el problema estético el que
le atosiga como el problema moral. No basta con decir que el mal y
el bien existen. De la misma manera que ya había visto el suicidio
como inmoral, ahora siente que es necesario luchar al lado del bien,
que es imposible continuar siendo espectador. En *Aita Tettauen,* enero de 1905, se descide al máximo acto de amor, a decretar la muerte
de Doña Perfecta. El, que había analizado la Historia del siglo XIX
con sus continuas sublevaciones, pronunciamientos y guerras civiles,
ese siglo en que se derrama la sangre de media España inútilmente,
se ve forzado a condenar a muerte a Doña Perfecta. En *Aita Tettauen*

le sorprendemos en plena meditación del acto que ha de llevar a cabo.

Dice Galdós de Santiuste: "No sabía el melancólico *paladín de la Paz* si alegrarse o entristecerse de su regreso a España... ¿Cómo iba él a vivir allí, sin la interna armazón épica que era su único sustento en tierra española? Sería como un cuerpo desmayado y vacío, cuerpo sin alma, o con un alma exótica no comprendida de sus coterráneos". Santiuste descubre que él es el verdadero cristiano y piensa en Lucila —España— y en su hijo enclenque —la España del siglo XIX—, que con la pierna inutilizada, sueña constantemente en montar a caballo e ir a la guerra. Lucila había quedado viuda y Santiuste la amaba. En la viudez de Lucila hemos de ver la esperanza de Galdós de poder influir en España, de hacerla suya. Para esto era necesario "ponerse en concierto de amor, declarando él el suyo, y esto no debía intentarlo mientras no estuviese más avanzada la viudez de la dama. Aún no era tiempo de romper la delicada etiqueta con que se trataban. Por el momento bastaba con graciosas insinuaciones que la llevaran gradualmente a conocer la verdad": la necesidad de la muerte de Doña Perfecta, que es lo que tiene lugar en *Casandra,* escrita en el mismo año de 1905 y la única novela de este período.

Doña Juana de Samaniego está dispuesta a cumplir la voluntad de su marido, el Marqués de Tobalina, de dejar todos sus bienes a sus parientes, pero influída por ciertas personas cambia de opinión y decide legar la cuantiosa fortuna de su marido a unas Congregaciones religiosas. Todos los parientes se ven en la miseria, pero al momento de ir a firmar Doña Juana la escritura de cesión, Casandra, la amante del hijo ilegítimo del Marqués, la mata. Todos los parientes podrán continuar viviendo, pero en lucha continua con las Congregaciones religiosas y con la reencarnación de Doña Juana, pues después de su muerte ha aparecido por las calles de Madrid una vieja muda, semejante a ella en todo. Contra la vieja tienen una palabra cabalística que la hace desaparecer inmediatamente: el nombre de Casandra, pero hay que tener el valor de acercarse a la vieja y pronunciarlo a su oído.

"CASANDRA" INTERPRE-
TADA POR LOS EPISODIOS

Con *Casandra* se libera Galdós de la realidad histórica y puede
infundir un ideal a los españoles: la lucha constante y diligente contra el mal. Galdós quería ser entendido, y por eso sus próximos episodios ya no son una interpretación de la Historia, sino de la novela.
La realidad no se encuentra ya en la Historia, sino en su propia creación, en su novela. Los españoles no deben buscar la lección de la
Historia, del pasado; tienen que vivir con un ideal. En *Prim*, Santiuste escribe la "Historia lógico-natural de los españoles de ambos mundos en el siglo XIX". Obsérvese cómo todavía no puede desprenderse
de su tendencia historicista; el ideal lo concibe como una Historia de
fantasía. Subrayemos, además, "lógico-natural" y de "ambos mundos". Lo lógico natural era que los españoles hubieran fusilado a
Fernando VII y al Infante Don Carlos. Adviértase que no se trata de
destronar (es el momento en que va a escribir el destronamiento de
Isabel II), sino de fusilar, de atacar el mal en su raíz. En *La de los
tristes destinos*, cuando parte la Reina tranquilamente con su marido
y sus hijos, dejando atrás un reinado trágico, caracterizado por la frivolidad y el capricho, por las supersticiones y la inmoralidad, por la
ignorancia, el egoísmo y la crueldad, Galdós insiste con todo valor:
"Véase la tragedia de este reinado, toda muertes, toda querellas y
disputas violentísimas, desenlazadas con esta vulgar salida por la puerta del Bidasoa, como si los protagonistas o causantes de tantas des-
dichas fueran a tomar baños, o a vistas y regocijos con otros Reyes...
Dígase lo que se quiera, la Libertad ha sido en España mansa, benigna
y generosa; no ha sabido derramar más que su propia sangre, como
cordero expiatorio de ajenas culpas..." Su pensamiento está bien claro,
pero por si aún cupiera la menor duda, vuelve a hablar de Fernando VII y a decirnos con toda exactitud cuándo debió ser fusilado:
en 1823. En la Aduana de Cádiz, "allí le puso en capilla el lógico historiador *Confusio*, y de allí le sacó entre guardias para llevarle al re-
bellín de San Felipe, donde le administró los cuatro tiros a que se
había hecho acreedor por su perfidia. Cierto que esto de los tiros era
fantástico, desgraciadamente. Quédese, pues, en los rosados limbos de
la justicia ideal."

En la zona de Libertad espiritual en que se encuentra, Galdós puede distinguir y diferenciar la demagogia, el desorden, la anarquía, de la destrucción y el castigo. La destrucción, la muerte, pueden ser y son obra de la justicia y el amor; obra de verdadero gobierno, de verdadero orden. Galdós es capaz de separar lo falso de lo verdadero, y por eso puede ver que en el fondo hay Gobiernos de orden que son tan anárquicos, demagógicos y destructivos como los levantamientos sediciosos y los movimientos rebeldes, y en cambio que hay revoluciones que obedecen a un espíritu de verdadero orden y gobierno. La inquietud, las dudas de la vida espiritual residen en esa necesidad de traspasar la apariencia de las cosas y de los nombres para llegar a su esencia. Confusio llama ahora a Santiuste, confusión de la vida espiritual, de la cual se sale únicamente por una seguridad interior. Aun esta seguridad interior se halla llena de peligros, pues todos se creen en la posesión de la verdad: el malo y el buen poeta, el demagogo y el revolucionario. Hay que resignarse a que la muerte esté constantemente enlazada a la vida y a que la mayor parte de los hombres tomen la muerte por la vida. La salvación es únicamente individual. Galdós-Santiuste-Confusio ha realizado la justicia ideal, pero del ámbito de la "España con honra" (lema de los militares y políticos que destronaron a Isabel II) se escapa la eterna pareja; en este caso la pareja española, Teresa y Santiago, la pareja espiritualista de todos sus dramas, gritando: "Somos la España sin honra." Son la España con vida, la España fecunda, la que está más allá de los nombres y las apariencias, la pareja que se ama en Libertad.

HIMNO A LA ALEGRIA

El lema naturalista había sido: Trabajo y Ciencia. Desde su época espiritualista está abriéndose camino el nuevo elemento que florece en *Misericordia* y *El abuelo*: el amor. El lema espiritualista queda formulado el mismo año de *Aita Tettauen* y *Casandra,* en *Amor y ciencia:* Amor y ciencia. En *Amor y ciencia,* más que en ninguna otra comedia, ha querido producir Galdós un efecto musical. Los tres primeros actos —actos de dolor, remordimiento y pesar— terminan con un diálogo en imperioso crescendo taumatúrgico, que contrasta violentamente con la placidez, claridad y alegría del acto cuarto, que comienza cantándose a telón corrido el Himno a la Alegría de la Novena

Sinfonía. La intención es buena, pero del modernismo de gusto más dudoso, y hoy, por lo tanto, completamente contraproducente. La armazón ideológica no sólo tiene la ingenuidad característica de la mejor época de Galdós, sino que además es absolutamente iconvincente. Pero en el conjunto de la obra galdosiana, las notas de alegría y claridad luminosa de *Amor y ciencia* son estrictamente necesarias, porque nos elevan a la cumbre de serenidad desde la cual derrama Galdós su mirada por el mundo, superando todo el dolor y pequeñez que contiene, cubriéndolo con su amor, que se erige sobre el pedestal del trabajo y la ciencia.

Una vez más, un médico —como Teodoro Golfín (*Marianela*)—, Guillermo Bruno, redime a la humanidad, perdonando a su mujer, desleal, y acogiéndola alegremente en el seno de su familia, formada por todos los menesterosos de la tierra.

Las obras de este período no tienen ni la fuerza de las del primero, ni la riqueza y maestría de las del segundo, ni la seguridad de dirección del período espiritualista; en cambio, son las más humanas y doloridas de toda su producción. Tres notas distinguen la producción de esta época de la anterior: el sufrimiento moral, que llega a traducirse hasta en términos físicos; la preocupación estética y el paso de lo que fue y lo que es a lo que debe ser. El pasado se ha contemplado en toda su obra desde el presente, pero éste era explicado por aquél; en cambio, ahora, el presente modifica al pasado. El Galdós naturalista, esclavo de la Historia, creía que el tiempo era el gran creador; marchar contra el tiempo era ir al fracaso seguro. Ahora, la Historia y el Tiempo son esclavos del hombre. El hombre ha conquistado su libertad de nuevo y hace que el Tiempo sea sólo la pantalla sobre la cual proyecta su libertad.

ANACRONISMO DE LA CUARTA SERIE DE "EPISODIOS"

Si su sufrimiento es lo que da un tono tan humano a los *Episodios* y al teatro de este período, es claro que a la vez los *Episodios* son completamente anacrónicos. Al ser introducida por vez primera la estética modernista, tiene que valerse de un sueño. Fajardo describe el sueño que tuvo cuando se quedó a velar el cadáver de Antonia (*Las tormentas del 48*): Ve un sepulcro alzándose "sobre un monumento de formas ondulantes y cartilaginosas, en nada parecidas a las clásicas formas de arquitectura; vi un conjunto armónico de tallos y miembros vegetales, con flores muy abiertas, de monstruosa sencillez. ¿Será esto —me dije yo soñando— el tipo de un arte que andando los siglos vendrá potente a derrocar los tipos y módulos que hoy componen nuestra arquitectura y nuestras artes decorativas?". En lugar de estar pensando en la arquitectura del 48 piensa en Gaudí. Si Fajardo sueña, Santiuste se vuelve loco para poder rehacer la historia. El dolor de los personajes no está en relación con el relato, y a veces en oposición a él, por ejemplo: al entrar el ejército español en Tetuán, es cuando Santiuste descubre su fracaso.

La novela del primer período era la interpretación de la Historia; en el segundo se estudiaba el carácter nacional a través de los temperamentos; de ahí se pasa al estudio del alma individual y sus conflictos. Con *Casandra* entra en función un nuevo concepto de la novela que ya apuntaba en *El abuelo* y que va a presidir el cuarto y último período de la obra galdosiana. La novela es un compuesto de realidad e imaginación, en el cual la realidad surte las primeras materias, que la imaginación transforma para producir el mundo del "deber ser". Conviene no confundirla con la novela de la primera época, en la cual los personajes acaban por devenir personificaciones de ideas; en *Casandra* el mundo se metamorfosea por obra de la ironía. Se pasa de la zona real a la imaginaria por un puente irónico.

CAPITULO VII

MITOLOGIA. EXTRATEMPORALIDAD

MITOLOGIA, EXTRATEMPORALIDAD

1. *PERIODO MITOLOGICO*

La última etapa de la creación galdosiana comprende las obras escritas de 1908 a 1912 y de 1913 a 1918; es decir, *Pedro Minio*, comedia; *El caballero encantado*, novela; y la quinta serie de *Episodios*, que incluye seis episodios en lugar de los diez de las otras series, quedando, por lo tanto, inacabada. El otro grupo, con la excepción de *La razón de la sinrazón*, calificada por el autor de "fábula teatral absolutamente inverosímil" y clasificada entre las novelas, está formado exclusivamente de obras teatrales. Y así termina Galdós su labor dedicado por completo a lo que le llamaba su vocación juvenil.

La nota de dolor, al contemplar la realidad política, continúa en el primer grupo, pero ha desaparecido la duda acerca del valor de su propia obra, la cual queda envuelta en la misma ironía con que cubre a toda España. Al mismo tiempo encontramos su decisión revolucionaria, reforzada por un tono agresivo y despectivo y una pasión que no trata de contener; tono y pasión que por primera vez se hallan en su obra. Si el nuevo acento es lo que da un colorido tan humano a sus nuevas producciones, desde *Pedro Minio* hasta *Cánovas*, cuyo precedente debe buscarse en *El abuelo*, lo que las caracteriza en cambio es la atmósfera de fantasía en que se mueve el autor, y que arranca igualmente de la novela citada. Galdós con su fantasía mitológica se eleva a un Olimpo irónico, desde el cual puede sentirse libre de la realidad temporal y hacer que sus personajes se metamorfoseen. La metamorfosis es un acto de amor acendrado, pues, gracias a su ironía, el Olimpo no le separa de la humanidad, de España; le aleja solamente lo suficiente para que pueda sentir piedad. Conducido por la piedad llega al fin de su creación —1913-18—, con los ojos corporales ciegos, pero sin venda ninguna los del espíritu, a la zona extratemporal donde se dan cita todas las verdades. Tan libre de la ilusión como del desengaño, apagado el gran Himno a la Alegría en sus labios, su corazón deja brotar a raudales el amor que une a los hombres, el propio sacrificio que salva y redime, y al lado de la paternal utopía con que hace a los hombres felices, la mente serena continúa musitando su problema eterno, su tema único: el Tiempo, la Historia, Castilla.

EL RITMO HISTORICO

Galdós trabaja para descubrir "en luminosa perspectiva el alma, cuerpo y humores de una nación". Como no puede desprenderse del "cuerpo y los humores", no consigue encontrar el "alma"; pero, solícito observador del ritmo de la Historia, mide con exactitud la duración de un período histórico. En 1907 —*España sin rey*— puede predecir que la época comenzada en 1870 se terminaría en 1919. Hoy se lee esta profecía con religioso pavor. Sobrecoge el pensar que la Historia le ha entregado su secreto, y vemos que, siempre pendiente de España, su oído, como era fatal, está atento al ritmo de lo universal. Estas fechas marcan con toda precisión un período de la vida de Europa. Para España hay una diferencia de algunos años, en lugar de 1919, 1923, cuando la Dictadura da por concluso el trabajo de las Cortes Constituyentes de 1869. Galdós, a su manera, consigue entrar en contacto con el destino, fijar el contorno de una época. No logra expresar, como los impresionistas, el tembloroso y cambiante misterio del destino, fija rígidamente el cauce, el tiempo, por el cual el destino se realiza; pero en su estilo naturalista nos sobrecoge hoy su dictamen como si científicamente hubiera conseguido penetrar en la vida y su secreto.

Históricamente, se da cuenta de que, después del gran estallido de la primera guerra civil, los otros levantamientos carlistas fueron estertores de un cuerpo moribundo, el cual, empero, recobraría de nuevo su vitalidad en el siglo xx, y esta vez para triunfar. "En el siglo xx —dice un carlista de *España trágica*— resucitaremos, lo creo como si lo estuviera viendo; resucitaremos los soldados de la fe para traer a España el Reino de Dios." También augura la última liberación de España, pero, siempre preciso, no señala fecha. Tito, en *Cánovas*, recuerda que una y otra vez había sido España invadida, y, unas veces después de años, otras después de siglos, había siempre recobrado la libertad.

ESPAÑA HECHIZADA

La España del siglo XIX —Vicente Halconero— está colocada entre dos tríadas (*España trágica*). Al grupo de Domiciana Paredes, Rafaela Milagros y Donata, que como furias van encendiendo por Madrid el odio y la venganza clericales, se oponen Lucía, Demetria y Gracia. La Luz, la Tierra y el Espíritu se enfrentan con la fuerza dominadora, milagrera y prostituída. Halconero se salvará de la tríada infernal por el trabajo que le sujeta a la realidad, salvación que se cuenta en *El caballero encantado*.

El tono narrativo de esta novela, sobre todo en los epígrafes de los capítulos, quiere acercarse a los siglos XVI y XVII, circundando así el presente de una valla lingüística, trazando un círculo mágico. Referencia constante al presente, a ese año trágico de la guerra de Africa de 1909, pero intentando abarcar toda la Historia de España, no en lo que tiene de episódico, no en el detalle, sino en lo que tiene de esencial. Un círculo mínimo —Madrid, 1909— en relación con un círculo máximo —España, su historia—, y para pasar de un círculo a otro se hechiza a un caballero; para separar la novela de la actualidad, ese tono de Libro de Caballerías o de *Quijote*, con aventuras como la de los carboneros, la carreta de los cómicos, los galeotes. Es posible que, influído por el impresionismo, Galdós creyera en la necesidad de crear la atmósfera del encantamiento y pensara que, al referir el tema formalmente al pasado, la estaba creando.

Tarsis, marqués de Mudarra, cuando alcanza su mayoría de edad, dilapida sus bienes viajando por Europa. Al volver a España, encuentra su fortuna peligrosamente mermada, y lo único que sabe hacer es criticar todo lo que le sale al paso. Como no puede cambiar de tren de vida, trata de aumentar los réditos de sus tierras, pero los colonos se ven obligados a emigrar. La rica heredera que podría solucionarle la situación económica se le escapa siempre, hasta que da con Cintia, bella colombiana, con quien se casa. Tarsis, aristócrata caballero del siglo XIX, en unos años de vida errante por tierras de Europa agota sus energías y malgasta la fortuna que acumularon sus antepasados —alusión, es claro, a los reinados del Emperador, de Felipe II y Felipe IV; recuérdese en seguida que el último Habsburgo es Carlos el Hechizado, hechizado por el Cardenal Portocarrero.

La historia de Tarsis tiene el mismo sentido que la de la familia Ansúrez (*Narváez*): presentar el desarrollo de España de una manera que Galdós debía creer dinámica y que, por lo tanto, reflejaba el ser de España. Sin embargo, su propósito ahora es que la historia de Tarsis sirva de marco a su encantamiento, parte esencial y principal de la novela. A Don Carlos el Hechizado le hechizaron para aislarle de España; Galdós hechizará al caballero Tarsis para que acabe ese hechizo, para que abra sus ojos y vea, para que se ponga en contacto con el pueblo español y con España, para que atraviese los campos desiertos que él cree campiñas, las tierras de ruinas que cree pobladas de palacios; para que hable con el labriego, a quien desconoce, y se convenza de que no es su enemigo ni un vago, de que trabaja todo lo que puede y con toda lealtad. Para que se convenza de que la causa de su decadencia está en sí mismo, y que para salir de ella tiene que trabajar con energía.

El caballero Tarsis, desdeñado por todas las herederas, va a ver a su amigo Becerro, anticuario e historiador, y en la casa de éste tiene lugar su metamorfosis en el campesino Gil. Labriego primero, pastor después, luego trabajando en una cantera, Gil vive olvidado de su antiguo ser. Se enamora de una muchacha, Pascuala —la colombiana Cintia metamorfoseada en maestra de escuela—, y va en su seguimiento, para lo cual tiene que trabajar en las excavaciones de Numancia. Sus aventuras terminan transformándose en pez, y al cabo de la larga cura —trabajo y silencio— se casa con Pascuala y tienen un hijo. Galdós deja el cometido de transformar a Tarsis a un personaje simbólico: la Madre, que representa el genio de la Tierra, el alma de la raza, su ser íntimo. Siendo importante que el autor declare a la Madre personificación al mismo tiempo de la "tradición inmutable y revolución continua".

Junto a la tradición, la revolución, esa revolución que el novelista exige desde la cuarta serie de *Episodios*. Una vez muerta Doña Perfecta y en constante vigilancia para matarla todas las veces que resucite, era necesario decirles a los españoles lo que había que hacer: trabajar y educarse. Es verdad que el lema del trabajo y de la educación es completamente galdosiano, y ya queda estudiado cuando se trató de las obras del período abstracto y del naturalista; pero se deba a influencia de los "regeneradores", lo que parece probable, o no, lo cierto es que hay una diferencia de tono clarísima entre su manera de postularlo en sus primeras obras y en *El caballero encantado*. Antes, el acento era individualista, ahora es social, nacional; de aquí su parecido con el de "Escuela y despensa".

MARICLIO

Como en el período anterior, los *Episodios* de la quinta serie son la glosa y el comentario de la novela. Cintia-Pascuala se transformará en Florina; de Becerro, el historiador, saldrá Tito. La Madre se cambiará en Mariclío, llamada otras veces Doña Mariana. La escena del encantamiento de Tarsis se desarrolla espléndidamente en el viaje que hace Tito a Cartagena, descrito en *La primera República*. El movimiento trágico, el apasionado lirismo histórico, que recuerda a Unamuno y a Machado, y que quizá se deba a su sugestión, no pasa a los *Episodios*, donde sólo hay sarcasmo e ironía.

Al lado del más negro pesimismo se abre paso el optimismo, pues, como explica Tito: "Debajo del pesimismo de mi gran amigo latía, como es de ley en todo ser superior, un fuerte optimismo. No desconfiaba de la idea, sino de los hombres". La idea es recobrar la libertad por medio del trabajo y la educación. Continúa exigiendo de manera terminante la revolución, mientras apostrofa con sarcasmo a los jesuítas: "Adiós, Reverendo, vive y triunfa, que ya te llegará tu hora", y Mariclío dice que la Iglesia está decidida a adueñarse de todo: enseñanza, riqueza, poder civil, hasta suprimir a España como país independiente. Aunque, más que la monarquía, lo que se restauró en la Restauración fue el poder político y social de la Iglesia, especialmente de las Ordenes religiosas, a cuyo frente figuraban los jesuítas, es evidente que Galdós no se está refiriendo a 1874, sino a 1909, cuando el gobierno de Maura no deja la menor duda acerca de quiénes regían los destinos de España.

Para ver el trágico desatino de la historia del siglo XIX era necesario que el pesimismo y la amargura de los primeros años del XX le quitaran la venda de los ojos. "Escribo estas líneas cuando el paso de los años y de provechosas experiencias me ha dado toda la claridad necesaria para iluminar el 2 de mayo de 1874 (fecha del fracaso de los carlistas ante Bilbao)... Los liberales derramaban a torrentes su sangre y la sangre enemiga sin sospechar que entronizaban lo mismo que querían combatir. Los carlistas se dejaban matar estoicamente ignorando que sus ideas, derrotadas en aquella memorable fecha, reverdecerían luego con más fuerza de la que ellos, aun victoriosos, les hubieran dado." El Galdós joven iba a la historia en busca de experiencia; el Galdós viejo, con su experiencia, encuentra el significado de la Historia. Antes, hacía depender el presente del pasado; de manera positivista se consideraba el presente como efecto del pasado, la causa; ahora, ve cómo todo el pasado se organiza e interpreta desde el presente.

En sus últimos episodios, al lado de su vida juvenil nos cuenta la experiencia de su vejez. Ya no es el idólatra del Tiempo; lo domina con su ironía, la ironía que crea el mundo de criaturas mitológico-fantásticas que pueblan estos episodios y que son su característica. Ahora no duda del valor de su vida ni de su obra. Está tan seguro de sí mismo que puede contemplarla irónicamente —el amigo a quien Tito llama ser superior es el mismo Galdós—. Se yergue ante la sociedad contemporánea, sabiendo que si alguien puede estar orgulloso de su vida y su obra es él. Los ataques, insultos e insidias de los clericales y reaccionarios se rompen sin hacer mella en su firmeza inquebrantable. Su amor acendrado por España, su labor de años y años, le ponen por encima de todas las bajezas que le rodean, y lo sabe, haciéndole sonreir. Burlescamente se desdobla, se complace en presentarse como el diminuto historiador Tito, muñeco de la Musa Historia, una Clío venida a menos, que cuida de su vida por medio de la portera de la Academia, que le entrega de vez en cuando una pequeña suma de dinero. Su burla es tan triste, que parece superado el dolor. Para la sociedad guarda todo su sarcasmo. Ni en sus novelas, ni en sus anteriores *Episodios,* nos introduce tan frecuentemente como en la quinta serie en el medio de la prostitución. En Madrid, en Cartagena, en Cuenca, en Navarra —Carquilandia—, por todas partes, Tito no está en relación nada más que con prostitutas o seres mitológicos. Es la manera de mostrar su desprecio por la sociedad beata, mojigata e hipócrita de los últimos Alfonsos; esa sociedad estúpida, ñoña e inmoral, que todo podía aceptarlo menos el escándalo, incapaz como era de escandalizarse de sí misma. Con las prostitutas le muestra su desprecio, con las figuras mitológicas se salva de ella. Sin sentido religioso y sin sentido moral, los hombres de la Restauración tenían necesidad de una armazón de buenas formas que ocultara el vacío de sus almas y la pobreza de sus vidas; por esto Tito, sin cesar y sin ocultarlo, busca la sociedad de las prostitutas y hace de una de ellas su compañera. El famoso discurso de Castelar, "¡Grande es Dios en el Sinaí!", es parodiado en una casa de prostitución por un carlista borracho. Podemos imaginarnos la sonrisa burlesca de Galdós, al poner la oratoria decimonona en el sitio que merecía.

Al abandonar su posición de mero estudioso de la Historia para intervenir en el viviente proceso de los hechos, cambia la relación entre pasado y presente y sustituye los personajes históricos por los mitológicos. En *Misericordia* ya había confrontado el personaje imaginario con el real; *El abuelo* relacionaba la Mitología y la Historia, discutiendo su respectivo valor; *Casandra* nos muestra el comienzo de la transformación de los seres cotidianos en figuras mitológicas; por fin, en los últimos *Episodios* de la serie quinta y en *El caballero encantado,* el mundo mitológico y fantástico es el que domina. El sentido de este mundo mitológico ya lo conocemos: sirve para interpretar en su esencia la Historia y se presta para exponer su ideal de trabajo y educación, que debe guiar a los españoles una vez muerta Doña Perfecta. Pero conviene insistir todavía en que Galdós para buscar —por influencia impresionista— la esencia de las cosas, en lugar de fijarse en la temporalidad y momentaneidad de lo aparente, se expresa plásticamente como requería su educación naturalista.

El impresionista con lo aparente y momentáneo alude a lo esencial y eterno, de la misma manera que al representar un cuerpo en su materialidad suma: momento de fatiga, de sensualidad, hace sentir su calidad espiritual. Galdós no podía acostumbrarse a la potencialidad expresiva de lo vago y de la alusión. Su didactismo realista-naturalista

le exigía ante todo la claridad de exposición, subrayada por una repetición constante. Ya no puede aceptar la personificación de ideas de su
período abstracto, creyendo conseguir la levedad impresionista con
que las figuras sean imaginarias y aparezcan como tales. En su primera época magnifica la realidad hasta hacerla depositaria de la idea;
en su última época, la idea encarna en un perfil imaginario e irónico.

INDULGENCIA CONTRA PACIENCIA

El didactismo es también la razón de ser de *Pedro Minio*. En
Electra ya había expuesto cómo el concepto de autoridad se oponía
al de libertad, el pesimismo al optimismo, que a la vida no había que
acudir con odio, sino con amor. El mismo tema, que era un armónico
del tema fundamental en *Electra,* reaparece como principal en *Pedro
Minio,* comedia en que se enfrenta a los que, tras inmenso esfuerzo,
sólo pueden tener paciencia con la Humanidad, con aquellos que
pueden sentir naturalmente hacia los hombres la máxima indulgencia.
Indulgencia, paciencia, dos sentidos de la vida, que Galdós confronta
irónicamente en esta comedia, sin ocultar su desdén hacia los que, cre-
yéndose superiores y depositarios de la verdadera autoridad y el verdadero orden, se dignan tener paciencia con la pobre Humanidad. Ni
la grandeza de Doña Perfecta, ni la trágica angustia de Pantoja; los
pacientes vienen ataviados de su pretensión ridícula, que Galdós ha so-
portado seriamente por mucho tiempo, pero que ahora, terminada su
paciencia, los ve tan sólo como fantoches grotescos, cuya superioridad
no es otra que la que deriva de su poder, el cual quizás acabaría incluso sin las armas: bastaría con una sonrisa.

2. *SUBPERIODO EXTRATEMPORAL*

La Historia —el Tiempo—, la Sociedad, los dos relieves del tema
galdosiano, en los que el escritor diligente y pacientemente grabó la
imagen del hombre español, quedaron terminados en 1912.

El hombre histórico y abstracto de la primera época se hace social
en el segundo período; se transforma en individuo, dotado por lo

tanto de libertad; en el tercero y en el cuarto se convierte en ente imaginario.

Galdós contempla su obra, no ya a punto de terminarse, como cuando escribe *Bárbara,* sino terminada. Entonces, de nuevo, vuelve a enfrentarse con su mundo —el Tiempo, la Sociedad—, que le ha tenido encadenado —esclavitud y libertad máximas— durante cuarenta y cinco años de labor. Años de alegre dolor. Su obra está terminada, y en ella Galdós ha ido de la Historia a la Mitología, de la abstracción a lo individual, del orden a la revolución. Pero su Obra no logra libertarle, su trabajo no le ha redimido de su doble tortura: la Sociedad y el Tiempo. Poco importa que haya dado en el Individuo, la Revolución y la Mitología; ahora no sólo es el prisionero de su mundo, sino también de su obra. Para poder someter a ambos, Galdós sueña un triple sueño. El sueño de lo social: *Celia en los Infiernos, La razón de la sinrazón, El tacaño Salomón;* sueño del individuo: *Alceste;* sueño del Tiempo: *Sor Simona, Santa Juana de Castilla.*

EL SUEÑO DE LO SOCIAL

En toda su obra, implacable y dolorosamente, Galdós había llamado a la realidad al buen pueblo de España. Al soñar ocioso le obligaba a confrontarse con la vida cotidiana, trabajosa y difícil. Si *Misericordia* permite que el azar traiga el bienestar, es sólo para que resalte mejor lo puro de la pobreza, fuente de donde mana la verdadera alegría. Pero ahora su labor didáctica ha concluido y, lleno de indulgencia, no se conforma con decirle al pueblo que tiene el derecho y aun el deber de rebelarse. Este deber de la rebelión es un sueño, y Galdós quiere dar un paso más, quiere soñar con que la Humanidad es feliz. Muy cerca aún de *El caballero encantado,* no por un encanto, sino gracias a un disfraz, la rica Celia pasa de su barrio aristocrático a los barrios bajos, y allí da a manos llenas a todos los menesterosos, viendo cómo el trozo de pan se transforma prodigiosamente —milagro de milagros— en Justicia. La misma Celia es feliz al dejar su cielo material con sufrimientos por un infierno material con goces. En la villa del oso, Ursaria, Alejandro, honrado y sincero, se ha arruinado, mientras todos sus conciudadanos con la trampa y la mentira se enriquecen. Alejandro quiere ser como todos para recobrar su fortuna. Los diablos de Ursaria hacen que triunfe siempre la mentira, y Alejandro se ve otra vez camino del éxito, pero está a su lado la prudente sabiduría, Atenaida, que, amorosa y amablemente, le separa del mal y le conduce a la alegría fecunda: el trabajo de la tierra, la educación de los niños.

El mismo final de cuento de hadas en *El tacaño Salomón*, comedia en dos actos, que presenta los afanes de Pelegrín para mantener a su familia y socorrer a un sinnúmero de amigos y vecinos en la miseria. Su amigo Salomón le da sabios consejos para que limite su generosidad y administre bien su reducido peculio. Los consejos, afortunadamente, no transforman a Pelegrín, y éste terminaría en la miseria, si una oportuna herencia no le proporcionara los medios de continuar ejerciendo el bien. Las hadas no vienen, sin embargo, a traer la felicidad a vanidades tontas y vidas frívolas. Las hadas, la casualidad, la suerte, ya que no los hombres, se deciden a hacer lo que puede y debe hacerse. Además, la suerte no sería bastante si no existiera el hombre, si no existieran Celia y Pelegrín, dispuestos a gastarse su fortuna en preparar una vida mejor. Esa utopía de bienestar y alegría para todos: casas, escuelas, jardines, comedores, cuidados para la infancia y la vejez, presupone un pueblo trabajador y deseoso de instruirse. La sociedad que sueña Galdós es la del hombre naturalista purificado por el amor espiritualista. El Galdós ciego oye la alegre canción de una humanidad sana y contenta que ha puesto la realidad al servicio del Espíritu. Los hombres son felices, no porque ven satisfechas sus necesidades materiales, sino porque, con corazón generoso, están prontos a socorrer al triste, enseñar al que no sabe, cuidar al enfermo. El esteticismo impresionista le permite descubrir la belleza moral y soñar con que el hombre ha salido definitivamente de la Prehistoria, de la cueva de su egoísmo. El hombre ya no necesita encender hogueras para defenderse de sus semejantes y de los animales; iluminada por el amor y la ciencia, gracias al trabajo, que no es castigo, sino medio de perfección, la Tierra deja de ser lugar inhóspito; el hombre, de fiera, se transforma en ser humano, y caída la venda de sus ojos puede contemplar el Arco Iris: Sol y Paz. El sueño naturalista, como el de la ilustración del siglo XVIII o el del renacimiento o el del franciscanismo del gótico: religión, humanismo, razón, ciencia, puede, pasado el momento de esperanza, parecer completamente ingenuo, pero su luz cándida alivia los ojos atormentadamente cansados de mirar incesantes la eterna noche que rodea al hombre.

EL SUEÑO DEL INDIVIDUO

El tema clásico —*Alceste*— sirve a Galdós para depurar, ironizándolo, el conflicto de *Los condenados, Alma y vida, Bárbara*. Admeto debe expiar su culpa —muerte involuntaria de Corydon—. El decreto de los dioses le parece, además de injusto, cruel y vengativo. Admeto ha vivido pensando únicamente en el bien de su pueblo, de los pueblos de Grecia. Quería el poder, quiere la vida, para organizar los estados, hacer justicia, y Júpiter se muestra inexorable, mandándole morir. La condenación de Admeto puede ser rescatada solamente por el sacrificio voluntario de la propia vida de un miembro de su familia. Sólo la juventud de Alceste, su mujer, encontrará la generosidad total del sacrificio esencial. Alceste muere para que Admeto pueda continuar viviendo y continuar su obra. Hércules, el protector de la Humanidad, devuelve a la vida la juventud, y Alceste resucita para entrar gozosa de nuevo en el seno de la Humanidad, donde, en lugar de la paz de la muerte, se tiene el fecundo dolor de la vida. Para expiar la culpa, basta con la decidida intención de sacrificio; el sufrimiento moral señala a Admeto el valor y trascendencia de su obra; pero Hércules, benigno, deja a su lado la alegría y belleza de la juventud, juventud perenne del alma creadora. Galdós sabe que sólo el que ha creado se ve atormentado por la duda del valor de su creación, que sólo el que vive y quiere la vida se ve acechado de continuo por la muerte. Sólo el que ama teme perder el objeto de su amor. Temores y dudas, dolor que confirman la obra y la vida. Las dudas del principiante se transformaron en la duda del maestro, y Galdós descubre que esa misma duda señala la plenitud de su obra. Porque ha amado a España ha sufrido por ella. La gran diferencia entre Galdós y el coro de retóricos está en ese mismo sufrimiento. Si no hubiera sufrido, nunca hubiera escrito *La Fontana de Oro*, no hubiera muerto con Pepe Rey ni vivido angustiosamente con Angel Guerra; hubiera tenido la paz, la tranquilidad, la calma y los honores que sus contemporáneos mediocres tuvieron, ese mundo de la mediocridad moral que forma el fondo de *Alceste*.

EL SUEÑO DEL TIEMPO

También tiene un desenlace feliz *Sor Simona,* drama en el que
irónicamente triunfa sobre el espíritu de discordia de las guerras civiles. Simona es el apóstol de la doctrina galdosiana. Su conducta
hace sospechar de su estado mental. "Su locura consiste en suponer
que vivía en épocas muy anteriores a la actual; en querer infringir
las reglas de la Orden, pretendiendo salir del convento para recobrar
su libertad y lanzarse al través de los campos." Para Sor Simona no
hay enemigos políticos ni enemigos personales. Su vida es un puro
ejemplo de amor. Amor, sacrificio, renunciamiento. Amor a la Humanidad, que se eleva ardiente hasta Dios como sumo holocausto; que
no se ofrece a Dios en el silencio recogido de la clausura, sino en el
tumulto del mundo. "Quiero ser libre —exclama Simona— como el
soplo divino que mueve los mundos."

En este drama de calidad tan femenina (al mismo espía alfonsino lo
imagina Galdós tan lleno de delicados matices, especialmente en su
relación con Sor Simona, madre de él, porque lo es de todos, madre
espiritual, que lo ve encarnado por una actriz, no por un actor); en
este drama de acción tan tenue se concentra la doctrina galdosiana, y
como es una hora de victoria —cuando el escritor cree en la realidad
de su obra y se encuentra por encima de la Sociedad y de la Historia—, Sacris, el eterno seminarista guerrillero, que en lugar de cantar
misa ha cogido la espada para servir a Dios, ante el ejemplo de Sor
Simona, arroja la espada y consagra su vida no a matar, sino a hacer
buenas obras. Con la misma sonrisa irónica y bondadosa con que el
autor de los *Episodios* infunde en el corazón del seminarista la caridad, limpiándole de los deseos de sangre, se incorpora el lema carlista: Dios, patria, rey, quitándole todo el odio y la estupidez que en
él ha depositado la humanidad. Dios es paz y no guerra; patria es la
humanidad, no la de un cierto país, sino la formada por los hombres
hambrientos y desnudos y con sed de justicia; rey es el ser humano.
Galdós tremola, en la noche oscura de las pasiones y rencores, su es-
tandarte con el lema eterno: Dios, patria, rey. Paz a los hombres,
amor a los que sufren, fecundidad de la pareja humana, reina del
mundo.

Más allá del Tiempo, reina el Ideal y se entroniza la Justicia en la tierra. Galdós corona su Obra con el sueño de una utopía, que no es sólo deseo de amor, sino trascendente necesidad de realización del Ideal. Para que el Ideal y la Justicia reine no hay que acudir al político, al hombre de acción; es necesario, y basta, que un hombre la sueñe. Galdós no vive enfrente de su Obra, sino dentro de su Obra, en la cual la Sociedad es feliz, y la Historia, vencedora del Tiempo, vive su contenido esencial. La locura de Doña Juana consiste "en no darse cuenta y razón del paso del tiempo". Sublime locura, traspasar los límites del tiempo, superar el pasado y el presente para vivir únicamente en lo esencial. No hay que confundir, como quizá alguno pudiera hacer fácilmente, este vivir extratemporal con la idea frecuentemente expresada por Galdós de que una de las características de la España de los últimos siglos haya sido no querer aceptar que el tiempo pasa y la vida cambia. Es muy distinto. El español no quiere aceptar el tiempo, la Historia, el cambio, y fracasa al encontrarse la realidad. Galdós no rechaza la Historia, la supera. "Mi cabeza es un libro, en el cual no falta ninguna página, sólo que la numeración está borrada y las fechas son para mí letra muerta", dice Doña Juana. Las fechas quedan para los expertos en "necrología". Doña Juana es vida, es historia viva, su cabeza augusta "archiva más de medio siglo de la historia del mundo", como la cabeza de Galdós, como su obra, archiva más de medio siglo de la historia de España, historia hecha vida, experiencia, sabiduría.

Su Obra termina con la oración fúnebre que dice Francisco de Borja por el alma de la Reina: "¡Santa Reina! ¡Desdichada mujer! Tú, que has amado mucho sin que nadie endulzara tus amargores con las ternuras de familia; tú, que socorriste a los pobres y consolaste a los humildes sin vanagloriarte de ello, en el seno de Dios Nuestro Padre encontrarás la merecida recompensa".

En el seno de Dios, guiado por la rectitud de su conciencia, piensa Galdós encontrar la merecida recompensa a su Vida y su Obra. Vida y Obra que confluyen en la figura de la Reina y de Castilla, de Santa Juana de Castilla. Es su último sueño, el sueño con que termina la larga peregrinación emprendida partiendo de la Materia y de la Historia, y que le conduce, después de la busca sincera de la verdad, al Espíritu, a la Eternidad.

CAPITULO VIII

LA OBRA GALDOSIANA EN SU TOTAL INTEGRACION

LA OBRA GALDOSIANA EN SU TOTAL INTEGRACION

La emoción histórica, que los románticos sienten por primera vez como expresión de la temporalidad humana, es una de las características del siglo XIX. Esta emoción histórica, además de hacer surgir el pasado en la atmósfera poética de lo vago y lejano, y sobre todo de lo extraño y extranjero, no sólo en el espacio sino en el tiempo, es lo que condujo a los románticos a que se fijaran en su propia época, en el presente como tal presente, preparando así el advenimiento del Realismo. *Fernán Caballero* lo dice claramente: su intención es pintar la sociedad contemporánea.

Galdós, pues, en su juventud madrileña, vive en un medio literario en que tanto el teatro como la novela encuentran su inspiración en la realidad social, vista como una antítesis entre lo tradicional y lo moderno.

Después de una breve vacilación, el joven Galdós encuentra el tema de su obra y la forma que le convenía: la sociedad contemporánea y la novela. Galdós desplaza el tema tal como lo habían visto los realistas. Estos habían estudiado la lucha entre lo tradicional y lo moderno, era lo que todavía estaban haciendo y lo que todavía harían. Lo que Galdós se propone es estudiar las raíces de esta lucha y su crecimiento. El pasado tiene para Galdós un valor histórico y a la vez filosófico. Como valor histórico el pasado explica el presente y, por lo tanto, ayuda a comprenderlo; el pasado es la causa y el presente el efecto. Lo que estudia Galdós es esta relación mecánica causa-efecto en términos históricos: pasado-presente. Como valor filosófico, pasado es sinónimo de muerte, y presente lo es de vida. La oposición pasado-presente se transforma en la oposición muerte-vida.

con una consecuencia muy importante, la de creer que el tiempo, no el hombre, es quien destruye y quien crea.

Taine da a Galdós las ideas históricas para poder aprehender la realidad social, Balzac le hace ver la sociedad no ya como un cuadro de costumbres, sino como un organismo vivo, el verdadero héroe de la Historia, y Dickens le prepara para transformar el sentimentalismo individualista en un sentimentalismo social. Además de estas tres grandes figuras del siglo XIX, hay que tener en cuenta a Cervantes. El *Quijote*, sentido y comprendido, como es natural, según las ideas de mediados del siglo XIX, es el que proporciona a Galdós los medios para contemplar la realidad española y para crear el perfil grotesco de gran número de personajes. Hay que añadir a Víctor Hugo para cierta concepción del mundo novelesco de su primera época, y para la visión trágica de algunas figuras de su madurez conviene recordar a Shakespeare. Ha tenido contactos con Ibsen y con Tolstoy, pero sin carácter formador; han sido más bien debidos a un desarrollo paralelo.

Estas me parecen ser las características y determinantes de la primera etapa de Galdós (período histórico 1867-1874), en la cual crea sus dos primeras novelas —*La Fontana* y *El Audaz*— y los diez volúmenes de la primera serie de *Episodios Nacionales*. Doce novelas en las cuales estudia la historia de España desde finales del reinado de Carlos IV hasta el trienio liberal de Fernando VII.

Con el primer *Episodio* de la segunda serie entramos en otra etapa de la labor galdosiana. En esta segunda etapa (1875-1879) el análisis histórico es sustituído por un esquema abstracto. En la primera etapa las dos novelas dieron lugar a los *Episodios*; en la segunda etapa, los *Episodios* dieron lugar a sus novelas correspondientes: *Doña Perfecta, Gloria, Marianela* y *La Familia de León Roch*. La primera serie de *Episodios* trata de la guerra de la Independencia, y tiene una fuerte unidad. El novelista ha querido que la unidad de la acción histórica se refleje en la parte novelesca, y ha hecho de ésta un relato autobiográfico: la redención moral y social de un hombre, como si dijéramos la salvación moral de España. De aquí que a pesar de las batallas y los continuos accidentes militares, yo no encuentre en esta serie el carácter épico que la crítica ha señalado con insistencia. La segunda serie, en cambio, novela la historia civil de España desde la vuelta al trono de Fernando VII hasta su muerte. En este período histórico ve Galdós completamente formada la división que apenas había comenzado a germinar en el anterior. Al novelar esa escisión, los personajes adquieren inmediatamente un carácter decididamente simbólico, subrayado por sus nombres. El personaje liberal se llama Salvador Monsalud, el absolutista, Garrote, el buen burgués, Benigno Cordero, etc. La novela en la primera serie servía, entre otros propósitos, para contar la historia; en la segunda, la novela sirve para elevar el hecho histórico al plano de lo general y abstracto; de aquí que sintiera Galdós la necesidad de desentenderse de los hechos históricos para dejar plasmada la fisonomía del siglo XIX español en sus trazos definidores y característicos. Entonces crea sus tres novelas abstractas: *Doña Perfecta,* que tiene lugar en Orbajosa; *Gloria,* que sucede en Ficóbriga, y *Marianela,* que pasa en Socartes. Las dos primeras novelas nos llevan de la lucha entre lo antiguo y lo moderno, considerada desde un punto de vista político-religioso y español, a la lucha entre lo particular y lo general vista desde el ángulo religioso. *Doña Perfecta* es el símbolo del espíritu universal y reaccionariamente tradicional; si, además, tiene un acento español se debe a que esta fuerza reaccionaria universal se estudiaba en España y para España. Por eso se apresuró Galdós a presentar esa lucha en términos más universales al enfrentar en *Gloria* el catolicismo con el judaísmo, tan intransigente el uno como el otro, porque ambos no representan el espíritu religioso en general, sino que son una manifestación parcial e histórica del espíritu religioso; y, como son incapaces de abarcar a toda la humanidad —al creerse cada uno de ellos en posesión de la verdad—, tienen forzosamente que oponerse no solamente el uno al otro, sino a toda concepción de la verdad que no coincida con la suya. En *Doña Perfecta* y *Gloria* cristaliza el concepto negativo y trágico que tiene Galdós del mundo en general y de España en particular. Pero Galdós puede expresar esta tragedia de un modo terminante, porque, gracias a su esperanza en un mundo mejor, ha podido descubrirla; esperanza que toma forma en *Marianela.* En esta novela, la ciencia luchando contra la imaginación da al hombre la vista para que pueda contemplar la realidad y, desplazándose de la zona de lo absoluto a la de lo relativo, dedicarse al trabajo fecundo [1]. *Marianela*

---

[1] RICARDO GULLÓN en su *Galdós. Novelista Moderno* (Madrid, Taurus,

es a la vez el desenlace vital de la trágica situación de *Doña Perfecta* y *Gloria* y el manifiesto estético-ideológico de Galdós. *Marianela* se apoya fuertemente en Comte para dar una estructura a
la Historia —períodos teológico, metafísico y positivo, es decir un
estado provisional, seguido por uno transitorio que va al último,
científico y definitivo. Las dos primeras tienen la trágica decisión de
una situación mortal claramente captada, la tercera, en cambio, une
a la forma de un idilio melancólico la seguridad de la fe en el credo
positivista.

A *Marianela* le sigue *La familia de León Roch,* donde todavía ob-
servamos un esquema abstracto para organizar el mundo, donde todavía nos encontramos dos principios frente a frente, pero este conflicto
ya no tiene lugar en una ciudad imaginaria, sino en Madrid, en una
familia, en unos individuos. Doña Perfecta tenía que explicarle a la
sobrina del Penitenciario, que la lucha entre ella y Pepe Rey era en
realidad una lucha entre dos Españas, entre dos mundos. En *La familia de León Roch* se trata de una incompatibilidad de caracteres, es
el temperamento lo que separa al krausista León Roch de su mujer;
temperamento que debe explicarse por la influencia del medio y de
la educación, pero principal y especialmente por la forma de la vida
sexual. Con esta novela termina la etapa abstracta, que tiene la fuerte
influencia de Comte ya indicada y un marcado carácter antihegeliano;
al mismo tiempo prepara la etapa siguiente caracterizada por su naturalismo.

La etapa naturalista comprende las novelas escritas desde 1881
hasta 1885, es decir desde *La Desheredada* hasta *Lo Prohibido.* Seis
novelas en las cuales junto a la enseñanza de los autores antedichos
notamos la de Zola. El Naturalismo hace sufrir a la cultura española
una de sus mayores deformaciones. No me refiero a la decidida actitud antagónica, como cuando cita Galdós el verso de Calderón "So-

---

1960), p. 156, no ha interpretado bien estas líneas; como otros lectores pueden
caer en el mismo error, por eso lo advierto. No se trata de la imaginación cual
facultad creadora sino cual atributo histórico —característica de una etapa por
la que ha pasado la humanidad. Después en la Obra galdosiana, de atributo
histórico, la imaginación pasa a ser un rasgo moral del carácter español, un
vicio. En su última época, Galdós da a la imaginación un rango metafísico, es
la creadora de ideales.

ñemos, alma, soñemos", dándole conscientemente un sentido opuesto al del dramaturgo barroco, sino a la asimilación de la picaresca del XVII y al patrocinio de Cervantes. En esa época, es claro, se tenía que rechazar el *Persiles*, al cual no se le podía hacer entrar dentro del concepto naturalista, y muchas de las novelas ejemplares llamadas idealistas; esto no era lo peor, sin embargo; lo peor fue cuando con toda sinceridad deformaron el *Quijote* o la visión de Velázquez. Hoy acaso podamos ver la belleza del Naturalismo y la del Barroco en su sentido aproximadamente verdadero.

En las obras de estos cinco años se reflejan todas las características del Naturalismo y su concepto del mundo. Lo importante, empero, es notar el crecimiento y desarrollo de la obra de Galdós, ver cómo el Naturalismo no es una aportación meramente externa, sino que es una asimilación, gracias a la cual se separa del análisis histórico y de la representación abstracta para estudiar el carácter nacional a través de unos individuos. El trabajo de este período le lleva, además, a descubrir la realidad, esto es a crearla. Una realidad tal como la conciben los naturalistas, desprovista de toda finalidad que la trascienda. El Naturalismo-positivista pone ante nosotros una naturaleza que no es nada más que materia; el mismo espíritu, si por raro azar se le encuentra, es únicamente un estado de transformación de la materia que recibe este nombre. La última novela de esta etapa, *Lo Prohibido*, es la obra más estrictamente naturalista en toda la labor de Galdós. En ella el novelista ve reducida toda la realidad a materia y el individuo a fisiología. Ya para penetrar en el carácter de Doña Perfecta se nos decía que padecía de la vesícula biliar, pero esa observación se pierde en el contenido histórico e ideológico tan compacto que sostiene a esa figura. Ahora no, desde *La Desheredada* y cada vez en aumento mientras nos vamos acercando a *Lo Prohibido*, los hombres y mujeres que pueblan sus novelas son fruto del medio, con todas las taras hereditarias que se han ido acumulando de generación en generación.

Al quedarse solo ante la materia, Galdós descubre la presencia y realidad del espíritu. La realidad de la materia y la realidad del espíritu frente a frente, este es el conflicto cuya expresión da lugar a la creación de las obras maestras de Galdós: *Fortunata y Jacinta, Miau, La Incógnita*, en las cuales el autor se debate en esa lucha entre la materia y el espíritu; y *Torquemada en la hoguera, Realidad, Angel*

Guerra, Tristana, novelas en que se ve al hombre sometido a una fuerza superior y descubriéndola.

En todas las obras de este ciclo —1886-1892— los personajes viven desasosegados y su morir es un desesperado suicidio, al chocar constantemente con una fuerza ignorada que les domina y sujeta, o bien es un doloroso esfuerzo por perfeccionarse a sí mismos. Si antes pasado era sinónimo de muerte, y presente, de vida, ahora la palabra materia es otra manera de nombrar la muerte, y la palabra espíritu, de nombrar la vida. De la misma manera los personajes vuelven a adquirir un valor simbólico, pero no son encarnación de ideas o de principios, sino seres poéticos y universales. Los nombres de los seres humanos e incluso de las obras no son ya simbólicos, sino significativos —Fortunata, Jacinta, Torquemada, Angel Guerra, Tristana o *La Incógnita, Realidad*—. Nombres significativos que como los simbólicos han sido utilizados por los escritores de todos los tiempos y especialmente por los novelistas del siglo XIX. Ahora, como antes, vemos dos principios frente a frente. En las dos primeras etapas, sin embargo, eran dos principios —tradición, libertad, o lo particular y lo general— que se excluían mutuamente, por eso su lucha debía tener siempre un fin infecundamente trágico. En esta etapa del conflicto entre la materia y el espíritu los personajes mueren también trágicamente, pero su muerte es un dolor fecundo, porque el espíritu no excluye la materia. Materia y espíritu son dos términos contrarios, sí, pero que necesitan el uno del otro para formar eso que llamamos vida, el hombre.

Así, Galdós en el año 1892 entra en la quinta etapa de su producción, en la cual estudia la vida y la muerte, o dicho de otra manera, la espiritualización de la materia sin el espíritu. Después de habernos presentado al héroe de la libertad política —Salvador Monsalud, Pepe Rey— y al héroe naturalista —Teodoro Golfín, Isidora, Manso, etc.—, nos presenta al héroe espiritualista y su acción. Galdós no reniega del Naturalismo, lo supera. Galdós en esta etapa va conducido por Schopenhauer y reconciliado con Hegel, quienes le ayudan a plantearse de nuevo el problema de la personalidad humana, del Estado y de la voluntad.

El héroe espiritualista no es ya el hombre que lucha por principios políticos, ni ese hombre que con la fe en la ciencia y en el trabajo, lucha, de una manera a veces ruda y brutal, con la naturaleza o con el hombre, que no es un ser moral, sino también una fuerza elemental y ciega. El hombre espiritualista es el que lucha consigo mismo. No tiene voluntad de poder, voluntad de dominio, sino voluntad de perfeccionamiento. El héroe espiritualista, partiendo de una culpa trascendente, que reconoce como suya, lucha por purificarse, y acepta la realidad de la vida; acepta la vida que es dolor, pero no un dolor inútil e infecundo, sino un dolor que en el centro de su mayor sufrimiento encierra la verdadera alegría. El héroe naturalista es el hombre que se forma a sí mismo y conquista la materia; su heredero, es el hombre ya formado, que tiene que conquistar el espíritu, o con expresión de Ganivet, *El Escultor de su Alma*. Este ciclo termina en 1897 y comprende las novelas y obras de teatro escritas desde *La Loca de la Casa* hasta *El Abuelo*. Los personajes de estas obras tienen una rara monumentalidad. Es verdad que ya Doña Perfecta tenía un aire colosal, pero sus dimensiones se deben a la relación de planos y al juego de luces y sombras. En otro medio, iluminada de otra manera, perdería su apariencia simbólicamente gigantesca. No es ella la que es colosal, sino la intransigencia, la ceguera, el atraso, la sombra de la Catedral. De Pepet al Abuelo, pasando por Torquemada, la de San Quintín, Nazarín, lo que hace monumentales a esos personajes es la lucha consigo mismos o con la sociedad o con ambos. Luchan con el mal que está dentro y fuera de uno mismo.

Con el año 1898 llegamos a la época de mayor perplejidad en nuestro autor. Hacia finales de siglo los principios estéticos y morales pasan por una profunda crisis, no sólo en España, es claro, sino en toda Europa. El objetivismo naturalista ha dado lugar al subjetivismo impresionista y el individuo social del Naturalismo se ve sustituido por el individuo anarquista del Impresionismo. Además hay un cambio de acento. El Naturalismo tiene una preocupación profunda humana y, por lo tanto, moral; en cambio, el Impresionismo se mueve, aun dentro de su constante preocupación moral, por anhelos de índole estética: esculpir el alma, no sólo quiere decir crearla, sino hacer algo bello en su perfección imposible. Esas aspiraciones a un último bien son raíces morales que dan frutos estéticos. Las dos corrientes que han estado con su lucha incesante dando forma al siglo XIX —la tradicionalista y la liberal—, en el Impresionismo se separan por completo, llegando a las posiciones más resueltamente extremas. Después de un momento de gran depresión, que va de 1898 a 1900, cuando se escribe la tercera serie de *Episodios*, Galdós con una gran energía y decisión da un paso hacia adelante; entonces entra en la etapa de la libertad metafísica, en la cual intenta asimilarse los nuevos principios estéticos, y en la cual se vuelve a plantear el problema de España, no de una manera objetiva, sino subjetiva. No trata de estudiar la realidad histórica y de observar y explicar cómo Doña Perfecta mata a Pepe Rey, sino que lo que quiere es dar un ideal a los españoles, y entonces Doña Perfecta es condenada a muerte: este es el significado de *Casandra*. En la primera serie de *Episodios* la novela está al servicio de la historia, en la segunda serie la novela es la cristalización del fluir histórico. La tercera es la serie de la guerra civil —dolor, crueldad, insensatez, ni el Estado ni el individuo son respetables—, la novela refleja esa especie de feudalismo moderno, que ni es feudalismo ni es moderno, es únicamente desbarajuste y desorientación. En la etapa de la Libertad, los *Episodios* se convierten en el comentario y la justificación de la novela, de *Casandra*. A quien había que haber matado era a Fernando VII, y esto lo dice cuando escribe sobre Isabel II, la de los tristes destinos. Por la ironía, por la serenidad, por la penetración histórica, por la creación de personajes, la cuarta serie quizás sea la mejor junto con la quinta que dejó sin terminar. Esta etapa acaba en 1907, cuando aún le quedan al escritor once años de trabajo.

En sus últimos años el novelista abandona la historia para entregarse a la mitología, manera de liberarse de la sujeción temporal y poder penetrar el sentido de los hechos; pero eso todavía no le basta. Los últimos seis años de su vida los dedica a soñar. El ha querido que el hombre hiciera de la Tierra un lugar feliz y moralmente habitable. No lo ha conseguido, pero nadie puede impedir que sueñe utopías, en las cuales se imagina al hombre realizando el bienestar en la Tierra: un bienestar naturalista, hecho de escuelas y fábricas, con una nota espiritualista: la del amor, amor de unos hombres por otros.

Así, la semilla que estaba en su corazón y que encontramos en sus primeras obras ha ido germinando y desarrollándose. La experiencia histórica, moral, individual y metafísica del novelista ha imprimido un sello en la germinación y desarrollo de ideas e ideales, dando lugar a las diferentes etapas de su obra, como ya dejo indicado.

Galdós comienza tratando de estudiar el carácter español, después quiere captar al hombre del siglo XIX, luego al hombre en general y por último cierra su obra con figuras utópicas.

De los numerosos temas y tipos de la obra galdosiana —el despilfarro, la buena administración, el trabajo, el ocio, la voluntad, el médico, el ciego, el monstruo, el cesante, etc.—, sigamos, por ejemplo, el de la imaginación a través de las diferentes etapas señaladas, y veremos cómo desde el período histórico hasta el subperíodo del conflicto entre la materia y el espíritu, la imaginación es un valor de signo negativo, que en el período histórico se estudia como una de las características de la historia de España que hay que combatir y en el período abstracto como una de las características de España y de la mente humana que se opone a la vida moderna científica, pero cae vencida. En el período naturalista, se destaca la imaginación como una de las peculiaridades del carácter español en el siglo XIX, observándola Galdós en individuos. Del subperíodo del conflicto entre la materia y el espíritu hasta el subperíodo extratemporal vemos que la imaginación aparece como un valor de signo positivo. Es claro que la manera de concebir la imaginación y de valorarla lleva consigo una manera de concebir y valorar la realidad. Si la imaginación era un valor negativo se debía a la exaltación de la realidad, no sólo como guía espiritual, moral y política del hombre, sino como fuente de conocimiento. Cuando la imaginación adquiere para Galdós un valor positivo, entonces la realidad no queda desvirtuada, pero se la hace depender de la imaginación. Si hay realidad, si la justicia, el bien, la moral existen, es porque la imaginación las crea. El hombre hace de su creer un ser. Primero Galdós quería que el alma dejara de soñar, luego piensa que soñar es vivir, y vivir, soñar. Pero la materia de su sueño no cambia. Continúa tan alejado del Barroco como siempre. Galdós quiere que el hombre cese de considerar al hombre como un enemigo, quiere hacer de la Tierra un lugar de convivencia.

No hay una evolución en la obra de Galdós, sino una formación, un desarrollo. Con las raíces profundamente hundidas en tierra de España y fuertemente, la obra de Galdós tiende sus ramas últimas hacia la altura y abarca a la Humanidad. De un extremo a otro, la obra de

Galdós está traspasada por el mismo anhelo. Anhelo optimista, lleno de comprensión, de fe; sobre todo de fe, que apenas si se eclipsa un momento en los años de mayor depresión, volviendo a irradiar, pasada la crisis, más brillante que nunca. El pesimismo de madurez —desfallecimiento necesario cuando se está próximo a la victoria— se convierte en ironía bondadosa, con una gran capacidad para perdonar, la cual no requiere ni impone la menor claudicación.

Su Obra primera cristaliza en *Doña Perfecta*, momento en el que se ve el mal, el odio, la reacción en toda la grandeza de la destrucción; el espíritu de la destrucción fatalmente implacable, con dimensiones colosales, cubre toda la novela. La creación de sus etapas finales va a dar a *Casandra*, en la cual también hay una muerte; también las sombras rampantes del mal se extienden por la sociedad, pero a la mano que mata, quizá más exactamente, a la voluntad decidida a matar, no la conduce el odio, sino el amor, el deseo entrañable de rescatar con su propio sacrificio a los hijos de los hombres. Ya queda anotado cómo la frecuentación de la Historia permite al novelista ir fijando temporalmente la marcha de los acontecimientos sin acudir a ningún don profético. Cuando finaliza el siglo, su sabiduría histórica, alcanzada sin duda, a través de su constante creación novelística, hace que pueda penetrar en el sentido de los hechos, llegando a descubrir el tejido de la Historia e incluso a arrancarle su secreto, formulando una ley.

En *La estafeta romántica*, une la guerra civil al Romanticismo: deseo de suicidarse la nación como se suicida el individuo. En *Montes de Oca* es en donde expresa mejor el entretejerse de lo particular y lo general: "No hay acontecimiento privado en el cual no encontremos, buscándolo bien, una fibra, un cabo que tenga enlace más o menos remoto con las cosas que llamamos públicas. No hay suceso histórico que interese profundamente si no aparece en él, un hilo que vaya a parar a la vida afectiva." (Madrid, 1916, pág. 158.) En *Mendizábal* habla de la Historia sin personajes, "sin figuras célebres, con los solos elementos del protagonista elemental, que es el macizo y santo pueblo, la raza, el *Fulano* colectivo". (Madrid, 1922, pág. 19.) Pero hemos de volver a *La estafeta romántica* para ver cómo el novelista pasa de los hechos a la ley que los rige. Un período histórico, afirma, "no puede terminar hasta que la propia ley histórica lo dé por fenecido". (Madrid, 1918, pág. 56.)

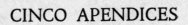

CINCO APENDICES

I

"MARIANELA" Y "DE L'INTELLIGENCE" DE TAINE

Clasificándose a Galdós generalmente en la escuela naturalista y sabiendo el valor que concedían los escritores de esta escuela al documento humano y la observación, se puede pensar fácilmente, al leer en *Marianela* la manera de reaccionar de Pablo —ciego de nacimiento, al que se le devuelve el sentido de la vista extirpándole las cataratas— ante la realidad, que nos encontramos con uno de tantos ejemplos de observación de la vida real como nos ofrecen los novelistas de los últimos treinta años del interesante siglo XIX. Es posible que sea así; pero, por todas las confrontaciones que voy a citar inmediatamente, me parece mucho más probable que la fuente de Galdós no sea en este caso la realidad, sino un tratado de Psicología.

Comienza diciendo Pablo que no conoce "el mundo más que por el pensamiento, el tacto y el oído"; luego se habla de las posibilidades de la operación y, como es natural, al lado de voces de uso común hay otras de un vocabulario más estrictamente científico: *córnea, cristalino, hialoides, humor vítreo, estado pigmentario, catóptrica.* Se lleva a cabo la intervención quirúrgica con resultado positivo, y en seguida se nos presenta la manera de reaccionar de Pablo al ver por primera vez, quien es observado con viva curiosidad por su doctor, Teodoro Golfín, "porque era aquél el segundo caso de curación de ceguera congénita que había presenciado".

Pablo, al poder ver, lo primero que sintió fue que

las imágenes entraban, digámoslo así, en su cerebro violenta y atropelladamente con una especie de brusca embestida, de tal modo que *él creía chocar contra los objetos;* las montañas lejanas se le figuraban hallarse al alcance de su mano, y veía los objetos y personas que le rodeaban *cual si rápidamente cayeran sobre sus ojos...* Principia a hacerse cargo de los colores... Aún no posee bien la adaptación a las distancias... Trajeron un espejo y Pablo se miró en él. Este soy yo... —dijo con loca admiración—. Trabajo me cuesta el creerlo... ¿Y cómo estoy dentro de esta agua dura y quieta? ¡Qué cosa tan admirable es el vidrio! Parece mentira que los hombres hayan hecho esta atmósfera de piedra.

Taine nos cuenta que "Dans un cas rapporté par M. Nunnely, "le jeune patient disait que les objets *touchaient ses yeux* et il marchait avec précaution, tenant les mains élevées devant ses yeux, pour empêcher ces objets de les toucher et de les blesser". Al ciego de Cheselden

quand avec les yeux il eut connu le visage de ses parents, on lui montra le portrait de son père en miniature sur la montre de sa mère; on lui dit ce que c'était, et il le reconnut comme ressemblant. Mais il s'étonna fort qu'un grand visage pût être représenté dans un si petit espace; auparavant, disait-il, cela lui aurait paru aussi impossible que de mettre un boisseau dans un setier.

Respecto a las distancias, dice:

Il leur faut du temps pour accorder les diverses sensations visuelles que le même objet leur fournit selon ses diverses distances, et pour les raccorder toutes ensemble avec les musculaires et tactiles que l'objet leur a déjà fournies.

Sobre los colores, al citar el caso de la operada por Waldrop: "Cependant elle apprenait peu à peu le nom de couleurs, et les distingua vite."

No creo aventurado afirmar que la relación de los pasajes citados de Taine con los de Galdós es clara y nos permiten ver su procedimiento de trabajo: elaboración del documento científico buscado en el libro, no sólo para hacerlo entrar más naturalmente en la narración, sino para acomodarlo a su nuevo papel, que ya no es científico, es poético. Los dos últimos ejemplos —distancias, colores— quedan reducidos a una referencia brevísima, que al mostrarnos el lento progreso de la acomodación del ojo a su función da una sensación de completa realidad a la convalecencia de Pablo.

En cambio, los dos primeros ejemplos los transforma Galdós convenientemente, aprovechando el sentido dramático que contiene el primero —el tocar y el herir son en manos del autor de *Marianela* "una entrada violenta y atropellada en el cerebro"; "una brusca embestida"; "un rápido caer"; y los objetos se han desdoblado en montañas, objetos y personas, haciendo que sea la reacción de Pablo al abrir por segunda vez los ojos, pues, claro, la primera nos muestra sólo el terror de Pablo ante la luz—. La mutación del segundo pasaje es más completa, porque el retrato del padre se cambia en el espejo en el cual el mismo Pablo se contempla, y se adivina fácilmente que la intención de Galdós ha sido lograr un valor lírico.

Por esto, aunque Taine dice: "D'ordinaire, leur cristallin, quoique opaque, laisse déjà passer un peu de lumière", Galdós escribe: "Pero pienso otra cosa. (Es el doctor que habla). La fisura y la catarata permiten comúnmente que entre un poco de claridad, y nuestro ciego no percibe claridad alguna", porque quiere que Pablo desconozca totalmente lo que es la luz hasta el momento de la operación. Y donde podemos seguir todo el proceso de elaboración que sufren los materiales empleados por Galdós es al comparar la cita que hace Taine de un caso contado por Franz. *On the eye:* "Gaspar Hauser donne les détails suivants sur ce qu'il éprouva lorsque, pour la première fois, il fut tiré de la prison obscure où il avait passé seul tout sa vie...", con lo que dice al padre de Pablo refiriéndose a su hijo: "Pero lo más raro es que, arrastrado de su imaginación potente, la cual es como un Hércules atado con cadenas dentro de un calabozo y que forcejea por romper hierros y muros..."

Este Hércules con cadenas y forcejeando por romper hierros y muros lo debemos a la asociación, para un español tan natural, de la prisión oscura con el recuerdo de Segismundo, reforzando así el elemento dramático que se encuentra ya en la metáfora de Franz.

II

AUGUSTE COMTE Y "MARIANELA"

Marianela nos cuenta la vida trágica de la niña Nela, fea y deforme, un pequeño monstruo, enamorada del ciego de nacimiento Pablo. En Socartes, pueblo minero y agrícola, vive don Francisco Penáguilas con su hijo Pablo. La vida ha sido pródiga con el señor de Penáguilas, pero, paradojas de la Naturaleza, todo su bienestar se halla ensombrecido por la ceguera de su hijo. Pablo es feliz al lado de su lazarillo, la Nela; con ella pasea, con ella habla y se deleita. Nela, pobre huérfana que vive con la familia del capataz de las minas, Centeno, menospreciada por todos, incapaz de nada útil, sólo siente alegría acompañando a Pablo. Las almas de los dos están compenetradas de tal manera, que Pablo un día le promete casarse con ella. El ciego piensa que su lazarillo debe ser de extraordinaria belleza, expresión de su bondad. Pero a Socartes ha llegado el hermano del ingeniero, don Teodoro Golfín, famoso oftalmólogo, y uno de los motivos de su viaje es tratar de curar a Pablo. Don Francisco Penáguilas ansía ardientemente que el doctor vea a su hijo, pues, aunque ha sido desahuciado por todos los grandes médicos, no se aviene con la fatalidad de que su hijo sea incurable. ¿Por qué la Naturaleza al colmarle de bienes materiales le ha de negar lo único que puede hacerle feliz? Precisamente su hermano Manuel y él acaban de heredar a un primo, lo que viene todavía a acrecentar su fortuna. Fortuna que no tendrá finalidad, a no ser que Pablo obtenga el sentido de la vista, en cuyo caso se celebraría su matrimonio con su prima Florentina, muchacha bellísima, hija de Manuel. Pablo es operado con éxito, se enamora de

Florentina, que ha llegado a Socartes poco antes, y la felicidad sería completa si no estuviera allí la pobre Nela con toda su fealdad. La muchacha, no pudiendo soportar la idea de que Pablo la vea, intenta suicidarse, lo que impide don Teodoro; el cual, no obstante, no puede oponerse a que el dolor la lleve a la muerte. Momentos antes de morir, Marianela pone sobre su corazón las manos de los amantes y los desposa.

Es desconcertante hallar en la producción galdosiana este tema, cuya nota esencial parece ser el sentimiento. Este idilio trágico está completamente descentrado en la obra de Galdós, que no tenía una visión poética del mundo, sino ética. El tema ético no falta. La vida de Nela, alma exquisita en un cuerpo delicado y deforme, rodeada de incomprensión, es una acusación contra la sociedad. Además, está la familia del capataz Centeno, la familia de Piedra, que nos presenta unos seres humanos desposeídos de toda vida espiritual y teniendo como único aliciente el afán de dinero. Centeno se cree un ser inteligente porque es capaz de seguir con el dedo los renglones del periódico y de repetir, sin comprenderlas, unas cuantas frases que le quedan en la memoria. Señana, su mujer, vive para contar las economías que van acumulando, real a real, gracias a los jornales de su marido y de sus hijos, dos muchachas y dos hombres. Para ella la vida es eso: transformar el cobre en plata y la plata en oro. En ese medio o hay que vivir embrutecido o hay que rebelarse. Mientras tres de los hijos no podrán superar ese nivel de vida, Celipín, el pequeño, se rebelará. También él, céntimo a céntimo, gracias a Marianela, va juntando su caudal, pero no por codicia, sino para rescatar su libertad por medio del esfuerzo y del trabajo, Marianela está alojada en casa de los Centeno. La dan un rincón donde recogerse y un mendrugo. No la tratan mal ni bien, sino de la única manera como saben tratar.

La sociedad no quiere enterarse de esta injusticia, y cuando se entera es peor. Sofía, mujer con perros y gatos y todos los hijos muertos, es la esposa de Carlos Golfín, el ingeniero. Se dedica a hacer el bien organizando bailes, representaciones de teatro, corridas de toros. Con esto y con las estadísticas su conciencia está tranquila, sinceramente tranquila; porque, perteneciendo a un mundo completamente desorganizado, no concibe que se pueda hacer ni más ni mejor que dar algo material al que no lo posee. Amar y consolar al pobre, con el trozo de pan dejar una palabra de cariño, es una necesidad que no ha sentido nunca. Preguntarse si la desgracia puede ser dominada por el hombre, facilitar los medios para que el desgraciado deje de serlo, no se le ocurre; primero, porque los desgraciados merecen serlo; segundo, porque si no existieran, ¿qué sería de esas fiestas y tómbolas donde tan bella ocasión encuentran los que poseen de lucir su buen corazón? Corazón que si no es de oro, por lo menos es dorado. Sofía, con caída de ojos y suspiros, muestra siempre su tono de protectora superioridad. Un desgraciado es para ella la ocasión de brillar modestamente, lo más modestamente posible, de manera que lo note bien todo el mundo, y sobre todo de que ella se sienta ajena al mundo de la pobreza. Su buen corazón que puede temblar por lo que le ocurra a su perrita "Lilí", no padece al ver descalza a Marianela.

Marianela discurre, pues, en dos direcciones completamente distintas. De un lado tenemos el idilio entre Nela y Pablo, y de otro un problema social, presentándose éste bifurcado: vida del proletariado y actitud de los ricos ante la miseria. Estos dos temas a primera vista se presentan totalmente independientes el uno del otro.

Los mismos personajes parecen pertenecer a dos mundos diversos. Centeno, Señana, Sofía, don Manuel Penáguilas, forman un grupo; Pablo, Florentina, están en la misma línea. Don Carlos Golfín se sitúa enfrente a don Francisco Penáguilas. Marianela pasa de un medio a otro, ella misma escindida. Se la describe como un ser monstruo, apenas inteligente, casi repugnante, y tenemos que imaginárnosla graciosa, delicada, tibia y temblorosa, llena de atractivo y encanto, de una bella fealdad, espíritu y cuerpo románticamente unidos en su oposición. A estos dos mundos, a estos dos grupos de personajes, corresponden dos paisajes distintos: Minas, máquinas, talleres, galerías subterráneas, y colindante con la industria, mezclada con ella, la zona de los árboles y de las vacas y los campos de trigo, la agricultura. El hoy y el ayer. Ambos medios coexisten sin confundirse. Teodoro Golfín, como Marianela, frente a ella y con ella, pasa de un medio a otro también, pero en él no hay escisión.

Esta dualidad, aunque se siente inmediatamente —bastando un ligero análisis para ponerla al descubierto—, está sumergida por completo en el idilio entre Nela y Pablo. Las relaciones del ciego con su lazarillo y la influencia que en ellas tiene la venida de Teodoro Golfín, es el tema de la obra. Para comprenderla hay que estudiar a estos tres personajes y su interdependencia, sin olvidar a Florentina, que es el coronamiento de la novela. Una vez comprendida la acción principal, es muy fácil establecer su enlace con la acción secundaria y encontrar el sentido de unidad de la narración, tanto desde el punto de vista de la acción como de los personajes.

Al empezar la novela (cap. I, p. 10) se enuncia con toda precisión el conflicto. Golfín se encuentra perdido en una noche oscura y oye una bella voz, que entona una melodía conmovedora, lo cual le hace exclamar: "Creeríase que sale de las profundidades de la tierra, y que el señor de Golfín, el hombre más serio y menos supersticioso del mundo, va a andar en tratos ahora con los silfos, ondinas, gnomos, hadas y toda la chusma emparentada con la loca de la casa." El conflicto queda planteado entre *el hombre más serio y menos supersticioso del mundo* y *la loca de la casa,* la imaginación. Ambos, imaginación y hombre de ciencia, tratarán de hacer ver al ciego; aquélla sirviéndole de lazarillo; éste, operando sus ojos.

Se describe físicamente a Marianela como un monstruo, es una niña con alma y años de mujer. De sí misma afirma: "dicen que no tengo madre ni padre", y al hablar de su origen lo hace siempre comenzando por "dicen", lo cual no sólo indica que ella no sabe nada, sino que da a todas las noticias un carácter vago y legendario. Una tercera nota que la define es su declaración constante de que no sirve para nada. Su característica espiritual es la imaginación y su tendencia a personificar todas las fuerzas y elementos de la Naturaleza: las flores son las miradas de los muertos, las estrellas son las miradas de los que se han ido al cielo. "Habíase formado Marianela en su imaginación poderosa un orden de ideas muy singular, una teogonía extravagante y un modo rarísimo de apreciar las causas y los efectos de las cosas... Creía en poderes sobrenaturales... y veía en los objetos de la Naturaleza personalidades vagas que no carecían de modos de comunicación con los hombres" (cap. XIII, p. 150). Se clasifica sociológicamente el estado de evolución psíquica de Marianela. "Se halla en la situación de los pueblos primitivos —afirmó Teodoro—. Está en la época del pastoreo" (cap. IX, p. 116). Por fin, la atracción que siente Nela por la hermosura física la explica Teodoro, diciendo: "Tuviéronla personas que vivieron hace siglos, personas de fantasía, como tú (la

Nela), que vivían en la Naturaleza, y que, como tú, carecían de cierta luz que a ti te falta por tu ignorancia y abandono, y a ellos porque aún esa luz no había venido al mundo" (cap. XIX, p. 218).

El desarrollo psíquico de Marianela corresponde, pues, al de los pueblos en un estado primitivo, que personifican las fuerzas de la Naturaleza, indagan las causas y los efectos de las cosas y conceden primordial importancia a la belleza física.

Pablo se nos presenta como un joven de extraordinaria belleza, cuyas facciones tienen la "perfección soberana con que fue expresado hace miles de años el pensamiento helénico". La hermosura de los ojos quedaba desvirtuada por su fijeza, por su ceguera. Huérfano de madre, su padre era un rico hacendado "de aspecto entre soldadesco y campesino". Pablo "vive la vida interior, la vida de la ilusión pura". Su característica espiritual es la meditación, el vivir entregado a la vida del pensamiento. Pablo nos dice que no conoce el mundo más que "por el pensamiento, el tacto y el oído". Le gusta el lenguaje metafórico. Cree que los ojos pueden descubrir un aspecto nuevo del mundo, pero que son inútiles para investigar la verdad absoluta; es más, piensa que "la vista puede causar grandes extravíos", y apoyado en su fuerza lógica y en el espíritu de deducción, llega al resultado de que Nela es hermosa. "La verdad absoluta dice que tú eres hermosa, hermosa sin tacha ni sombra alguna de fealdad", y a los que afirman lo contrario les considera sujetos a los desvaríos que produce la vista.

De Pablo no se nos dice en qué época correspondiente a la evolución de la Humanidad se encuentra. La alusión a Grecia, más que para situarle, sirve para describirle metafóricamente y subrayar su característica esencial de vivir entregado al pensamiento. Trata de aprehender el mundo por medio de la razón, recelando y desconfiando siempre de toda verdad que se base en los datos aportados por la observación. La investigación de principios abstractos, o como él dice, de la verdad absoluta es lo que le preocupa. Su padre afirma de él: "Creo que su sabiduría está llena de mil errores por la falta de método y por el desconocimiento del mundo visible... Su imaginación, digo, no puede contenerse en la oscuridad de los sentidos, viene a este nuestro mundo de luz, y quiere suplir con sus atrevidas creaciones la falta del sentido de la vista. Pablo posee un espíritu de indagación asombroso; pero este espíritu de investigación es un valiente pájaro con las alas rotas" (cap. XI, páginas 33-4). Para Pablo, el pensamiento no es pájaro ni tiene las alas rotas. Un día, cuando Marianela siente no tener alas para poder volar, el ciego le dice: "Si Dios no nos ha dado alas, en cambio nos ha dado el pensamiento, que vuela más que todos los pájaros, porque llega hasta el mismo Dios... Dime tú, ¿para qué querría yo alas de pájaro si Dios me hubiera negado el pensamiento?" (cap. VII, p. 80).

Pablo vive sometido a su lazarillo y depende de él. Le gusta obedecer a la Nela y ve el mundo a través de los ojos de la muchacha. Su actitud crítica no acepta, sin embargo, las fantasías de su amiga, las cuales destruye para sustituirlas por ideas. A Teodoro le cuenta cómo la Nela y él van a menudo a sentarse cerca de una profunda hendidura del terreno que se llama la Trascava para oir cómo resuena la voz del abismo. "Y, efectivamente, señor, parece que nos hablan al oído. La Nela dice y jura que oye palabras, que las distingue claramente. Yo, la verdad, nunca he oído palabras, pero sí un murmullo como soliloquio o meditación, que a veces parece triste, a veces alegre, tan pronto colérico como burlón" (cap. II, p. 23). Pablo se da cuenta exacta de cuál es su relación con Nela, como lo demuestra al decirla: "Tu imaginación te hace ver mil errores. Poco a poco yo los iré destruyendo, y tendrás ideas buenas sobre todas las cosas de este mundo y del otro" (cap. VI, p. 73). El ciego cree en el progreso y perfeccionamiento de la Humanidad, pero su idea del progreso es la de los racionalistas.

Teodoro Golfín es un hombre que se ha formado a sí mismo. De baja extracción social, gracias a su voluntad y esfuerzo ha vencido en la lucha por la existencia. Fisonomía inteligente, mirada viva, fuerte y recio, su aspecto había dado lugar a que dijeran de él que era un león negro. Excelente persona, su único defecto era "la estimación en que a sí mismo se tenía"; pero su vanidad consistía tan sólo en mostrar su "pasión por la cirugía y la humildad de su origen". Había estudiado medicina, oftalmología, y vive entregado al conocimiento de la ciencia que practica. "Hablaba por lo general incorrectamente, por ser incapaz de construir con gracia y elegancia las oraciones. Sus frases, rápidas y entrecortadas, se acomodaban a la emisión de su pensamiento, que era una especie de emisión eléctrica" (cap. IX, p. 106). Galdós no puede reproducir el estilo de Golfín, apegado como estaba al pe-

ríodo retórico de su época; pero esto da todavía más valor a la observación, pues nos indica lo que él quiere significar con su desprecio
de la oratoria —preocupación por la elegancia formal, despreocupa-
ción por el contenido— y además podremos verle durante toda su
obra luchando por lograr esa escritura breve que, en efecto,.alcanzará,
hasta un cierto punto, al final de su carrera.

Teodoro protegió y ayudó constantemente a su hermano Carlos
para que pudiera seguir los estudios de ingeniero de Minas, y no le
abandonó hasta verle colocado. A Socartes ha venido no sólo por el
deseo de visitarle, sino interesado por el caso de Pablo, del cual le
había hablado su hermano. Teodoro examina al ciego, y aunque no
puede asegurar que la operación tendrá éxito, tampoco le considera
desahuciado. La operación debe intentarse siempre que se acepte la
responsabilidad de que después de hacer sufrir al paciente no se obtenga resultado ninguno. Pablo y su padre tienen el valor físico y
moral de aceptar; a Nela le *dice su corazón* que el ciego verá. Teodoro, afirmando sólo la posibilidad de llevar a cabo la operación y
el deber moral de hacerla, extrae las cataratas y da a los ojos de Pablo
la vista que nunca habían tenido.

Cuando Pablo ve, exclama: "Ahora me río yo de mi ridícula
vanidad de ciego, de mi necio empeño de apreciar sin vista el aspecto
de las cosas. Creo que toda la vida me durará el asombro que me
produjo la realidad... ¡La realidad!... ¡Viva la realidad!" (cap. XX,
páginas 236 y 239).

La ciencia ha triunfado. No se habla de otra cosa en las minas.
Entre el regocijo del triunfo la melodía de Nela es la única nota de
dolor. Nela no quiere ponerse ante los ojos de Pablo, sabe que no le
queda más remedio que desaparecer y piensa en el suicidio, que Golfín
impide, pero no puede impedir que la mirada de Pablo la mate. La
realidad mata a la imaginación, esa realidad que ha traído la ciencia.
No se sabe cuándo muere Marianela. "Fue aquel día tempestuoso (y
decimos aquel día porque no sabemos qué día era: sólo sabemos que
era un día.)" Golfín ha dado la vista a los ojos ciegos, ojos con vista
que matan a la imaginación. No se sabe cuándo la ciencia ha triunfado, cuándo la ciencia ha logrado arrancar a la Humanidad de las
manos de la imaginación.

Nela, Pablo y Teodoro quedan suficientemente analizados, tanto por lo que respecta a cada uno de ellos en particular como por lo que se refiere a su mutua relación e interdependencia, para que comprendamos que Galdós, al presentarnos la coexistencia de estas tres vidas en Socartes, ha querido novelar la evolución de la Humanidad, sorprendida en el momento en que va a pasar de un estado a otro. La idea de Galdós no es nada extraña, pues no sólo se pueden encontrar precedentes lejanos en la literatura española, sino precedentes próximos abundantes en la literatura del siglo XIX.

Galdós no ve el proceso de la vida humana respecto al individuo, sino respecto a la especie, a la sociedad, y lo estudia según las ideas de Auguste Comte. Basta recordar que para Comte, la Humanidad pasa por tres etapas teóricas diferentes y sucesivas, en el sentido de que cada una de ellas ha sido característica de una época dada de la Humanidad y ha preparado la siguiente, pero que han existido y aun existen conjuntamente. Esta evolución la ha formulado en la ley de los tres estados. De estos tres estados, el primero y el último son completamente definidos, mientras que el segundo es más bien indeterminado, consistiendo su papel en servir de puente entre los otros dos. Los tres estados son: el estado teológico, provisional; el metafísico, transitorio, y el positivo, último y definitivo. La concepción teológica del mundo es una construcción arbitraria, pero orgánica, de la imaginación; la concepción metafísica es un producto de la razón, arbitraria y destructiva; la concepción positivista del mundo se debe a la observación, es exacta y orgánica. La imaginación, la razón y la observación son los medios por los cuales cada estado concibe su mundo, siendo cada uno de ellos característicos de su mundo, aunque, como queda dicho, no se excluyen uno a otro. Son característicos en tanto que cada uno de ellos prepondera en una época dada y hace de los otros dos sus auxiliares.

El hombre comienza, según Comte, por considerar toda suerte de fenómenos como debidos a la directa y continua influencia de agentes sobrenaturales; después los considera como productos de diferentes fuerzas abstractas, que residen en los cuerpos y que son distintas y heterogéneas; termina por verlos sometidos a cierto número de leyes naturales e invariables, las cuales son únicamente la expresión de las relaciones observadas en su desarrollo. A la filosofía teológica le preocupa sólo desentrañar las causas eficientes de los fenómenos; la filosofía positiva, por el contrario —abandonando toda investigación de las causas por inaccesible a la inteligencia humana—, se ocupa exclusivamente en el descubrimiento de leyes.

Galdós se instala en el punto de vista comtiano por lo que respecta a la evolución de la Humanidad, y tiene que aceptar también este abstenerse de la indagación de las causas, consecuencia esencial de los postulados positivistas.

Teodoro Golfín ha dado la vista a Pablo, pero ¿qué es la realidad?, ¿qué es la vida?, ¿qué es la muerte? Nela muere sin que Teodoro pueda hacer nada para salvarla. Florentina implora que le dé la vida, y ante la impotencia del doctor, exclama: "¡Misterio! ¡Misterio!" Teodoro no acepta que sea un misterio; la realidad la mata. "¡La realidad!... No puedo apartar esta palabra de mi mente. Parece que la tengo escrita en mi cerebro con letras de fuego", dice Teodoro. Pero Florentina insiste, quiere saber por qué muere, y como Golfín conteste que no sabe, irrumpe: "Entonces, ¿para qué es médico? No sé, no sé, no sé —exclamó Teodoro—. Sí, una cosa sé, y es que no sabemos más que fenómenos superficiales. Señora, yo soy un carpintero de los ojos, y nada más." Mientras tiene lugar este diálogo, Nela, en la agonía, luchando con la muerte, en ese momento en que quizá el hombre logre entrever ya la otra orilla, articula tres palabras envueltas en la niebla de su último suspiro, palabras que nadie puede comprender.

Nela representa, pues, el estado teológico; Pablo, el metafísico; y Teodoro, el positivo. Es Teodoro el que separa a Pablo del mundo de la imaginación para hacerle vivir en el mundo de la realidad, y es el mismo Teodoro el que puede admirar y aceptar en todo su valor a Nela, pues según Comte no hay que menospreciar el estado teológico, antes, al contrario, se tiene que reconocer su inmenso valor, ya que la filosofía teológica capacitó al ser humano para crear la civilización.

Comte considera —y esto es lo que tiene de común con los tradicionalistas: De Bonald, Joseph de Maistre— que el siglo XVIII ha sido un siglo filosófico y crítico y, por lo tanto, destructivo, que en el terreno político y social ha producido la revolución de 1789, la cual ha inaugurado una época de desagregación y anarquía. Mientras para los tradicionalistas no hay otra solución que retrogradar y volver las cosas a su antiguo estado, Comte cree —en esto se diferencia de ellos y se pone en la línea de Saint Simón— que hay que hallar una nueva organización social. La sociedad para Comte está regida por dos poderes, los cuales, en las primeras etapas del estado teológico —fetichismo, politeísmo—, se presentan confundidos, y que únicamente en el último estadio —monoteísmo— se separan, siendo esta división de poderes uno de los grandes servicios que el cristianismo ha hecho a la civilización. El sistema católico-feudal está formado por la combinación de dos poderes: el espiritual, papal y teológico, y el temporal, feudal y militar. En el estado metafísico, intermedio y sin personalidad, estos dos poderes pasan a manos de los filósofos y los diplomáticos. En el estado positivo, el nuevo sistema social tiene dos capacidades (la diferencia que hace Comte entre capacidad y poder no necesitamos exponerla): la capacidad científica que surgió del poder papal y teológico, y la capacidad industrial que deriva del poder militar. El dogma es suplantado por la ley científica, y la guerra de conquista, como medio de enriquecimiento, por el trabajo organizado; en lugar de la explotación del hombre por el hombre, la explotación de la tierra por el hombre. Sabios e industriales regirán la sociedad positivista, organizados en nuevo cuerpo sacerdotal.

Galdós incluye también en su novela este aspecto del sistema comtiano. Don Francisco Penáguilas, el padre de Pablo, ofrecía un aspecto "entre soldadesco y campesino", bueno, honrado y justo, después de haber estado joven en América y regresado sin fortuna a España, entró a servir en la Guardia Civil. Luego se retiró a su pueblo, pues había heredado regular hacienda, "y en la época de nuestra historia acababa de heredar otra mayor". Teodoro, su hermano Carlos y el ingeniero segundo, todos con voz de bajo, juntamente con Sofía, "armaban una especie de coro de sacerdotes". Galdós no insiste en la caracterización de don Francisco Penáguilas, aunque no hay que olvidar que su fortuna no se debe a su trabajo y que el autor le presenta siempre en un medio patriarcal. Se alude a las reuniones musicales del médico y los ingenieros con ironía. Por sí solas estas notas no tendrían sentido, pero lo cobran relacionándolas con los hermanos Golfín.

Carlos es ingeniero, el director de las minas, el que personifica todo el mundo industrial enfrente al mundo de la agricultura, representado por Penáguilas. Carlos arranca a la tierra el mineral que produce riquezas fabulosas. "Nuestros padres vivían sobre miles de millones sin saberlo." Carlos es el encargado de dar el bienestar material a los hombres, como Teodoro, el médico, el hombre de ciencia, es el que ha de guiarles a la tierra prometida. "Soy rico, ¿de qué me sirven mis riquezas? —dice el padre de Pablo— cuando el señor don Teodoro me ha dado esperanza... he visto el cielo abierto, he visto una especie de Paraíso en la tierra." La humanidad no ha perdido el Paraíso, tiene que crearlo. La industria, es claro, como quiere Comte, está sometida a la ciencia, Carlos ha podido ser ingeniero gracias a la ayuda y protección de su hermano, y él mismo reconoce con gratitud esta dependencia: "No hay para mí gozo mayor que ser hermano de mi hermano... Es el rey de los hombres... Si es lo que digo: después de Dios, *Teodoro*."

Con Florentina incorpora también Galdós una de las concepciones de Comte: la de la Virgen. Según el filósofo francés, la utopía de la Virgen-Madre, será un ideal límite para las mujeres más puras y nobles, muy a propósito para expresar de una manera concisa el progreso humano, llegando hasta el punto de sistematizar y, por lo tanto, de ennoblecer la procreación. Esta utopía es la sintética condensación de la religión positiva, el emblema espontáneo de la Humanidad, y los servidores de la Humanidad, al venerarlo, se capacitarán para sentir más profundamente el período emotivo de transición por el cual está pasando Europa.

Al unirse Pablo a Florentina, está representando el novelista esta coronación de la evolución de la Humanidad. El encarnar en este personaje la utopía comtiana presentaba más de una dificultad, si no se quería hacer perder toda consistencia humana a la novela. Galdós resuelve este problema aprovechándolo para exponer la manera naturalista de explicar el milagro.

Cuando Marianela ve que la operación de Pablo es inminente, se confía a la Virgen María para que haga el milagro de transformar su fealdad en belleza. Pasa la noche en candorosas imploraciones a la Virgen, a quien llama "Madre de Dios y mía", "Madre y reina mía". Claro está que Galdós tiene buen cuidado de explicarnos en el capítulo XIII cómo Marianela ha podido entrar en relación con la idea de la Virgen. Marianela no recibe el don que ha pedido, pero "los pensamientos que huyen cuando somos vencidos por el sueño, suelen quedarse en acecho para volver a ocuparnos bruscamente cuando despertamos. Así ocurrió a Mariquilla" (cap. XIV, pág. 157). Nela, al despertar, lo primero que dice es: "Anoche te me has aparecido en sueños, Señora, y me prometiste que hoy me consolarías. Estoy despierta, y me parece que todavía te estoy mirando..." Triste, al verse tan fea como el día anterior, pero completamente autosugestionada y nerviosa, se dirige a casa de Pablo sin haber perdido la esperanza de que el milagro se haga. El estado psíquico y físico en que se encuentra es el más adecuado para que su imaginación se desborde. Marianela, que ha oído la frase tener los demonios en el cuerpo, dice de ella misma, "yo tengo los ángeles en el cuerpo". Su excitación llega al paroxismo, va viendo visiones, cerrando y abriendo los ojos, cuando de repente, en el recodo del camino, junto a un bosque, la niña cae de rodillas: la Virgen se le había aparecido. Se hallaba delante de una bella muchacha, es verdad, pero esta muchacha no era otra que Florentina, la cual acababa de llegar y todavía no había visto a la chiquilla.

Para la aparición de Florentina-Virgen creo que Galdós ha tenido en cuenta los sucesos contemporáneos; es decir, las apariciones de la Virgen a Bernardette Soubirous. Al pasar Nela junto al bosque, "sintió que las ramas se agitaban a su derecha; miró...", y entonces ve la aparición, en la cual reconoce a la Virgen, bajo la advocación de María *Inmaculada*, y observó que "tenía una *corbata azul* en su garganta". Florentina no se aparece en una cueva ni tiene a sus pies un rosal silvestre, pero está rodeada de un bardo de zarzas y "lozanos helechos, madreselvas, parras vírgenes y otras plantas de arrimo". Bernardette había visto también a la Virgen como Inmaculada y con un cinturón azul. Ya nos advierte Galdós que "la Humanidad ha visto esta sacra persona con distintos ojos", según las diferentes épocas.

Al mismo tiempo que se asimila la doctrina positivista, Galdós adopta una actitud con respecto al milagro, refiriéndose de una manera más o menos velada, pero lo suficientemente clara para que se comprenda a los acontecimientos, tan discutidos en su época, que tuvieron lugar en Lourdes.

Florentina le sirve igualmente para unir el problema social, tema secundario, a la evolución de la humanidad, tema principal. Marianela vive con los Centeno, los cuales apenas la consideran como un ser humano; los mismos Centeno nos presentan el estado de explotación del hombre por el hombre. Con Sofía se censura la filantropía, característica del estado metafísico. Florentina socorrerá a Marianela, considerándola como su igual y llevando así a la acción las ideas que Teodoro expuso a Sofía. "Soy partidaria —dice Florentina— de que haya reparto y de que los ricos den a los pobres todo lo que tengan de sobra... ¿Por qué esta pobre huérfana ha de estar descalza y yo no?" Galdós nunca se planteó de una manera profunda el problema social; basta esta cita para mostrar que en 1878 no había logrado superar el socialismo sentimental de la primera mitad del siglo XIX, superación que no alcanzó nunca, porque la íntima evolución de su mundo le llevó cada vez más hacia una actitud misericordiosa.

Marianela está compuesta según un trazado idéntico al de *Doña Perfecta*. Presentación del personaje-autor en un medio abstracto-simbólico: Un hombre de mediana edad, Teodoro Golfín, se encuentra perdido por la noche en el campo. Se oyen canciones, pasa un cierto tiempo, y por fin alguien llega que le sirve de guía. Acompañado por el ciego Pablo emprende entonces una larga excursión subterránea. Compárese con la llegada de Pepe Rey a la estación, la breve espera, su encuentro con Licurgo y la excursión con su diálogo correspondiente. Después de esta introducción, tanto en una obra como en otra, empieza la novela propiamente dicha. Por cierto que ya en el célebre parlamento de Pepe Rey nos encontramos a Galdós poseído por el tema de *Marianela*. "No es culpa nuestra que la ciencia esté derribando a martillazos, un día y otro, tanto ídolo vano, la superstición, el sofisma, las mil mentiras de lo pasado... El mundo de las ilusiones, que es como si dijéramos un segundo mundo, se viene abajo con estrépito... Adiós, sueños torpes; el género humano despierta, y sus ojos ven la claridad. El sentimentalismo vano, el misticismo, la fiebre, la alucinación, el delirio, desaparecen, y el que antes era enfermo hoy está sano y se goza con placer indecible en la justa apreciación de las cosas. La fantasía, la terrible loca, que era el alma de la casa, pasa a ser criada. Dirija usted la vista a todos lados, señor Penitenciario, y verá el admirable conjunto de realidad que ha sustituído a la fábula... Todos los milagros posibles se reducen a los que yo hago en mi gabinete, cuando se me antoja, con una pila de Bunsen, un hilo inductor y una aguja imantada". (*Doña Perfecta*, cap. VI.) Ambas obras terminan con un epílogo, el cual sirve, más que para atar los cabos sueltos de la acción, para presentar la realidad, que objetivamente se ha novelado, en un medio distinto y a través de una personalidad que la deforma.

Pepe Rey es un personaje sin consistencia interior, blanco fácil para la crítica, que ha señalado todos los defectos de este ingeniero, incapaz de desenvolverse libremente y con seguridad no sólo ante Doña Perfecta, sino incluso ante Don Inocencio; del mismo modo, Teodoro Golfín es un personaje que carece todavía de vida, aunque represente un extraordinario progreso con respecto al ingeniero. Galdós, para crear a Teodoro, ha tenido en cuenta la realidad, lo que parece no haya sucedido en el caso de Pepe Rey, pero el hacer surgir la vida no depende del modelo, sea real o no. El artista tiene que crear también la realidad modelo. Teodoro se comporta como un médico de la época. Sus afirmaciones, siempre mesuradas, se apoyan en mil reservas, "acaso", "quizá", "se probará", "se intentará", que dibujan, muy a lo siglo XIX, su perfil de hombre de ciencia, el cual se expresa en un lenguaje rico en metáforas. El capítulo XI en que Teodoro describe la operación que ha de realizar es de un infantilismo conmovedor, y no recuerda constantemente con su primitivismo que estamos ante una nueva visión del mundo y ante una nueva técnica literaria en formación. Empieza en un tono familiar hablando de las "picardías" que comete el cristalino "volviéndose opaco y a veces duro como piedra"; de la "república del ojo", en la cual hay "muchos holgazanes que se atrofian". Después su estilo se hace dramático, al hablarlos de la posibilidad de encontrarse en su "nuevo palacio recién conquistado... con una amaurosis total", para elevarse a un épico acorde con "Su Majestad la retina", "Su Alteza el humor vítreo", y terminar dramáticamente reconcentrado antes de decidirse a hacer la operación.

En cambio el dolor de Marianela, su melancólico sufrir, su amor frustrado, están expresados con la misma pluma experta que había captado la figura de Doña Perfecta. No tiene nada de extraño. Es el mundo nuevo, su mundo, el que le ofrece mayor resistencia, el que es más difícil de penetrar y de expresar. Marianela era una realidad ya elaborada desde el romanticismo, y para la creación de Doña Perfecta, no sólo existía una larga tradición, sino que él mismo había estado trabajando en este personaje desde su primera obra, *La Fontana de Oro*. Por el contrario, Pepe Rey y Teodoro Golfín son los héroes de su mundo, la industria y la ciencia, la capacidad temporal y la espiritual de Comte, las dos corrientes vivas de su época, que Galdós comienza a encauzar y dominar, intentando dar forma y expresión a su sentimiento, convertir la experiencia de su mundo en una realidad de arte.

La composición de ambas novelas y su primitivismo corresponde a la primera etapa de la creación galdosiana, pero la manera de presentar a Teodoro Golfín se debe todavía a Comte.

Al empezar la novela notamos inmediatamente que estamos en un ambiente dantesco, en el Infierno. Teodoro, de mediana edad, se encuentra perdido; un perro le llena de miedo hasta que le hace callar su dueño, Pablo, el cual le sirve de guía en la excursión subterránea. Galdós no insiste en el paralelismo, pero el lector se da cuenta cómo la referencia a Dante es constante. A veces la descripción es lo suficientemente precisa para que podamos identificarla. Compárese la visión de la Trascava con el pasaje del Canto quinto, que comienza: "Io venni in luogo d'ogni luce muto, Che mugghia come fa mar per tempesta, Se da contrari venti e combattuto". Al exclamar Teodoro, cuando sale de las galerías subterráneas: "¡Gracias a Dios que os vuelvo a ver, estrellitas del firmamento!", recordamos inmediatamente el último verso del Infierno: "E quindi uscimmo a riveder le stelle". Incluso frases que se creerían debidas a la pluma naturalista están tomadas de la *Divina Comedia*. Dice Pablo: "Ese ruido que usted siente y que le parece... ¿Cómo le diré? ¿No es verdad que parece ruido de gárgaras, como el que hacemos cuando nos curamos la garganta?", y Dante en el Canto séptimo: "Quest' inno sigorgoglian nella strozza". Galdós nos da, al lado de la descripción dantesca, la científica, pues ya Pepe Rey, en el parlamento antes citado, había dicho: "No hay ya más bajadas al Infierno que las de la geología... No hay más subidas al Cielo que las de la astronomía, y ésta, a su regreso, asegura no haber visto los seis o siete pisos de que hablan el Dante y los místicos y soñadores de la Edad Media". Lo que a Golfín le había parecido el interior de un gran buque náufrago, de día era una cortadura en el terreno, donde podían verse las cortezas superpuestas de la estratificación. "Era aquello como una herida abierta en el tejido orgánico y vista con microscopio".

La idea de este comienzo dantesco se le debió ocurrir al leer en Comte el plan del Poema de la Humanidad, el cual, pensaba Comte, sería escrito por un poeta positivista italiano. El Poema debe cantar todas las fases por las cuales ha pasado la Humanidad, desde sus orígenes hasta la etapa final. Comte nos dice que el plan de este poema épico, como una obra de arte, se basa en la crisis cerebral que padeció durante ocho meses, en la cual descendió rápidamente la escala sociológica para volver lentamente a ascender. Este doble tránsito, escribe Comte, es equivalente al singular de Dante. Nada se opone tampoco a que pensemos que la lectura de la descripción de este Poema hizo también concebir a Galdós la idea de su novela.

No sé si Galdós tuvo un contacto directo con la obra de Comte, aunque la familiaridad que muestra con sus teorías así parece indicarlo, y como quiera que no sólo refleja la ley de los tres estados, sino también la concepción de la Virgen y el Poema de la Humanidad, creo que se debería pensar que estudió el *Système de Politique positive instituant la religion de l'humanité*, lo cual no impide que hubiera leído el *Discours sur l'esprit positif*, y especialmente el *Cours de Philosophie positive*.

Era necesario mostrar la urdimbre ideológica de esta novela para que pudiera comprenderse su sentido en el conjunto de la producción galdosiana. Si la armazón positivista hubiera servido únicamente para construir una narración en la que se novelara la evolución de la Humanidad, creo que después de dejarlo indicado no habría necesidad de insistir. Pero todo el mundo ha recogido su dolor, todos han sentido la íntima melancolía de la Nela. La felicidad de Pablo y Florentina, cierta como es y quizá por serlo, se aleja de nosotros. Queda solo Teodoro, ensimismado en su dolor, plenamente consciente de su responsabilidad, de la labor, que le aguarda; con la alegría, que no se traduce en signos externos, de haber cumplido con su deber, de sentirse seguro de sí mismo, de saberse en el camino que lleva a la verdad y a la vida. *Marianela* nos entrega ese momento, todavía caliente y apasionado, en que el hombre ha tomado una decisión, ha resuelto una crisis, esto es en que pasa de una época de su vida a otra.

Marianela es una profesión de fe: Galdós cree en el progreso de la Humanidad, gracias a la ciencia y el trabajo. La creencia en el progreso le confirmará en su idealismo que ha de acompañarle durante toda su obra.

Marianela es una confesión: nos dice la lucha interior de Galdós, cómo se sobrepuso a la fantasía para darse con fruición a la realidad captada por los sentidos. El realismo naturalista va a liberarle de las puras abstracciones a que le había conducido su estudio histórico de España, y le permitirá dedicarse plenamente a la observación de la sociedad contemporánea.

Había ido a la Historia a buscar las raíces del presente. Su labor de análisis comienza con *La Fontana de Oro* y duró hasta *Doña Perfecta*, obra en que consiguió cristalizar en admirable síntesis su meditación sobre España. *Gloria* es un compás de espera. El problema religioso-político-histórico de *Doña Perfecta* se universaliza en *Gloria*, donde el sentimiento religioso se estudia todavía como un producto histórico, por lo tanto particularizador, diferenciador y que separa, en oposición a un sentimiento humano, unificador, general y abstracto. Tampoco logra salir del terreno de las ideas en *Marianela*, pero esta obra es el palenque en que luchan su antiguo ser y el nuevo; en ella rompe el círculo de hierro en que estaba encerrado y logra liberarse. No es un azar el que después de esta novela escriba *La familia de León Roch*, en la cual se examina de nuevo el problema religioso, pero esta vez en Madrid, en función de la sociedad y del matrimonio. Teodoro le dice repetidamente a Florentina, cuando perpleja contempla la muerte: "Si usted no me entiende bien, querida Florentina, se lo explicaré mejor en otra ocasión", alusión a su labor futura. Con *Marianela* supera el trabajo realizado y se abre el camino para la obra a realizar, en la cual la realidad, la ciencia y el trabajo, de un lado, estarán en conflicto continuo con la imaginación y el ocioso soñar; el presente histórico luchando perpetuamente con el pasado histórico. Si el niño Celipín fracasa en su vida y se le otorga burlescamente el título de Doctor, se debe a haber emprendido su camino impulsado únicamente por la imaginación, por la Nela.

El lirismo de *Marianela* es un lirismo ético; refleja la emoción de Galdós ante el fluir de la historia, ante el ritmo de la Humanidad. La alegoría y el símbolo tienen un calor humano, porque traducen los sentimientos de Galdós, expresan su lucha por liberarse de un mundo que le agobiaba y poderse entregar por entero a la realidad. Cuando Nela muere podemos sentir muy bien el terror de Galdós en presencia de lo desconocido; pero, al mismo tiempo, la absoluta confianza en la realidad y su sensación de seguridad al contemplarla. Mirando la realidad se dispone a continuar su incesante trabajo.

III

SIGNIFICADO Y FORMA DE MISERICORDIA

Argumento. La viuda del Intendente del Ejército, Don Antonio María Zapata, Doña Francisca Juárez, a causa de su despilfarro e incapacidad administrativa cae en la mayor miseria, y si puede continuar viviendo es gracias a su antigua criada Benigna, que pidiendo limosna mantiene a su señora. Pero después de unos años de terrible pobreza, ella y sus hijos Antonio y Obdulia heredan una fortuna, la cual no podrán malgastar, porque Juliana, la mujer de Antonio, persona muy decidida, de mucho carácter y muy capaz, se encarga de dirigir todos los asuntos familiares. Entre los numerosos personajes de la novela, conviene nombrar todavía a dos: el ciego Almudena, mendigo y amigo de la criada Benigna, y el cura Don Romualdo, que es uno de los que dan la noticia de la herencia a Doña Francisca.

"Misericordia" y la obra de Galdós. El argumento, pues, se centra en uno de los asuntos favoritos de Galdós: el empobrecimiento de una familia de clase media adinerada. Destaquemos también al ciego Almudena, ya que su situación y sus circunstancias nos recuerdan dos de las obras de Galdós joven: *Gloria* y *Marianela* (1877, 1878). Como Pablo se enamoraba de la fea Marianela, así Almudena se enamora de la vieja Benigna. Los dos ciegos no se enamoran de lo que ven, sino de lo que imaginan. Como el judío Daniel Morton se enamora de la católica Gloria, así el árabe de religión hebrea, Almudena, se enamora de la católica Benigna. *Misericordia* se escribió en 1897. Las dos novelas de la primera época, por ser de la primera época, tienen un final trágico: a la intransigencia católica se opone la intransigencia judía, y el choque de estas dos fuerzas lleva a la desesperación, la lo-

cura y la muerte; a la realidad observable se opone la imaginación, y Marianela muere para que Pablo continúe viviendo. En su primera época Galdós dispone sus novelas en dos zonas, dos fuerzas distintas y opuestas, y el desenlace es la consecuencia trágica de esta oposición.

El mundo de "Misericordia". En *Misericordia* nos encontramos también dos zonas diferentes: pobreza-riqueza, realidad-imaginación. Pero la una no se opone a la otra; se tiende un puente, por el cual pasamos de una a otra, puente que se inventa y construye con el corazón. Este puente es la misericordia, la piedad. En la novela nos vemos continuamente trasladados de la zona de la realidad a la de la imaginación. La realidad es siempre la misma: gris, angustiosa, monótona, implacable. El escritor la estudia con su perfecta y perfeccionada técnica naturalista. Además de las circunstancias económicas y el decaimiento social de la familia Zapata, el novelista nos da a conocer las taras fisiológicas de Doña Francisca, que su hija Obdulia hereda en mayor grado. El medio social de los barrios bajos madrileños, las casas de vecindad, las tabernas y establecimientos de bebidas, los lugares más repugnantes de la prostitución se ofrecen a nuestros ojos con toda su descarnada fealdad. Galdós no teme presentarnos con terrible crueldad humorística una parodia del mundo romántico. Si la pareja amorosa del romanticismo sueña en la muerte para alcanzar la libertad y da al corazón un fondo de tumbas y panteones, Obdulia, la hija de Doña Francisca, la dama joven de la novela, al ver su amor contrariado se envenena con fósforos, y si después de escaparse con su novio se casa, es para pasar el resto de su vida entre ataúdes, porque la familia de su marido tiene una funeraria. Y a finales del siglo XIX, cuando se introducen en las finanzas las cifras astronómicas, Galdós nos obliga a sujetarnos al céntimo, los dos céntimos, los tres céntimos. La Banca nos habla de millones, billones de duros, de negocios portentosos; pero en *Misericordia* lo único inmenso es la miseria. Hay un momento, al acercarnos al clímax de la novela, en el que Benigna está acosada por los mendigos. De todas partes van saliendo pordioseros que la acorralan y envuelven con sus gestos y gritos, pidiéndole limosna, ayuda, pan.

Galdós y la generación del 98. Pero *Misericordia* se escribe en la época espiritualista, de aquí que la novela no deje en el lector una impresión naturalista, porque a este dolor infinito, a esta pobreza sin

límites, el novelista les superpone un amor infinito también. La novela, desde su primer párrafo, nos aleja del naturalismo. Comienza des-
cribiéndonos las dos fachadas, las dos caras, de la iglesia de San Sebastián, lo cual nos dirige a esa doble faz de la vida, a esa cara que
mira a la realidad, y a esa otra que contempla el espíritu, e inmediatamente nos habla Galdós del "encanto... que despiden de sí como
tenue fragancia las cosas vulgares". La realidad ya no nos asalta
como en la época naturalista con mil detalles, deprimentes por su
bajeza y materialidad, sino que a la vulgaridad de la vida, de las
cosas, se les halla un atractivo, una poesía, preparándonos de este
modo a situarnos en el impresionismo, a que Azorín haga su descubrimiento de los primores de lo vulgar, o a que Baroja nos trasmita
"la extraña poesía de las cosas vulgares". En el primer capítulo también, se indica otra preocupación del novelista, que orienta y conduce
al lector: el mundo de los mendigos, como el de las otras clases sociales, es esencialmente el mismo —iguales impulsos, iguales deseos,
prejuicios, defectos e idéntica jerarquía—. Pero ya no se subraya la
igualdad moral de las clases sociales, mostrándonos, con el pesimismo
consiguiente, que apenas si hay una diferencia de modo entre unas
clases sociales y otras, sino que lo que interesa ya al espiritualista es el
poder aislar los principios formativos de lo social.

El paso de la realidad a la imaginación tiene siempre un carácter
humorístico, pero el humor no nos hace penetrar en una zona desconcertante y trágica, poniendo de relieve el choque entre estos dos
medios diferentes, sino que nos eleva a un plano de contenido lirismo,
que se depura cada vez más hasta llegar a lo trascendente, pudiéndose
expresar así la esencia de lo religioso y el amor de una manera viva.

Por ejemplo, Doña Paca ha estado todo el día sin comer, y cuando
llega su criada, la mendiga Benigna, con unos comestibles averiados,
empieza a imaginar una suculenta comida y termina diciéndole a la
criada que no le importa lo que le dé de comer, porque con la comida
que han descrito ya ha satisfecho su apetito. Otra vez es su hija Obdulia, que, hambrienta también y abandonada de su marido, se encuentra en un estado social miserable. Pues bien, ella llena las terribles
y largas horas de sus días forjando un mundo de ilusión con la ayuda
de otro personaje muy galdosiano, el caballero Ponte. Este describe la
vida de la alta sociedad: paseos, trajes, salones, banquetes, palacios.

Poco a poco Obdulia va instalándose en esa vida, y cuando la mendiga Benigna le da una peseta al caballero Ponte para que pueda pagar una cama donde pasar la noche, éste, hambriento y miserable, se gasta la peseta en comprar un retrato de la Emperatriz Eugenia, para demostrarle a Obdulia su parecido con la ilustre española. Cuando el lector llega a esta escena, situada en un medio completamente naturalista —Ponte, perseguido por las bárbaras burlas de la gente plebeya, sufrió un ataque cerebral y fue recogido en una casa de prostitución— todas las negruras sociales y humanas se cubren de una veladura de delicada poesía.

Donde el mundo de la imaginación alcanza todo su significado trascendente es en la mendiga Benigna. Primero con su compañero Almudena. De este ciego se sentía muy orgulloso Galdós, y él nos dice cómo lo había tomado de la realidad. La lengua del ciego Almudena no es ni árabe ni español, e indudablemente el novelista debió observar con atención el habla de este mendigo. Pero su sintaxis, su vocabulario, su pronunciación no son un documento. Tendrán un valor documental, que el lingüista y el historiador podrán aprovechar; pero su función en la novela no es la de reproducir el natural, y la emoción que tenemos no reside en hundirnos en la naturalidad sino, al contrario, en elevarnos a los niveles más altos del espíritu.

En una tabernucha indecente, bebiendo un líquido de color negruzco, que ellos llaman café, Almudena, rodeado de miserables, pinta un espléndido desfile de colorido oriental. Esos pobres e ingenuos seres desde el centro de su desgracia, contemplan atónitos la belleza. Galdós puede situar este cuadro de hadas en un medio realista gracias a la lengua del ciego. En lugar de dar un ejemplo de esta larga narración, podemos oir hablar a Almudena cuando hace surgir la poesía del amor. Le dice Almudena a Benigna: "Tu ser com la zucena branca... Com palmera del D'sierto cintura tuya... rosas y casmines boca tuya, la estrella de la tarde ojitas tuyas." "Donzellas tudas, invidia de ti tenier ellas... Hiciéronte manos Dios con regocijación. Loan ti ángeles con cítara." Galdós quiere de nuevo —como Rubén Darío, antes que Valle-Inclán— que el enamorado vuelva a sentir temblar sus labios con imágenes poéticas, porque ya no se expresa un amor burgués y doméstico en un mundo comercial e industrial, sino un amor eterno en la llanura ardiente de Castilla, en donde Galdós consigue reducir las tres religiones —cada una monoteísta, pero que niega la autenticidad de las otras— a una sola: "No haber más que un Dios, uno solo, solo El", proclama el ciego Almudena, mientras encuentra la solución que Morton y Gloria no encontraron: "Casarnos por arreligión tuya, por arreligión mía..., quierer tú..., veder tú sepolcro; entrar mí S'nagoga rezar Adonai." Y entonces, el pesado y confuso mundo de los naturalistas, en que el hombre se perdía en los detalles sin fin de la materia, se convierte en un mundo abarcable y ligero.

La función de Almudena en la novela consiste en descubrir los tesoros que yacen escondidos en la tierra, para que los hombres vuelvan a ser ricos. Pero el sortilegio de Almudena no puede llevarse a cabo, porque él tan sólo promete bienes terrenales. La que hace el milagro de socorrer a todos los que lo han menester es Benigna, la cual, para poder implorar limosna sin que su señora se enterase, finge la existencia de un sacerdote llamado Don Romualdo, y así las horas que su señora cree que las pasa al servicio del sacerdote, puede Benigna dedicarlas a la mendicidad. Pero es el caso que al final de la novela aparece un sacerdote real, que se llama Don Romualdo y que es el encargado de entregar una fortuna a Doña Paca y sus hijos. Este paso del personaje fingido al personaje real era sumamente difícil, y Galdós hubiera caído en el equívoco y el enredo si no hubiera sido por la profundidad del tema que trataba. Galdós está tan seguro de sí mismo que incluso se atreve a bordear el enredo en algunas páginas de extraordinario humorismo. Pero en cuanto pone al Don Romualdo real en contacto con Benigna, la creación galdosiana alcanza una gran profundidad y se presenta como uno de los precedentes de Unamuno. En un monólogo, Benigna dice: "Señor Don Romualdo, perdóneme si *le he inventado*. Yo creí que no había mal en esto. Lo hice porque la señora no me descubriera que salgo todos los días a pedir limosna para mantenerla. Y si esto de aparecerse usted ahora con cuerpo y vida de persona es castigo mío, perdóneme Dios, que no lo volveré a hacer. ¿O es usted otro Don Romualdo? Para que yo salga de esta duda que me atormenta..., dígame si es usted el mío, mi Don Romualdo, u otro, que yo no sé de dónde puede haber salido, y dígame también que demontres tiene que hablar con la señora y si va a darle las quejas porque yo he tenido el atrevimiento de inventarle."

Si este tema no puede caer nunca en el equívoco se debe a que en realidad lo que verdaderamente inventa Benigna no es un personaje; de la misma manera que lo que necesita para hacer la caridad no es el dinero. De lo que se trata, como confiesa la misma Benigna, es de inventar la justicia, esto es, de crearla. Lo mismo que lo esencial para hacer la caridad no es el dinero, sino el amor.

Materia y Espíritu, fluctuación del hombre. Esto es lo que no podía descubrir el naturalismo. Por encima y por debajo de la Materia están las ideas y los ideales y los sentimientos, que son una creación del Espíritu. El mundo no es, sino que deviene, se forma, cambia gracias al hombre, que hace que las mentiras, es decir, lo inexistente, lo soñado, las utopías, se truequen en realidades. Para que se haga ese gran sortilegio, ese milagro de dar realidad a lo soñado, a lo inventado, es necesario que el hombre se acerque al mundo con una conciencia limpia.

Volvamos al comienzo de la novela, al primer capítulo, donde se habla de las dos caras de la parroquia de San Sebastián, esas dos caras que pertenecen a la misma unidad, que forman esa unidad, y entonces no nos extrañará que, a través de todo el libro, Galdós repetidamente observe que es "difícil expresar dónde se empalmaban y confundían la virtud y el vicio", o "no acaba una de ver verdades que parecen mentiras", o "¿y quién va a saber lo que es verdad y lo que es mentira?", o "esta vaga fluctuación entre lo real y lo imaginativo". Por eso, el pobre Ponte, que vivía en el pasado —la peor falta que podía cometer un personaje del primer período galdosiano— y que se tiñe el pelo para encubrir su edad, afirma: "Yo hago de mi fisonomía lo que me da la gana, y no estoy obligado a dar gusto a los señores, presentándoles siempre la misma cara." Y Doña Paca cree los datos falsos verdaderos, y los verdaderos le parecen completamente inverosímiles. El hombre que vive en este mundo de contornos imprecisos, en ese mundo perpetuamente cambiante; el hombre espiritualista no se satisface, como el hombre naturalista, con hechos observables, sino que se siente guiado por un "ansia de fenómenos estupendos". Si el hombre espiritualista se encuentra en un mundo fluctuante se debe a que, habiendo superado el naturalismo, entra en una zona compleja, en la cual realidad y misterio se dan conjuntamente. Este misterio ni le hace huir de la realidad ni despreciarla. Es el misterio el que guarda el secreto, el sentido de la realidad, y por eso mismo es misterio. Lo que busca es precisamente el paso de la realidad al misterio, ese paso reside en la conciencia.

En el primer capítulo de *Misericordia,* donde se describen las dos caras de la parroquia de San Sebastián, se dice que los mendigos son "la cuadrilla de la miseria que acecha el paso de la caridad, al modo de guardia de alcabaleros que cobra humanamente el portazgo en la frontera de lo divino o la contribución impuesta a las conciencias impuras que van a donde lavan". Y, efectivamente, al terminar la novela, en el epílogo, Juliana —su nombre debe relacionarse con el de Julio César—, la buena administradora, la que gobierna tiránica y dictatorialmente a la familia de la viuda Doña Paca, la que cuida de su bienestar material, pero que les ha hecho perder a todos la alegría, habiendo cometido todos ellos el pecado de ingratitud, Juliana va a visitar a Benigna, y se sentó en una piedra "frente a la casucha, junto a la artesa en que la pobre mujer lavaba", y allí confiesa su pecado. La mendiga, bondadosamente, la escucha y la consuela diciendo : "No llores..., y ahora vete a tu casa y no vuelvas a pecar."

Ser trabajador, ordenado, económico no basta, Galdós fustigó sin cansancio las cualidades contrarias, en su primera época y en su naturalismo. Mas el saber adquirir, el producir, el saber conservar no es ni bueno ni malo, todo depende del corazón, de la dirección que se dé a estas cualidades. Juliana hasta era capaz de socorrer razonablemente a un pobre ; así, cuando asigna una cantidad a Benigna, cree haber cumplido con su obligación. Sus remordimientos comienzan al empezar a recriminarle su conciencia por su falta de bondad ; entonces pierde su tranquilidad, la confianza en sí misma, teme que sus hijos van a morir ; pero Benigna sabe, puede y quiere reconfortarla.

El mundo fluctuante de la novela, que va de la realidad al misterio y de éste a una nueva realidad, la del Espíritu, se encuentra encuadrado entre esta purificación de la conciencia. Confesión laica, es claro, en que los pecados son perdonados por obra del amor, de la piedad, de la misericordia para con todos y cada uno de los hombres, sin distinción de raza, ni de clase, ni de credo.

El tiempo cronológico y el psicológico; el epílogo. Galdós comienza su novela con una descripción que parece querer situarnos en un cierto medio, pero en realidad su función, sin tener un contenido simbólico, consiste en orientarnos y hacernos penetrar en el mundo fluctuante de *Misericordia*. Del naturalismo estático al movimiento impresionista se pasa por esta constante mutación espiritualista. La novela naturalista tiene un desarrollo lento, de acuerdo con su descripción. Para mover todos los detalles y dar cuenta de las vidas de los personajes, el naturalista necesita detener frecuentemente la marcha de la narración. La novela impresionista se nos aparece con una continua vibración, un cabrilleo perpetuo, ya sea de la acción y de los personajes, ya sea de la vida interior. En *Misericordia* nos vemos trasladados sin cesar de la zona de la realidad a la de la imaginación o al contrario. Si la descripción del autor nos coloca en una habitación o en una calle o entre unas mujeres o unos hombres, captando la luz, los colores, los contornos en toda su expresiva objetividad, en seguida un personaje nos aleja de ese mundo real y nos transporta a un mundo soñado; si a menudo el diálogo de los personajes se refiere exclusivamente a la realidad, con frecuencia nos introduce en un puro mundo de fantasía.

Pero donde la vacilación entre los dos mundos se ofrece más intensamente es en el proceso temporal. La medida cronológica la utiliza el autor para hacer progresar la narración y darle una estructura temporalmente lógica. La novela comienza la mañana de un 24 de marzo (no se indica el año), hasta el capítulo XX han pasado sólo dos días; en el mismo capítulo empieza el tercer día, y en el capítulo XXIII pasamos al cuarto día. Se datan los días quinto y sexto en el cap. XXVII, y en el XXIX, el séptimo. Para los once últimos capítulos y el "final" se abandona la cronología. Galdós se sirve de frases como "una noche", "días antes", "a los quince días", "al mes, poco más o menos", con las cuales nos hace partícipes de la vida psíquica de Benigna, que, vencida brevemente por los obstáculos que la rodean, tiene un momento de desfallecimiento, para prepararse en seguida a dar la gran batalla que se gana sólo con amor. El apoyo cronológico deja de ser necesario cuando el alma de Benigna se expande en toda la fuerza de su piedad.

El epílogo de *Doña Perfecta* y *Marianela* servía para hacernos ver cómo los hombres, incapaces de observar, deforman la realidad, que el escritor ha presentado con toda su dramática exactitud; el epílogo de *Misericordia*, en cambio, ilumina la novela, concentrando toda la acción en su signicado esencial.

IV

SOBRE EL ABUELO

Hay dos redacciones de *El Abuelo,* una larga, 1897, y otra para la escena, 1904. La destrucción de los géneros literarios la logró con éxito completo el Romanticismo; después, todo el siglo XIX perdió incluso la actitud psíquica y sentimental de la literatura como género. Basta leer el prólogo de Galdós a la edición de 1897 para darse cuenta de cómo el autor lucha inútilmente por establecer una diferencia entre la novela y el drama. Galdós, al parecer, creía que bastaba con que los personajes dialogaran para encontrarse con una obra representable y si no se podía representar se debía al cambio de los tiempos que hacía que el público del XIX fuera incapaz de permanecer en el teatro tantas horas como el auditorio de Shakespeare.

Ahora nos interesa solamente ver en Galdós un testigo de la desaparición de todo género literario, en una época en que no ya los géneros se mezclaban y confundían en servicio de la creación artística, sino las artes todas se unían: música y pintura y escultura y drama y poesía.

CAMBIOS ENTRE LAS DOS RE-
DACCIONES DE "EL ABUELO"

De la redacción larga de *El Abuelo* a la escénica hay todos los cambios que había que esperar: reducción de personajes, supresión de escenas, cambio del orden de las mismas (J. III, 1, para el teatro Acto II, 1); abreviación del diálogo, algunos parlamentos los dice otro personaje y por diferentes motivos técnicos. En la redacción de 1897 se queda sólo el Conde al final de la jornada primera. De su imprecación se suprime en el teatro la parte del comienzo, en la que el Conde exponía sus dudas acerca del comportamiento del Cura y del Médico, porque viven en un "ambiente formado por las conveniencias, el egoísmo y la hipocresía", características de la sociedad europea a finales del s. XIX. La exploración y explicación novelísticas son sustituidas por una enérgica plasticidad dramática.

La disposición de la escena cambia (J. III, 4-Act. III, 1). La animosidad del Conde hacia el Cura y el Médico aparece antes y más marcadamente en la redacción larga que en la escénica.

Junto a esas alteraciones hay otras de índole particular, pues, aunque se deben al hecho de la representación, se hacen pensando en la situación de la obra en el nuevo medio, relación no ya con el lector sino con el público. Las bromas al Cura y al Médico, la manera de tratar a Venancio y Gregoria son mucho más contenidas y decorosas en la escena. La idea de decoro es esencial en estos cambios, pues quieren evitar la desvirtuación dramática. En el teatro, le dice el Conde a Lucrecia: "Fue Vd. una hija de paso" (Act. II, 8), en la redacción larga, Lucrecia contesta "(*esforzándose en sonreir para engañar su miedo*). Y a las hijas de paso... cañazo" (J. III, 5). Se disminuye la familiaridad; la actitud hacia los personajes es otra. En 1897, hay, al comienzo, una gran falta de simpatía por D. Pío; en 1904 el humorismo con que el Conde habla al Maestro está lleno de cordialidad y sentido humano.

Se eliminan las descripciones informativas de la redacción larga y gracias a una lenta decantación se trasvasa la verdad, la cual se ofrece en 1904 en todo su depurado acendramiento.

LOS NOMBRES SIGNIFICATIVOS, EL
"VIA CRUCIS", OTROS SIMBOLISMOS

Entre los personajes suprimidos se encuentra el Prior del monasterio de Zaratán, Baldomero Maroto: "su nombre —se explica en 1897, J. III, 10— y apellido no carecen de simbolismo, porque el hombre es el puro espíritu de la conciliación". Alusión al General carlista. Zaratán de 1897 se convierte en Zaratay. No quería Galdós que en el

teatro se reprodujeran los mismos hechos que en el estreno de *Electra*.
El monasterio, el cáncer que roe el pecho de España económicamente
y sobre todo moral, espiritual e intelectualmente, podía dar a la obra
otro cariz. Galdós no cree invalidada su manera de ver y sentir la
Historia de España, es más, al final de su carrera tiene una decisión
y acometividad mayores que al escribir *Doña Perfecta*. Pero quería
purificar su mensaje espiritual en *El Abuelo* representable y alejarlo de
todo contacto histórico-político, tema demasiado prominente en la
edición dedicada a la lectura.

Los nombres de la obra son significativos. El alcalde Monedero
es el hombre que sabe ganar y conservar el dinero, no un falsificador,
como alguien ha entendido. D. Pío Coronado, con ese nombre tan
representativo del 98, debe su apellido a la desgracia matrimonial
que le ha perseguido toda su vida. Lucrecia será la naturaleza (Lu-
crecio). Nell y Dolly apuntan a la extranjería de la madre. El nombre
de "el Abuelo", D. Rodrigo Arista-Potestad abre una lejana perspectiva histórica y alude a su autoridad e imperio, que residen ya sólo
en el nombre. Pero más que los de los personajes son alusiones los de
los lugares. Zaratán queda explicado. Jerusa parece un apócope de
Jerusalén y la entrada de Lucrecia en la ciudad es lo opuesto de la
entrada de Jesús, aunque el recibimiento sea el mismo. El camino
ancho y el estrecho, en 1897 son "calle de Potestad", que el Alcalde
quiere rotular del "Siglo XIX", y "callejón del Cristo". El Abuelo va
al "Calvario"; la reunión de D. Pío Coronado —bondad sin dirección—, Dolly —la ilegitimidad— y el Abuelo tiene lugar en las "Tres
cruces". Del suicidio se ha estado hablando con cruel humorismo. En
las obras anteriores el protagonista se suicidaba o moría de una muer-
te-suicidio. Pero el desenlace de *El Abuelo*, desenlace feliz, se logra
dirigiéndose a Rocamor y ya antes habían huido "hacia Occidente".

Esa huida tan característica del Romanticismo —cuando quizá comienza— que hace que el protagonista deambule en la noche oscura
de sus pasiones, atormentado y angustiado por sus pensamientos ya la
utilizó Galdós desde *El Audaz*, llamándola *Vía crucis*. Es fácil interpretar la función de la tempestad, además el mismo Galdós le explica: "la duda" (Act. III, 2 y 3).

"MOTIVOS" EN LA OBRA GALDOSIANA

La casi ceguera del Conde, tan opuesta a la de Pablo (*Marianela*), el que recobra la vista, está en la misma línea que la de Rafael (serie de *Torquemada*), Almudena (*Misericordia*), cada una de estas cegueras sirve para presentar un aspecto de la relación del hombre con la realidad del espíritu. Junto a la trabazón de este motivo en la Obra galdosiana, tenemos en *El Abuelo* aquellos temas que está superando en sus últimos años creadores: la "buena administración", la ambición realizada por medio del trabajo honesto o deshonesto, la ciencia; la aristocracia caída, España y América, el elevarse de la plebe. No es que ahora rechace la buena administración, el trabajo incesante y honesto, la ciencia, sino que los presenta en su compleja relación con el Espíritu y la Libertad, además los subordina a esos valores más altos. Los nuevos temas de sus últimas etapas creadoras, "ser otro" (*La de San Quintín*), "el desacuerdo entre la ley y la naturaleza" (*Fortunata y Jacinta*) son esenciales en *El Abuelo*.

TIPOS Y PREFIGURACION DE PERSONAJES

Los tipos comunes a la novelística y al teatro del s. XIX —la finústica, la curiosa de los chismes, el inoportuno— que se encuentran en la redacción larga, desaparecen en la escénica. En cambio con los seres propiamente galdosianos se consigue nuevas vistas, un problematismo diferente, un sentido humano diverso y quizás mayor. El molde de D. Pío Coronado está en D. Eduardo Oliván (*Mendizábal*), en Maxi (*Fortunata y Jacinta*) y D. Tomé (*Angel Guerra*). Las niñas Nicolasa y Pepita (16 y 14 años respectivamente, *Estafeta Romántica*) recuerdan por la vida que hacen a las nietas de *El Abuelo*. El padre de Dolly es el hombre naturalista —cuando comienza la acción ya ha muerto.

SHAKESPEARE, IBSEN, CERVANTES Y DON QUIJOTE

La crítica ha asociado insistentemente *El Abuelo* con *King Lear*, filiación que yo no puedo ver ni sentir. Berkowitz en la *Introduction* a su edición de *El Abuelo* (D. Appleton-Century Company. N. Y.,

London, 1929) indica como el punto de partida de esa actitud de la crítica hay que buscarlo en una noticia periodística (p. XXXIV). En el misterioso secreto de la creación me parece muy difícil discernir si Galdós infundió su aliento en *King Lear* leyendo la tragedia y vitalizándola a lo s. XIX o si al leer a Shakespeare concibió su mente el mundo de *El Abuelo*. Lo cierto es que incluso las dimensiones colosales y enigmáticas, que en la redacción de 1897 se apoyan en Miguel Angel como referencia (J. III, 9), son inherentes al mundo del novelista. Manuel Bueno dice, "si fuese lícito asignar puesto a las obras de arte, yo la pondría (a *El Abuelo*) entre *El rey Lear* y *Brand*, esto es, entre lo más intenso de Shakespeare y lo más hondo de Ibsen" (citado por Berkowitz). Manuel Bueno pensó en Ibsen con razón, no porque haya ninguna influencia del dramaturgo noruego en el español, sino porque ambos crean la época en que viven y son creados por ella. Si no el cervantismo, el quijotismo a lo s. XIX es el fondo que Galdós ha querido para "el abuelo". En 1897 al cura se le llama constantemente pastor Curiambro, se dice "leoncitos a mí" y el Conde "vientecitos a mí". El Cura trata de encerrar al Conde-Quijote para bien de éste. Pero a lo que me refiero es a la escena entre el Conde y D. Pío (J. IV, 12. Act. IV, 11). El diálogo tiene en la redacción larga un dinamismo trágico que da al humorismo su tono y color, en el teatro queda confiado este fondo a los dos actores: voz, gesto, actitud, movimiento facial. El Conde dice a D. Pío: "Yo estoy en el mundo para combatir y anular las usurpaciones de estado civil..." El tema de *El Abuelo* nada tiene que ver con Don Quijote; la lucha del Conde, sin embargo, la ve Galdós como algo quijotesco. Quizás el mismo novelista contemplaba su propia vida de incesante combate con los males de la Historia y los vicios de la sociedad y del hombre como una forma de quijotismo. Sin hacer diferencia entre cervantismo —vida puesta al servicio del ideal, de la justicia, del bien, de la hermosura— y del quijotismo, forma grotescamente conmovedora de este servicio: vivir el presente con los ojos y el corazón puestos en el pasado.

EL TEMA DE "EL ABUELO"

1) *Historia-Mitología*

En todo autor del s. XIX nos encontramos con la Historia, unas veces como tema esencial, otras como acompañamiento: complementando el tema principal, haciéndole resaltar, sirviéndole de fondo y como de caja de resonancia, situándolo. Para el autor de *La Fontana de Oro* es su tema. La Historia en la creación artística del s. XIX sustituye a la Mitología de las centurias precedentes. Gracias a ella el escritor puede dar sentido a la realidad humana, cauce al destino de la humanidad. La Historia hace de Mercurio y de Fortuna, de Minerva y de Júpiter, de Parcas y Euménides, de Marte y hasta de Venus. Cuando el siglo finaliza se vuelve a la Mitología, una Mitología nueva. El hecho singular y siempre local sólo adquiere sentido si se le vuelve a la corriente infinita del tiempo, si se le transmuta en universal. D. Pío: "no me confundáis la Historia con la Mitología" y Nell responde: "Si mentira es una, mentira es otra" (Act. II, 1). Mentira, esto es, poesía, el conocimiento intuitivo, lo que no puede observarse y probarse con documentos.

2) *Los tres tiempos*

Galdós irá a dar a esa zona de la fantasía creadora de valores sólo al final de su Obra, pero en los períodos de la Libertad y del Espiritualismo está forcejeando para romper las cadenas de la Historia. En *El Abuelo* nos presenta la emoción y el sentimiento de tres tiempos diferentes: el de la Naturaleza, el de la Historia y el del Hombre: naturaleza e historia juntamente. Se habla de la "Arboleda frondosa en la finca señorial"; de la casa, "de antiquísima, venerable y noble arquitectura"; de los "corpulentos árboles de robustos troncos". Si la arquitectura nos da el tiempo en toda la nobleza de su presencia antiquísima, la arboleda nos ofrece la duración, la perduración: "Ya estoy otra vez entre vosotros, árboles soberanos que disteis sombra a los juegos de mi infancia. Sois más viejos que yo, mucho más. Pero el tiempo no amengua vuestra grandeza y hermosura. Las generaciones que han crecido a vuestra sombra se gastan, se concluyen, y vosotros

inmóviles, viéndonos pasar, viéndonos caer, viéndonos morir..." (Act.
I, 6). No puede haber sentimiento de eternidad, pero al tiempo se le
salva de su fugacidad, se aleja infinitamente su calidad perecedera:
"La eternidad que cosa es más que el continuo barajar de las generaciones" (J. V. Esc. final). El Conde de Albrit "es un hermoso y *noble*
anciano, de luenga barba blanca y *corpulenta* figura, ligeramente en-
corvado". Las primeras citas son de la acotación con que comienza el
Act. I; la que describe al Conde es de la Esc. 5, el momento de su
entrada, una gran entrada dramática. Al aparecer por la alameda el
Conde se detiene y contempla inmóvil a Nell y Dolly, éstas quedan
como sobrecogidas y atemorizadas. Es un momento sagrado: la vida
en su capullo como remansada y detenida por la presencia sobrecoje-
dora del tiempo humano. En labios del Conde: "todo cuanto aquí
vive se queda en suspenso... no sé como decirlo... se para y mira...
para ver pasar al desdichado Conde de Albrit" (I, 5). En el ritmo
de la acción dramática ese compás relativamente breve de silencio y
suspensión encierra el dinamismo de toda la obra. El ritmo de la acción en 1904 va desarrollando y exteriorizando el dramatismo por medio de los finales de acto. El clímax está en el III y luego (IV y V)
se va descendiendo, apaciguando, hasta llegar al desenlace feliz, felicidad que consiste en haberse posesionado de una verdad con la cual
se da sentido a la vida y discordia humanas.

3) *El apuntar de la vida y la vejez*

Galdós nos ha dejado esta pintura impresionista: Jerusa es "un
montón de tejados rojos y de ventanales blancos... más allá manchas
de verde lozano". (J. I, 5) Nell y Dolly pudieron ser creadas sólo en
el Impresionismo. Encarnan la vida, son ahora vida solamente. Apenas empezada la obra con esa escena entre Gregoria y Venancio, tan
pesada en su materialidad, hacen una fugaz aparición las dos niñas
sin ser vistas por los campesinos. Estos hablaban de la llegada de todos
los personajes, reduciéndola a espesa materia social y mientras tanto
tocan las hortalizas, las contemplan, las manosean, recreándose en
ellas como producto de su trabajo y sudor, no como hermosura de la
Tierra, cuando a ellos viene a unirse Senén, que es un labriego que
trabaja las tierras de las oficinas y de los empleos, cuyos frutos se re-

cojen en el Presupuesto. Antes de hacer su entrada este hombre bajo
y servil, antiguo criado, cruzan el escenario, sin ser vistas ni oídas,
Nell y Dolly. Se cambian entre las dos unas cuantas frases breves.
Dolly: "Vámonos al vivero", Nell: "Sí, lejos, lejos... *(Huyen por
la izquierda)*." Su presencia, hecha de movilidad, de deseo y ansia
de vida, de un ir lejos, que es pura energía más que ciego e instintivo
huir del mundo de los Venancios y Senenes, nos da la sensación de
esas tiernas hierbecillas, que con su fuerza vital se abren paso a través
de la dura costra del terreno hacia el aire y el sol.

Ante esas niñas, esas mujercitas que son vida pura, no contami-
nadas aún por los valores morales, se presenta inesperadamente la figura corpulenta y noble de un anciano. Es una cumbre de tiempo, so-
cavada y roída por el laboreo incesante del bien y del mal. Lo dual
y lo uno frente a frente. Es un choque fatal ni buscado ni rehuido,
sin adherencias de ninguna clase. De ahí la ternura de ese encuentro
sobrecogedor y en seguida la conciencia del hombre poniendo en la
naturaleza, quizás anodina, el acento de su vivir, de su ocaso: "¡Oh,
infinita tristeza, llanto amarguísimo de las cosas!" (I. 5).

Es claro que el Abuelo en Galdós tiene que representar, y representa la decadencia de la aristocracia como clase social y como clase
de gobierno; como España, y si su encierro en el monasterio alude
a Carlos V, su ida a América es concebida de una manera muy "re-
generadora" como un error, como uno de los grandes errores de la
España moderna. Este es un signo galdosiano y a él se oponen el
Cura, el Médico, el Alcalde, Gregoria. Todos ellos se han alimentado
de su sangre, pero mientras el Conde caía por sus prodigalidades, por
su falta de administración, por su imposibilidad de dedicarse al trabajo
manual e industrial y científico, esos otros hombres medraban y se
elevaban, incluso el ambicioncillo trepador, el servil Senén. Mas precisamente, a estos signos, a este vocabulario por él creado le está dando un nuevo significado, lo maneja en una acepción diferente. Ni el
rechazar el encierro en el Monasterio, cuando habla el Abuelo de que
quieren privarle del pensamiento y de la libertad, hemos de hacerlo
sonar históricamente. Ya lo he dicho, Galdós ni reniega ni rectifica.
Zaratán es zaratán. Pero si puede llegar a encontrar la solución política —muerte de Fernando VII, sobre todo Muerte de Doña Perfec-

ta— se debe a que ha encontrado el desenlace metafísico de su conflicto. El tema de *El Abuelo* no es histórico, sino metafísico.

Del Cura a Senén tenemos toda la línea de topos que va incansable abriéndose camino sin necesidad de contemplar el sol. El anciano y las niñas son los dos extremos de la vida, *representan también un laborar continuo para pasar del instinto a la conciencia*. El conflicto surge porque en ese paso se lucha con la Naturaleza, engendradora ciega del bien y del mal: El Abuelo enfrente a Lucrecia, "Tú y yo solos, frente a frente".

LA PRESENCIA DEL BIEN Y DEL MAL

Lucrecia es "un monstruo de liviandad, una infame falsaria", según el Conde casi ciego. Su pérdida de la vista le permite sólo ver las cosas grandes, el cielo, el mar. Lucrecia es "grande como el mar" (II, 9), como el medio originario engendrador de la vida. Si todos los hijos de Lucrecia hubieran sido ilegítimos, si ella llevara consigo el deshonor por todas partes, no habría conflicto para el Conde. Pero ella ha dado vida también a los hijos legítimos.

Lucrecia es un mal conocido que todos desprecian, pero que todos adoran y respetan, desde el Prior y el Cura hasta Senén. Lucrecia ha sustituido al Conde. Este llega a Jerusa vencido, ella viene triunfadora. Todos están a su servicio, rendidos. Sólo la vemos mortificada por dos presencias, la del Conde y la de Senén. El criado la angustia y con su ambición mezquina la sofoca y rebaja, el Abuelo es el otro extremo. El uno sabe la verdad, utilizándola vilmente, el otro la busca. Su tragedia "espiritualista" consiste en que Lucrecia junto a la ilegítima tiene una hija legítima. El mal engendra el bien, lo contrario, pues, también es posible. Galdós y su época se plantean de nuevo el problema del mal en el mundo en varios de sus aspectos, el de la coexistencia con el bien y sobre todo el de la capacidad de engendrar su contrario. Las leyes de la herencia y del medio no pueden explicarlo todo, quizás no rigen en lo esencial. Lo que importa además no es hallar una explicación, sino captar una realidad que, por ahora, acaso no podamos explicar, que acaso guarde siempre su secreto, pero que no por eso deja de ser menos real. Realidad innegable y que se impone. El Conde va en busca de una verdad y acaba encontrándola,

aunque ni Lucrecia se la confiesa, ni el análisis del temperamento y
de los caracteres de las nietas le ayuda a descubrirla. Se lamenta de su
ceguera, no puede observar a las muchachas. La falta de la vista no le
ayuda, pero no impide que al fin sepa quién es la legítima y cuál la
ilegítima. Con ojos ciegos e inútiles descubre la verdad que no buscaba, la verdad, empero, que Galdós está buscando desde *Gloria:* lo
único que une a los hombres es el amor y éste nada tiene que hacer
con legitimidades. Al final de su Obra siente el Amor con todo su
misterio, también con toda la fuerza de su existencia, el amor es una
realidad, el amor es el bien. En 1897, lo que se señala es la perturba-
dora relación de los contrarios: "El mal... es el bien", en 1904, puede
afirmar "amor... la verdad eterna".

SALVARSE Y ELEGIR

Lucrecia como naturaleza ciega a los valores morales entra en la
obra, en 1904 y en 1897, para enfrentarse con el Conde y sufrir el
martirio de la conciencia. Jerusa que la ha recibido con vítores será
también el lugar de su pasión. En la edición de 1897, se dispone la
entrevista inmeditamente, pues Lucrecia quiere partir el próximo día.
Con un gran acierto, en el teatro, desearía posponerla para mañana,
la llegada del Conde a la Pardina lo impide, resignándose Lucrecia:
"No hay remedio, no hay salvación" (II, 7). Salvación aquí significa
evitar, escapar, "no hay manera de evitarlo", "no hay medio de escapar". En la escena siguiente, la de la entrevista, el Conde apremia:
"La verdad, Lucrecia, la verdad es la que salva." En 1897 (J. II, 5),
también indica el Conde con la misma frase el camino de la redención. A pesar del diálogo, la acción de Lucrecia durante toda la obra
es una lucha interior. En 1897, el análisis muestra los múltiples aspectos de ese conflicto, su torturadora complejidad. En 1904 (V, 6),
la imposibilidad de exteriorizarse, de revelar la intimidad; no es que
no se quiera, es que no se puede. La palabra es un recipiente muy
frágil para que el hombre deposite en ella lo más secreto de su ser.
La conciencia sólo puede entrar en comunicación con Dios, quizás por
medio del angustioso silencio. Es el silencio de la perfección imposible
de Mallarmé, el silencio desesperadamente moral del fin de Siglo; el
último límite al que llega el hombre: dar en lo inefable o en la
mudez.

Quizás por comunicarse rápidamente, acaso por temor de no ser entendido si hablaba de otra manera, el caso es que Galdós alude a la confesión, Lucrecia se ha confesado con el Prior y le ha autorizado para comunicar al Conde la verdad. Pero en 1897, muestra bien que esa confesión no es la religiosa en el sentido corriente. "Viene V. a remover en mi corazón heces muy amargas, a trastornar de nuevo mi espíritu, queriendo penetrar los misterios más profundos del alma y de la Naturaleza... Eso señor mío, eso que aun de nosotros mismos quisiéramos recatar, porque el pensarlo sólo nos avergüenza; eso a que no doy nombre, porque si lo tiene yo lo ignoro... *(con solemnidad),* ya lo he dicho a Dios, único a quien debo decirlo... Y crea V. que para expresarlo, he tenido que violentar mi voluntad de un modo espantoso. Todo el que no sea Dios es un extraño, es un profano, sin derecho ninguno a recibir declaración tan grave" (J. V. 8). En 1904, el parlamento se reduce a esta frase: "La sinceridad está en mi espíritu; pero aún no tiene fuerza para pasar del espíritu al lenguaje." Palabras que pueden hacernos recordar el Evangelio y acaso no está mal que lo recordemos si nos ayudan a captar toda la diferencia entre el Nuevo Testamento y el Nuevo Mensaje.

Se alude a la confesión, al arrepentimiento; incluso intentan explicar éste por el fracaso de sus pretensiones, por los disgustos amorosos que ha tenido Lucrecia en Verola, al ir a ver a su amante. Es todo un arrastre naturalista. La acción decantada muestra que el proceso vital de Lucrecia es un desprenderse de lo bajo y vil (Senén) por un acto de voluntad que le permite elevarse hasta la conciencia de sí misma (el Conde). El paso de la materia inerte a la conciencia de su propio ser es un proceso doloroso, porque la Naturaleza encierra en su seno el bien y el mal, con palabras de Lucrecia "el deber y el error". Tener conciencia de sí misma quiere decir saber la diferencia entre el bien y el mal, saber que todo acto humano, que toda intención llevan el acento del bien o del mal, más aún, quizás ambos.

Con Lucrecia se ha presentado un proceso, Nell y Dolly nos hacen ver que la legitimidad, el bien no son un estado, no son algo inerte, sino un hecho espiritual y como tal un acto, una decisión del ser. El Abuelo quería descubrir y descubre quién era la ilegítima, su verdadero hallazgo consiste en ver que frente a la Autoridad (de la ley —sociedad— de la materia —herencia biológica—) está la libertad.

El Espíritu es libre, es creador, por eso es responsable. Vivir es una constante elección. Nell elige, Dolly elige y cuando suena la voz de Dolly llamando al Abuelo no es la voz de la sangre, es la voz del espíritu. Nell ha elegido la sociedad, desde ella está dispuesta a proteger y a amparar a su Abuelo. Dolly ha elegido entregarse al Conde desamparado, le hace su abuelo y se hace su nieta. No es el pasado el que rige al Presente, es el presente el que hace la Historia, el que le da sentido. La Arqueología es objetiva, la Historia es subjetiva; la primera es lo hecho, la segunda lo que está haciéndose. D. Pío confundía ya los hechos históricos (II, 1). Nell le dice a su abuelo que les enseñará la Historia; éste contesta: "No, esa vosotros me la enseñaréis a mí" (II, 9). Se pasa de la confusión (comienzo del acto) a la enseñanza viva (final del acto). En 1897, D. Pío confiesa recordar únicamente la Mitología.

VOLUNTAD Y CORAZON

El lector adivina inmediatamente que hay una estrecha relación entre D. Pío y el Conde, relación que parece difícil de explicar y captar, sobre todo en el teatro, pues la redacción larga la hace muy explícita. D. Pío está rodedo de hijas adulterinas, lo sabe, las ha mantenido y amado. Ellas le han pagado con ingratitud, llegando hasta a maltratarle. Ni supo hacerse respetar de su mujer ni de sus hijas. De él es la frase "que malo es ser bueno". En 1897, los sucesivos encuentros entre el Conde y D. Pío van desde el mal disimulado desprecio al humorismo profundo. Con el humorismo se ilumina lo absurdo de la vida y del hombre, se ilumina la unión necesaria de las dos figuras, que de una manera esperpéntica van superando la tristeza del hombre, su ridiculez, su desconocimiento de los puros valores morales.

D. Pío arrastrado por el viento parece un fantoche, pero en más fantoche que el viento le convierte su falta de carácter y de ánimo. También el Conde tiene una figura grotesca. Se opone a todos y a todo sin fuerzas y sin medios para lograr lo que se propone; y al rechazar el amor de Dolly por ser ilegítima, aun concediéndole una cierta razón, se siente como sus rasgos se desfiguran, yendo a dar a lo ridículo. A cada uno de ellos le falta lo que al otro le sobra.

Los personajes galdosianos inmediatamente anteriores a esta etapa se suicidaban, ahora se supera la muerte que va a dar en el vacío. Es el

momento en que el humorismo llega a su punto más alto. El Conde
será *la voluntad* que le falta a D. Pío. El piensa ayudarle a suicidarse,
dándole un suave empujoncito. D. Pío quiere dejarlo para la noche siguiente y cuando esa noche llega le parece el agua muy fría, luego
tiene hambre. Pero ya no hay más excusas para aceptar el momento
final y después de él irá el Conde que no necesita que nadie le em-
puje. D. Pío es *el corazón* que le falta al Conde. El Maestro, sí, él
puede morir, pero no permitirá que el Abuelo muera. Legítima o ilegítima, él cuenta con el amor de Dolly —el amor, la única verdad, la
eterna.

El mundo de Galdós había sido un mundo antihegeliano en el que
no existían más que la Tesis y la Antítesis, pero en Hegel encuentra
ahora la solución. "Pío, te nombro mi amigo, te hago la síntesis de la
amistad" (J. V, Esc. última). Tesis, Antítesis y Síntesis. Lograda la
armonía de los complementarios opuestos, el suicidio queda invali-
dado. "¡Matarme yo, que tengo a Dolly! ¡Matarte a ti..., que me
tienes a mí! Ven y esperaremos a morirnos de viejos." Dolly ilegítima, sí, pero portadora de vida —la vida del amor. Ella es el primer
eslabón de esa cadena vital que no se rompe. Al tiempo de la Naturaleza y al de la Historia se une el tiempo humano formado por la
síntesis de la voluntad y el corazón.

Quizás hayamos conseguido explicar la obra, pero aún más importante me parece darse cuenta de que el tema no pudo encontrarlo
Galdós hasta ese momento del desarrollo de su creación que coincide
misteriosa y naturalmente con la época —fin de siglo. Y sólo entonces
puede dar en el desenlace : esa encarnación de la fuerza vital, del impulso vital —Dolly—, expresión del Espíritu, el cual es sentimiento
y generación, creación.

V

GALDOS Y LA EDAD MEDIA

Un tema, al parecer tan ajeno al novelista, como el de la melancó-
lica y triste historia de Marianela se llena de sentido y se ve su necesidad dentro de la obra del escritor, si se lee a la luz de las ideas de
Comte. Todavía en *Realidad,* es decir once años más tarde (1878-
1889), se insiste en ese esquema del desarrollo de la civilización humana. "El paso del período soñador al período práctico, del noviazgo
al matrimonio; la gran crisis del amor; el tránsito de la época legen-
daria a la época clásica", (Madrid, 1916, p. 147). Aunque aquí estas
ideas tengan un valor más bien metafórico, no deja de ser significativa su reaparición.

No pretendo hacer pasar a Galdós por un comtiano. ¿Haría una
lectura seria de Comte? ¿Recogería esa filosofía de un artículo, de
una conferencia, de una conversación? ¿Leería a Comte críticamente,
aceptando lo que le pareciera convincente y rechazando aquello con
lo que no estuviera de acuerdo? No podemos decidir. Lo cierto es
que, o por no conocerlas o por no quedar persuadido, las ideas del
filósofo positivista no ejercieron la menor influencia en su concepción
de la Edad Media. Léanse, sin embargo, las palabras puestas en boca
del Médico en *El Abuelo* de 1897 (J. III, 10), las cuales muestran que
a Galdós le eran familiares esas ideas que relacionaban la Edad Media
con los intentos de vida comunista en el s. XIX: "Por la vida en
común, por la igualdad en el disfrute de los dones de la tierra y la
división del trabajo, vemos, en el Instituto religioso de Zaratán como
un esquema de las futuras organizaciones sociológicas..." Es sabido
que Comte encontraba en el catolicismo y por lo tanto en la Edad

Media uno de los momentos históricos de mayor grandiosidad social.
El pensamiento de Comte debe enlazarse con el de alguna escuela
de historiadores de la Economía que consideraba el medioevo como
modelo de organización económica. Galdós lejos de coincidir con
Comte, se diría que forma parte de la opinión vulgar y general de
su época respecto a la Edad Media.

UNOS EJEMPLOS

Escribe en sus *Memorias* (Ed. A. Ghiraldo, Madrid, p. 154): "Reyes Nuevos en una capilla de grandes dimensiones, donde están se-
pultados los soberanos de Castilla de la rama de Trastámara. En la
cabecera verás a don Enrique II, que arrebató la corona y la vida a su
hermano don Pedro; sigue luego don Juan I, de grata memoria, y
después don Enrique III el Doliente, con su esposa doña Catalina
Lancáster. Este desdichado Rey tuvo que empeñar una noche su gabán
para poder cenar." La capilla de Reyes Nuevos, la Casa de Trastámara, tan novelesca y lírica, y desde un punto de vista político, tan
llena de savia y espíritu renovador, no han dado lugar nada más que
a esta enumeración anodina y ramplona, y, sin embargo, muy significativa. Podría creerse que al tratar de los sentimientos o del pensamiento político-religioso medieval, Galdós se mostraría más profundo.
Dice en *Toledo* (Ed. A. Ghiraldo, p. 101): "El primer acto de intolerancia religiosa, que tanto nos echan en cara los extranjeros, y a veces
con razón, fue cometido por dos franceses, por una reina devota y un
fraile terco." Se refiere al quebrantamiento por parte de doña Cons-
tanza y el arzobispo don Bernardo, monje cluniacense, de las capitu-
laciones de la ciudad al entregarse a Alfonso VI.

Tampoco, ahora, logra el novelista elevarse a un alto nivel, y aun
peor que la repetición de ese lugar común es el tono con que se pro-
fiere. Sin embargo, es tan significativo como la nota turística y de
Manual de Instituto de la visita a Reyes Nuevos. Subrayemos, no obstante, la salvedad "y a veces con razón". Tanto la disquisición sobre
la intolerancia como la enumeración de reyes son significativas, porque nos dirigen a las dos ideas principales de Galdós respecto a la
Edad Media.

LA NACIONALIDAD Y LA ANARQUIA

De un lado, la Edad Media es la época en que se fragua la nacionalidad española moderna. Ve surgir a España como un conjunto, como una familia, esto es, como una institución, al mismo tiempo natural y querida. Asturias es el núcleo alrededor del cual se ha cimentado España, primero conquistando León, después adhiriéndose Castilla, luego Aragón, por último Valencia. En *Narváez*, episodio de la cuarta serie, da forma a esa idea.

En la serie tercera (*La campaña del Maestrazgo* y *Los Ayacuchos*) expresa su visión de la Edad Media como época anárquica. La frase vulgar de Galdós al hablar de la Casa de Trastámara se debe a su sentimiento negativo de los siglos medievales, y ese sentimiento negativo es consecuencia de la obsesión, compartida, del escritor por un Estado fuerte. El novelista se imagina la Edad Media cual un anárquico siglo XIX enormemente dilatado. Como en el siglo XIX se lucha por salvar y crear la nacionalidad, así ocurría en la Edad Media; la falta de un Estado fuerte en su época y su consecuencia de guerrilleros, partidas y bandoleros, le parece la imagen viva de la realidad histórica del medioevo. Galdós fue al pasado para explicar el presente, pero el presente le dio una forma al pasado. De aquí que sintetizara en esas dos ideas su concepto de la Edad Media y que las tratara en los *Episodios nacionales*; de aquí también que al dejarse arrastrar por el lugar común, le pusiera una salvedad.

Además, si el Realismo-idealista —recuérdese Bécquer— siente la historia como evocación, el Naturalismo la necesita o bien para que ejerza la función que antes del Romanticismo se confiaba a la Mitología o para dar realidad a un cierto "medio" espiritual. Al escribir *Angel Guerra*, Galdós había ya traspasado su etapa naturalista, sin embargo para él Toledo es todavía un medio, el más propicio para una experiencia "mística" en el siglo XIX, el más propicio y el más adecuado. Entre las descripciones toledanas y las descripciones de Madrid en *Angel Guerra,* a pesar de las alabanzas que han merecido las primeras, yo prefiero las últimas.

EL MUNDO LITERARIO: "LA CELESTINA"

Galdós no sólo estuvo en contacto con la Edad Media desde un punto de vista político, filosófico y artístico. El mundo literario dejó en él una huella. En *Toledo* (p. 45) cita a Alfonso el Sabio y al Marqués de Villena, calificándolos, lo que no nos sorprende, de "excéntricos". Es curioso que la ciudad del Tajo le haga pensar insistentemente en Celestina: "La imagen que creo encontrar en Toledo al volver de cada esquina y al recorrer las estrechas y medrosas calles de sus barrios más solitarios, es la de la Madre Celestina, incomparable bruja y embaucadora *in utroque,* tan docta en la criminal alquimia de los embustes licenciosos, como conocedora de la sociedad de su tiempo, y de las pasiones de todas las edades. No hallamos en la *Celestina* ningún dato fijo para suponer que su acción pasa en Toledo: por el contrario, la circunstancia de que desde los miradores de Melibea "se gozaba de la vista" de los navíos, indica que la escena pasa en algún puerto de mar o ciudad atravesada por un caudaloso río. Pero esto no importa. *Aunque los autores* (subrayo yo) de aquella curiosa obra no señalaron materialmente el sitio de la acción, se conoce bien que el teatro anónimo de tan singulares aventuras es Toledo, centro entonces de la sociedad española. Por lo demás, ¿no están sus calles marcadas aun con el rastro de aquella repugnante bruja? ¿los barrios de Andaque y San Lucas, no conservan aún los infames garitos de Elicia y Areusa? Y bien claro muestran las casas toledanas, con sus altas tapias, su escasez de ventanas, sus recatadas celosías, su severo aspecto, que Melibea vivía en alguna de ellas, verdaderas cárceles de honestidad que construyeron los padres del siglo xv como fortalezas del honor doméstico". La cita es larga, pero es interesante ver el reflejo de las ideas del medio universitario en un hombre culto. Aunque sea salirnos de la época objeto de nuestro estudio, no quiero dejar de indicar que al hablar de la Alcana toledana recuerda el manuscrito arábigo del *Quijote,* el medio real que le costó a Cervantes, al morisco que lo tradujo, y las pasas y el trigo que sirvieron para pagar la traducción.

INCORPORACION DE LA EDAD MEDIA

a) *"Cantar de Mío Cid"*

Al pasar a su obra creadora, no descubrimos una actitud original hacia la Edad Media, pero vemos los valores que encontraba. Creo que en *Gloria* (Madrid, 1905, Vol. II, cap. IX, p. 91) aparece una reminiscencia del *Mío Cid.* A Daniel Morton en su tercera venida a Ficóbriga todo el mundo le niega hospedaje y nadie quiere hablarle. "Después de haber recorrido todas las calles, encontró en sitio solitario a una niña que venía cantando. Dirigiéndose a ella le pregunta por una posada que no fuese la de M. Mirabeau. La niña, más ignorante o más humana, le señaló la calle inmediata y una puerta donde la seca rama marcaba la existencia de una taberna. Morton gratificó a su salvadora, y acercándose vio las azules letras de un tarjetoncillo que decía: Posada." Me parece probable que el novelista al imaginar esta escena recordara la entrada del Cid en Burgos. Hay una situación, aunque por diferentes motivos, semejante. Del poema le atrae la nota humana y la novelesca intervención de la niña.

b) *El Apóstol Santiago*

Junto al recuerdo de una situación en la cual se presenta a la sociedad completamente dominada y atemorizada, como ocurre siempre en esos momentos de la historia en que un grupo se impone tiránicamente ya sea por un medio ya por otro, vemos la aplicación de las ideas de su época acerca de lo sobrenatural. En *Aita Tettauen,* siguiendo su antiguo procedimiento del agigantamiento de los personajes, nos dice (Madrid, 1917, p. 146): "No era la figura (de Prim a caballo) del tamaño común de los hombres y de los corceles, sino veinte veces mayor..." Este agigantamiento se explica "como un efecto subjetivo en la retina y en el alma de los combatientes embriagados por la lucha, y esta idea le llevó prontamente a *ver claro* que la aparición del Apóstol Santiago en Clavijo fue un caso semejante. Sin duda, en el ejército del Rey de León hubo un Prim, que en un momento propicio a las alucinaciones, produjo en todos, moros y cristianos, la ilusión perfecta de lo sobrenatural, terror para unos, enardecimiento para los otros... El furor del combate ciega y enloquece a los hombres... Los hombres que creen firmemente en los milagros, los hacen..." Le parece más "científico" aceptar el hecho como un caso de alucinación, lo cual le permite apoyarse en el funcionamiento de la imaginación colectiva, que rechazarlo como una de tantas falsificaciones históricas.

c)   *El Arcipreste de Hita*

La serie de Episodios nacionales que ha tenido más lectores ha sido la primera. Por lo menos, ésa es la más conocida, la que más se cita y la que merece más alabanzas. Desde el punto de vista del asunto es indudablemente la que cuenta uno más grandioso y siempre halagador para los españoles. La Guerra de la Independencia no es solamente una gran hazaña, sino que por primera vez desde hacía mucho tiempo España en su lucha contra Napoleón se presenta ante el mundo con una voluntad, con una decisión, con una personalidad de la cual se la creía desposeída, y, al mostrar cómo estaba viva, servía de incitación y ejemplo a naciones más activas, que se creían, y que en muchos aspectos lo eran, superiores a ella.

Se comprende, pues, que la primera serie haya contado con el favor del público; más extraño parece que arrastrados por el asunto hayan creído que estaban leyendo una narración épica; por último, es difícil de comprender que no vieran la superioridad novelística de las otras series, especialmente de las dos últimas.

Carlos VI en la Rápita, cuarta serie, es uno de los Episodios en que Galdós está más afortunado. Es ahí donde el novelista crea a Donata, epiléptica con una inclinación amorosa socialmente especializada. Galdós ha creado situaciones, figuras, grupos de personajes cómicos como los de *La desheredada* o de *Angel Guerra;* su ironía que a veces llega a la burla es la de un moralista. Compárese: "Y para volver por los fueros de la realidad, Pepe Rey solía emplear a veces, no siempre con comedimiento, las armas de la burla." (*Doña Perfecta,* Madrid, 1919, cap. III, p. 37). Por eso descubre los aspectos graciosamente cómicos o absurdos de la vida, del hombre y de la historia. La comicidad puede cristalizar en una escena como la de *Fortunata y Jacinta,* en que dando de comer a un pobre hombre hambriento, le dicen, al ver como devora: "Observo que Ud. no mastica." Recibiéndose esta contestación: "¡Ah, perdone, no sabía que le interesaba el que masticara!" Galdós no quiere dar con una respuesta ingeniosa; ve una situación grotesca hecha de hambre, amabilidad, cortesía. El rasgo preciso sirve también para aludir muy madrileñamente a un estado social: "Dime, esas mujeres son damas o qué. —Damas son, querida, pero de esas que llaman de las camelias." Hago las dos citas de memoria.

Nunca va tras el chiste por el chiste, de aquí que su visión cómica comporte tanta simpatía, tanta comprensión, tanta ternura. Su ironía, sin embargo, se adapta al ritmo de su pasión y llega a restallar como un latigazo de indignación: "Todo es mentiroso, todo compuesto para el servicio de un grupo de poderosos, que se han alzado con el mundo moral y con el mundo físico... ¡Ay, Donata, repugnancia y miedo me da esa oligarquía, formada con la triple casta de soldados, legistas y curas!" (Madrid, 1919, p. 252). Se refiere al fusilamiento del General Ortega, jefe, al parecer, irresponsable e insensato. Un militar, empero, que se sublevaba, no le merecía al novelista ninguna simpatía. Lo que le indigna es que a la vida humana no se le conceda ningún valor, que el hombre se erija en matador del hombre, que el hombre cace hombres.

Como, al enfrentarse con la crueldad, su indignación ha alcanzado el límite máximo, todas las circunstancias que califican el hecho se sitúan naturalmente en el plano de lo absurdo: mientras a ese majadero de Ortega le matan, al Pretendiente le dejan que se vaya tranquilamente con su hermano; la pandilla de generales que está en el Poder manda que se fusile al sublevado de turno en nombre de la Disciplina Militar (!). La cadena no tiene fin. Ni indignación, ni ironía; el ritmo moral queda plasmado en una mueca, en la cual se conjugan todas las líneas de su visión; la visión moral y la política, lo individual y lo histórico, los de un bando y los de otro. La tolerancia aparece como una superación, se ha superado la animalidad intransigente. La contemplación de lo humano hubiera podido dar lugar a la desesperación o al cinismo, en Galdós es la escala moral que nos va elevando hasta el nivel desde donde se puede abarcar la brutalidad como un signo más de la ignorancia y flaqueza del individuo y de los grupos.

Quizá este sentimiento moral contribuyó a que coincidiera con el concepto de la Historia que crea el siglo XIX: "Más que la Historia seca de los públicos acontecimientos, le cautivan las referencias de andanzas particulares, y con ellas ve el colorido de la Historia general, la cual, sin este matiz de sangre, de juego anímico, no es más que un trazo negro que así fatiga la vista como la memoria" (p. 123).

Junto a la creación de Donata, nos encontramos observaciones lingüísticas más finas que las que ya hice notar en otra ocasión; más finas porque no son meramente fonéticas, sino de índole estética. Acerca del catalán, dice: "El catalán hablado por mujer es una de las más bellas músicas de la boca humana" (p. 172), y otra vez añade: "Traduzco lo que querían decir, no la viveza y gracia de la dicción catalana" (p. 280). Aunque me parecen muy acertadas, quizás indicaciones así se puedan hacer de todas las lenguas. Lo único que acaso nos muestren es el amor y la simpatía con que el escritor sabía escuchar y oir, cualidad muy necesaria al novelista y que Galdós poseía en grado máximo. Pero al estudiar el habla de Donata, ofrece una caracterización muy exacta del aragonés: "Habló en buen castellano endurecido por acento aragonés" (p. 175).

Carlos VI en la Rápita es una de las obras de Galdós en la que el escritor compite más con Cervantes. Juega con la frase cervantina, maneja con idéntica maestría la agrupación de los personajes y el ritmo de la acción, muestra su gozo en la invención de caracteres; al crítico Cervantes le critica por novelesca alguna de las situaciones del *Quijote* de 1605 (Historia del Cautivo), pero sobre todo compite con el maestro barroco en la percepción irónica de la vida.

Si Galdós se ha acercado tanto y sin temor a Cervantes se debe, quizás, a que parte para la creación de este Episodio del mismo punto que se partía para la creación del *Quijote*. Cervantes en 1605 contrasta su mundo con el de los Libros de caballerías y de la novela pastoril, insistiendo en la diferencia temporal. Galdós trata de la Guerra de Africa (1859-1860). No alude a la diferencia de tiempo (escribe en 1905), ni al diverso mundo literario, pero para proyectar sus ideas y su concepto de España y de su época en general, se sirve de la contraposición. Es claro que no lo dice, aunque cita a Alarcón, pero se está refiriendo constantemente al *Diario de un testigo de la Guerra de Africa*, la obra que el granadino dedicó al General en Jefe del tercer cuerpo del ejército de Africa, a quien quería como General y como poeta, pues no era otro que Ros de Olano, ya Conde de la Almina. ¡Qué tiempos! ¿Felices? ¡El poeta y prologuistas de *El Diablo Mundo*, comandante de un cuerpo de ejército, teniendo como ordenanza a Pedro Antonio Alarcón para que pueda escribir la crónica de las hazañas africanas! Todo esto pasaba hace unos cien años.

Alarcón ardía en patriotismo antes de pisar el suelo africano, al entrar en batalla y al cantar victoria. Ve la guerra como poeta, aunque no puede compararse, nos dice, con vates como Zorrilla y Fernández y González (textual). Desde la dedicatoria al final, el *Diario* es una continua sorpresa, de lectura agradable y frecuentemente interesante. Alarcón es un maestro en la captación del mundo externo, que a veces aprehende perspicazmente. La descripción de Lía, muchacha judía de trece años, puede cerrarla así : "mujer, niña, pájaro y flor" (Ed. 1892, T. II, p. 96); de uno de los emisarios moros observa que tenía "labios gruesos y pensativos" (p. 182); de sí mismo indica : "Yo me esfuerzo por reflejar en papel estos fugitivos instantes; por parar el tiempo" (p. 139). Los realistas —compárese Bécquer— están haciendo con la historia y la moral lo que más tarde harán los impresionistas con la luz y las sensaciones; téngase también en cuenta otra diferencia : éstos no quieren "parar el tiempo", sino dárnoslo en su fluir.

Pero cuando está Alarcón verdaderamente afortunado es al describir las cosas, por ejemplo el palacio Erzini, especialmente el primer patio : "Aquí, en este primer *patio*, que es el que más me gusta, hay una luz, un aire, una cosa sin nombre, tan llena de calma, soledad y deleite, que entra uno en ganas de sentarse en el suelo (como yo me he sentado) y callar durante muchas horas... Y es que en las amplias y lisas paredes se proyectan con gentil elegancia las sombras de los delgados fustes de las columnas; es que el sol acaricia suavemente los arabescos, llenos de leyendas, que cubren cada cornisa; es que el rumor de agua parece la lengua del alto silencio que reina en estos lugares; es que los naranjos plantados entre las losas del patio perfuman el ambiente con el rico olor de su azahar; es que las aves gorjean al revolar bajo blanquísimos arcos que parecen de encaje o de filigrana; es, en fin, que el cuadrado del cielo que sirve de techo a este asilo de la paz y de la poesía, contrasta con las blancas líneas que lo limitan, y aparece más azul, limpio y cariñoso que los ojos de cierta rubia, al sonreir de amor después de haber llorado de celos" (p. 132). Véase también la descripción de la Mezquita de Tetuán y compárese con las descripciones de Bécquer. No solamente Alarcón no tiene nada que envidiar a Galdós, pero puede reclamar uno de los primeros puestos, desde este punto de vista, entre los escritores españoles del siglo XIX.

Es de una superficialidad, de una espontánea sinceridad, de una emoción tan rápida y pronta, de un sentimiento tan inocente, que le permiten adosarse con facilidad a la realidad visual. Estas cualidades son
instrumentos muy valiosos para un cierto tipo de trabajo y también
pueden dar un gran encanto a un cierto tipo de persona.

Alarcón no necesitaba una profunda experiencia moral o una compleja visión histórica y política, ni un denso sentido humano, ni una
problemática de la vida. En este plano es en el que no puede compararse con Galdós, y como no puede, es claro que no se le debe comparar.

España, la cruz, la madre, la esposa, la novia, el honor, la bandera
y quién sabe qué cosas más, despiertan en el corazón del granadino
las notas del clarín. Cuando Alarcón piensa en los harenes, toda su
alma de "poeta" se lanza al ensueño. Alfombras, tapices, aromas,
fuentes, luz tibia y suave, y huríes por aquí, odaliscas por allí. Alarcón
soñó mucho, pero no logró ver ni un grupito de odaliscas, y cuando,
al fin, consigue entrar en una habitación —¡el harén!— en la que
había oído blandas pisadas, se encontró con una negraza cuidando
de un nene de pecho. A Galdós tanto patriotismo, tantos ensueños,
tantos harenes, tantas tonterías le hacían mucha gracia. Una melodía
de su Episodio consiste en la parodia del *Diario*. Como en Cervantes,
la parodia se llena de un profundo sentido. ¡Para ver harenes no hay
que ir a Africa, se queda uno en España y basta! Al lado de casita,
se encuentran todos los harenes que se quieran, y nada de caras ta-
padas y de prohibiciones, todo a la vista del público. Confusio (el
personaje galdosiano) tampoco pudo entrar en ningún harén, mejor
dicho, como Alarcón en Tetuán, puso los pies en uno, también se encontró con una negra, pero en lugar de cambiar mudas miradas, que
Alarcón interpretaba poéticamente, recibió una buena tunda de gol-
pes. Lo que no consiguió en Tánger, lo consigue en cuanto vuelve a
España. Como siempre en Galdós el tema es España, la referencia,
sin embargo, abarca toda la civilización europea, lo cual es exacto
incluso de *Doña Perfecta*: "Los harenes europeos no están tan cerra-
dos al soborno y a la captación como los africanos, y sus odaliscas o
barraganas no se hallan tan cohibidas para pedir al mundo externo su
salvación, siempre que haya valientes caballeros que en esta honrada
empresa pongan toda la energía de sus bien templadas almas" (p. 190).

Como se comprenderá, la honrada empresa de estos caballeros europeos consiste en birlarle la señora al más pintado.

Galdós no tendrá en cuenta, porque no vale la pena, ni las ideas políticas de Alarcón ni sus ideas sobre la civilización, ni su actitud sentimental —la cual en parte quizá comparta. Alarcón, este testigo de la guerra de Africa, entra en su Episodio como tal testigo y se apodera de sus sueños para hacer vibrar moralmente su novela, logrando un fondo paródico y revelador.

De las amas y sobrinas de cura se había hablado hasta la saciedad, ahora Galdós puede tratar el tema sin necesidad de acudir a la sátira, desarrollándolo con una gran libertad y soltura, penetrando ese mundo tan complejo en todos sus aspectos —moral, social, económico, político, individual, pasional y sentimental, femenino y masculino. Las figuras están plantadas con gran vigor en el medio, el rasgo es rápido, el color es limpio, el movimiento es gracioso y dramático. Maneja muy bien las sombras, que las agolpa en los rincones o en la densidad de la noche. Para esta acción acude a la figura del Arcipreste de Hita, pues su Vicario de Ulldecona, además de llamarse arcipreste, tiene por nombre Juan Ruiz Hondón, y es de Alcalá de Henares.

La manera de ver al creador de Trotaconventos es la corriente en la época de Galdós. Era precisamente lo que necesitaba el novelista, quien buscaba un cura mujeriego, no ya como individuo, sino como tipo institucional. Por eso Beramendi le dice a Santiuste (Confusio) al encomendarle ese viaje: "Verás como no te faltan lances peregrinos, quizás conquistas más afortunadas que la de Marruecos. Aplica toda tu atención y el sortilegio de tus gracias a las amas de cura, que por allá entiendo que las hay muy guapas. Si pescas alguna, puede serte de mucha utilidad para el estudio esotérico de nuestras guerras civiles" (143). Había tenido Santiuste en Tetuán una amante judía, llamada Yohar, y en Tánger no podía por menos de pensar en la vida de harén, recordando también la historia del cautivo en el *Quijote* de 1605. Por cierto que a Zoraida o Lela Zoraida la llama "la misteriosa Lela Mariem" (91), no sé si por falla de la memoria o intencionadamente. Algunos trazos de la aventura tangerina son un homenaje a Cervantes; sin embargo, Galdós señala como se separa del espíritu novelesco del autor de *Persiles*. Para buscar judía y odaliscas no había que ir a Africa. Las podía encontrar —por lo menos sus equivalentes— en España. Si Yohar trataba el amor de una manera más o menos especializada —sólo se iba con un hombre rico—, en España también las encontraría, con gran sorpresa, dedicadas a ciertas profesiones con menoscabo de otras.

Ni Galdós nos da una visión personal del Arcipreste de Hita, ni, en realidad, tenía por qué; algunos eruditos no han sabido darse cuenta de esto. Al contrario, lo que el novelista quiere es poder coincidir con la idea aceptada y corriente. El retrato físico es un traslado del de la obra del Arcipreste:

> *"Señora", diz la vieja, "yol" veo a menudo:*
> *el cuerpo ha bien largo, miembros grandes, trefudo;*
> *la cabeza no chica, velloso, pescozudo,*
> *el cuello no muy luengo, cabel' prieto, orejudo.*
>
> *Las cejas apartadas, prietas como carbón,*
> *el su andar enhiesto, bien como de pavón,*
> *su paso sosegado y de buena razón,*
> *la su nariz es luenga: esto le descompón.*
>
> *Las encías bermejas y la habla tumbal,*
> *la boca no pequeña, labios al comunal,*
> *más gordos que delgados, bermejos como coral,*
> *las espaldas bien grandes, las muñecas atal.*

(Estrofas 1458-87. Ed. M. R. Lida)

Y Galdós: "Era un hombre alto, sanguíneo, vigoroso, de perfecta escultura esquelética y muscular, arrogante de actitud, ardiente de mirada, garboso el gesto. Iluminado de lleno el rostro por la luz de una buena lámpara, su edad me pareció de más de cincuenta años, o de sesenta desmentidos por una salud venturosa. Era su color encendido, su nariz enérgica, su boca desconfiada, el cabello espeso, cortado al rape, y blanquecino por las sienes, la dentadura recia y blanca" (168). Aunque evidentemente piensa en él, no trata de reproducir en prosa el retrato hecho por Juan Ruiz, porque junto al doñeador, quiere pintar a un cura guerrillero. Modifica unos trazos, pormenoriza más. No es el Poema lo que interesa a Galdós, pues aun cuando lo cita con el título que impuso Menéndez Pidal, lo hace sólo por el autor y para que quede bien clara su función moral: "Las oraciones que

acaba usted de recitar, le dije, son del Arcipreste de Hita, varón docto, muy devoto de Nuestra Señora, poeta y sabio, aficionadísimo al
buen vivir y al trato de mujeres, según el mismo nos cuenta en su
magno *Libro del buen amor*. Menos en lo de acaudillar tropas y andar
en guerra contra cristianos, usted y él en todo entiendo que se parecen" (209).

Creo que el elemento novelesco de este Episodio arranca de la
parodia del *Diario* de Alarcón, y, para acentuar el paralelo con el
Quijote de 1605, hay que indicar cómo este punto de partida es en
seguida superado, pero no olvidado, al tratar de darnos la psicología
del pueblo español en su relación con su estructura social, a la vez en
el presente (mediados del siglo XIX y comienzos del XX) y en sus raíces tradicionales, para lo cual acude al Arcipreste de Hita.

Aunque no pretendo recoger todas las notas sobre Edad Media
que se encuentran en la Obra de Galdós, no quisiera dejar de citar
la referencia a las iglesias de Alcañiz, que se hace en este Episodio:
"bellas iglesias románicas" (p. 153).

Una iglesia románica (interior): "No hay verja que separe el coro
de la iglesia, que es tenebrosa, sepulcral, cavidad cuyos límites y contornos se deslíen en un misterioso ambiente, tachonado por las luces
de los cirios. En el fondo lejano se adivina, más que se ve, el altar
mayor, disforme carpintería barroca y estofada" (*El abuelo* [redacción
larga] J. IV, Esc. IX).

De las bellas iglesias románicas de Alcañiz, penetramos en la tenebrosidad de este Zaratán conventual imaginario. Hemos pasado de
la realidad estética a la realidad simbólica, la cual no deja de conservar una cierta belleza, pero Galdós lo que busca es un valor histórico-moral.

La observación sobre el Barroco es una de tantas como ha hecho.

Antes de estudiar la visión de lo dantesco en la obra galdosiana,
quisiera recordar la parodia de la "alborada de amor" en *Mendizábal*
(Madrid, 1922, págs. 230-31). Parodia del motivo medieval a través
del Romanticismo.

LA "DIVINA COMEDIA"

Que yo sepa todavía no se ha escrito un libro sobre Dante en España en el siglo XIX. Sería interesante conocer la relación entre la imaginación medieval y la del siglo pasado. Cómo se leía la *Divina Comedia,* cómo se veía su mundo, qué es lo que se iba a buscar en Dante y qué es lo que se encontraba, cómo reaccionaba el hombre del siglo XIX ante el realismo y el naturalismo medievales. Todo el mundo recuerda alguna de las leyendas de Bécquer (*Creer en Dios*) y alguna de sus rimas. La *Divina Comedia* entra en la novela galdosiana con *Doña Perfecta,* para oponer a la imaginación de "los místicos y soñadores de la Edad Media" la ciencia moderna. También hoy se desciende a los abismos, pero no es Virgilio el que nos guía, sino la geología, y subimos al cielo con la astronomía. Lo que en *Doña Perfecta* era discusión polémica se transforma en *Marianela* en dramatización imaginativa del mundo industrial. Ya apunté que quizá este encauzamiento de la imaginación se debiera a la conjunción de la *Divina Comedia* con el plan de Comte para el "Poema de la Humanidad". También ahora el pavoroso medio imaginario de la noche desaparece con la luz del día. Como se ve se oponen aún los dos mundos (imaginario-real), pero el poema dantesco sirve sobre todo para ayudar a aprehender con la imaginación la dramática realidad: los ruidos, las galerías subterráneas, etc., y para apoyar el sentido simbólico, ya patente cuando Teodoro Golfín se encuentra perdido y un perro le llena de miedo, hasta que el ciego Pablo le hace callar.

En *La familia de León Roch* (Madrid, Hernando, 1920, 3 parte, págs. 128-33) tenemos otro desarrollo de este tema. La actitud de Galdós ha cambiado por completo. En las dos novelas anteriores, el contacto con la *Divina Comedia* es más bien externo; una cita que parece deberse a las necesidades polémicas; después, un soporte, una referencia para poder mantener la arquitectura imaginaria. Con María, la esposa de León Roch, penetramos psicológicamente en el mundo imaginativo. La imaginación moderna vivifica el contenido imaginario dantesco. Es un mundo de visiones, "que por tener todos los colores y las formas todas, casi no tenían forma ni color". Se está luchando por dar realidad a la nada, en donde no hay otra cosa que "la idea pura de lo cóncavo, de lo obscuro". María al dar fondo en ese sueño de pesadilla logra ver con pasmosa claridad. Lo que ve es el Infierno. "Bien se comprenderá que la mística dama veía la *città dolente* y sus horribles habitantes tales y como los había imaginado en la vida real, guiándose por descripciones escritas y por minuciosas estampas." Pero según Galdós, las descripciones y los medios gráficos no bastan: "nuestras apreciaciones de lo sobrenatural se apoyan siempre en ideas corrientes y revisten forma semejante a las que vemos aquí con nuestros propios ojos carnales". El novelista nos da su contacto con la vida industrial: túneles, ferrocarriles, fábricas de gas, talleres de fundición y forja, máquinas, martillos, fuelles, ascuas, carbón. La confluencia de la imaginación tradicional y la moderna se da en los demonios que aún con "pezuña y rabillo de innobles bestias, tenían no poca semejanza con maquinistas de ferrocarril o poceros de alcantarilla, con los infelices jornaleros de minas hulleras, con los cíclopes de Sheffield o Birmingham". Para darnos una idea del estruendo y de la conmoción de este antro hay que imaginar a mil trenes, que "a gran velocidad convirgieran en un punto y en él chocaran haciéndose pedazos y desparramándose después coches y máquinas en todas direcciones para volver a reunirse".

Hoy el mundo de las máquinas nos da la impresión de la grandeza y la pequeñez humana, aparece todo con una claridad de dibujo, con una nitidez y limpieza tan racional que pueden dar lugar a la alucinación. Hoy más que el ruido o los olores o la suciedad nos atormenta el ritmo mecanizado y sin fin, pero en el siglo XIX parece que era la oscuridad, el aire sofocante, la confusión lo que daba a las fábricas un aspecto infernal. Quizás en esta descripción tengamos algún recuerdo de los viajes de Galdós, pues aparte de la cita anterior, en que dice que nos formamos una idea del mundo imaginario con lo que hemos visto con nuestros propios ojos, ha nombrado a Sheffield y a Birmingham, y añade que María y su marido en un viaje por Alemania, "entre otras cosas notables visitaron la ya célebre fábrica metalúrgica de Krupp en Essen. Esta visita, que impresionó mucho a la dama, no se borró jamás de su memoria". Quizás Galdós visitó la fábrica de Krupp, también habla de talleres en Barcelona y en Francia, donde había estado la esposa de León Roch. Presenciando los tormentos de los condenados, continúa la visión de María.

Aunque acaso no haya que rechazar por completo el estímulo de Quevedo, creo, sin embargo, mucho más fuerte el de Dante, y quizás se deba a que no ha trazado Galdós una visión satírica, sino dramática. De todas maneras, quisiera recordar lo dicho anteriormente, ahora no es el poema de Dante el que acude al novelista, es el novelista el que con su visión del mundo moderno hace vivir la imaginación medieval.

Cuando hay que asociar el nombre de Quevedo al de Dante es en *Miau*. La visión infernal dantesca deja de ser dramática, pero su poder alucinador no disminuye. Galdós maneja ese humor trágico, cuyas raíces modernas se encuentran por un lado en Shakespeare y por otro en Cervantes. Villaamil se acerca al hidalgo manchego, sobre todo al final de la novela cuando va descubriendo el sentido moral del mundo a través de su locura. Galdós encuentra situación burlesca tras situación, el diálogo es de un madrileñismo puro: ironía, escepticismo, una nota cínica y de desgarro, una comprensión de lo social puesta en un nivel completamente humano, pero con una proyección trascendente. La novela francesa estudia más bien la *société*, compuesta de hombres y mujeres con sus pasiones, sus sentimientos, sus necesidades; la novela inglesa trata más bien del individuo que se mueve en la sociedad, esto es la política; mientras que la novela española como la rusa penetran en lo social, es decir, en ese tejido moral compuesto por el hombre y la sociedad, donde tras cada hilo está viva la presencia angustiosa de Dios.

Quizás tiene razón Galdós cuando califica a Quevedo de "parodiador de la Divina Comedia". Galdós ve lo grotesco barroco desde el punto de vista de la caricatura del siglo XIX, sus propios personajes los ve en una posible caricaturización. Sin embargo, no traza una caricatura.

El mundo industrial se ha apoderado de la imaginación del novelista con terror, y ese mundo va cobrando forma al aparecer como un antro infernal, gracias a la obra dantesca. Hay otro Infierno que produce en Galdós igual pavor, el de la Administración, el antro burocrático. Que yo sepa, tampoco se ha estudiado la influencia de la burocracia —ministerios, oficinas, etc.—, en la novela del siglo XIX; acerca de la industria y de las máquinas en la literatura sí que existen algunos trabajos. ¡Lo burocrático —físico, moral, espiritual— en la novela inglesa, francesa, italiana, alemana, rusa, llegando hasta Kafka! Quizá el mejor ejemplo, o uno de los mejores ejemplos de la novela española, lo tenemos en *Miau*. De todas las páginas que le dedica Galdós no puedo citar nada más que los párrafos (Madrid, 1888, págs. 341-42) que se refieren a mi tema.

"—¿Adónde vamos? (levantándose). —Al Personal. Echaremos un parrafillo con Sevillano, que nos enterará de los nombramientos del día. Venga usted.

Y se internaron por luengo corredor, no muy claro, que primero doblaba hacia la derecha, después a la izquierda. A lo largo del pasadizo accidentado y misterioso, las figuras de Villaamil y de Argüelles habrían podido trocarse por obra y gracia de hábil caricatura, en las de Dante o Virgilio buscando por senos recónditos la entrada o salida de los recintos infernales que visitaban. No era difícil hacer de D. Ramón un burlesco Dante por lo escueto de la figura y por la amplia capa que le envolvía; pero en lo tocante al poeta, había que substituirle con Quevedo, parodiador de la *Divina Comedia,* si bien el buen Argüelles, más semejanza tenía con el Alguacil aguacilado que con el gran vate que lo inventó. Ni Dante ni Quevedo soñaron en sus fantásticos viajes, nada parecido al laberinto oficinesco, al campaneo discorde de los timbres que llaman desde todos los confines de la vasta mansión, al abrir y cerrar de mamparas y puertas, y al taconeo y carraspeo de los empleados que van a ocupar sus mesas colgando capa y hongo; nada comparable al mete y saca de papeles polvorosos, de vasos de agua, de paletadas de carbón, a la atmósfera tabacosa, a las órdenes dadas de pupitre a pupitre, y al tráfago y zumbido, en fin, de esta colmena donde se labra el pan amargo de la Administración. Metiéronse Villaamil y su guía en un despacho donde había dos mesas y una sola persona, que en aquel momento se mudaba el sombrero por un gorro de pana morada, y las botas por zapatillas."

De la *Divina Comedia* parece haberse podido aprovechar únicamente del Infierno. Tanto en *Marianela* como en *Miau,* en esta última con la ayuda de Quevedo, Dante revela lo infernal de la industria y de la burocracia. Quevedo es necesario no tanto para caricaturizar como para dar al trazo un aire alucinadoramente burlesco. Si en *Doña Perfecta* la *Divina Comedia* servía para polemizar, en cambio en *La familia de León Roch* plasma un estado moral; esa situación de desesperación moral en algunas de sus novelas aparece en la forma de un "via crucis", es decir, como una atormentadora carrera romántica. Tanto en *La familia de León Roch* como en *Miau* la imaginación actual, la imaginación de Galdós vitaliza la visión dantesca.

Las ideas del novelista sobre la Edad Media son las de España en la segunda mitad del siglo XIX; mejor dicho, son las de parte de España. Su contacto con las obras y las figuras medievales, como era de suponer, revelan no la Edad Media, sino lo que naturalmente encontraba Galdós: la nota humana individual opuesta a la tiranía (*Mío Cid*), la explicación psicológica de la alucinación colectiva (Santiago en Clavijo), una característica muy antigua de la vida social española (Arcipreste de Hita), la imaginación del tormento y del dolor excepcionales (Dante).

Por último, volvamos a notar que si al hablar de la *Celestina* lo hace según las preocupaciones y los intereses del mundo universitario de su época, cuando cita por el título el poema del Arcipreste muestra la relativa rapidez con que se popularizó la designación de Menéndez Pidal. En este caso podemos imaginarnos a Galdós entregado a la lectura de revistas literarias y de erudición; con *La familia de León Roch*, vemos al novelista como viajero: no sólo el visitante de iglesias y museos, de ruinas y monumentos, siempre con la guía en la mano. Galdós acudía a los teatros, a las exposiciones, le gustaba el espectáculo de la calle y mezclarse con la muchedumbre. Debió también de interesarle los centros industriales, talleres, fábricas, laboratorios, quizás debemos imaginárnoslo en Barcelona, en Francia, en Inglaterra, en Alemania admirando sobrecogido el espectáculo maravilloso de la industria, que luego pasaría a tantas de sus obras, novelas y teatro.

BIBLIOGRAFIA

ABREVIATURAS

A	— *Ateneo*. Concepción, Chile.
Aev	— *Aevum*. Milano.
AO	— *Archivum*. Oviedo.
ArLi	— *Argentina Libre*. Buenos Aires.
Atla	— *Atlante*. Londres.
BBMP	— *Boletín de la Biblioteca de Menéndez Pelayo*. Santander.
BDP	— *Boletín de Derecho político* de la Universidad de Salamanca.
BHi	— *Bulletin Hispanique*. Bordeaux.
BSS	— *Bulletin of Spanish Studies*. Liverpool.
CorABA	— *Correo de Asturias*. Buenos Aires.
CuA	— *Cuadernos Americanos*. México.
CuH	— *Cuadernos Hispanoamericanos*. Madrid.
DB	— *El Diario de Barcelona*.
ELS	— *España Libre*. Santiago de Chile.
ERBA	— *España Republicana*. Buenos Aires.
FyL	— *Filosofía y Letras*, México.
H	— *Hispania*. Baltimore.
HC	— *Hispania*. California.
HW	— *Hispania*. Washington.
HP	— *El hijo pródigo*. México.
HR	— *Hispanic Review*, Philadelphia.
IAL	— *Indice de Artes y Letras*. Madrid.
Ins	— *Insula*. Madrid.
Leo	— *Leoplán*. Buenos Aires.
LitIn	— *La literatura internacional*. Moscú.
LT	— *La Torre*. Río Piedras, Puerto Rico.
LVBA	— *La Vanguardia*. Buenos Aires.
MuC	— *El Museo Canario*. Las Palmas.
MLJ	— *Modern Language Journal*. Boston.
MLN	— *Modern Languages Notes*. Baltimore.

MPh — _Modern Philologie._ Chicago.
Nac — _La Nación._ Buenos Aires.
ND — _La Nueva Democracia._ New York.
NE — _Nuestra España._ La Habana.
Nos — _Nosotros._ Buenos Aires.
NRFH — _Nueva Revista de Filología Hispánica._ México.
PMLA — _Publications of the Modern Language Association._ Baltimore.
PrBA — _La Prensa._ Buenos Aires.
QIA — _Quaderni Ibero-Americani._ Torino.
RAPE — _Hispania, Rev. de la Asociación Patriótica española._ Buenos Aires.
RDM — _Revue de Deux Mondes._
REH — _Revista de Estudios Hispánicos._ Mendoza.
RepAm — _Repertorio Americano._ San José (Costa Rica).
RevB — _Revista._ Barcelona.
RevCub — _Revista Cubana._ La Habana.
RevIb — _Revista Iberoamericana._ México.
RevInd — _Revista de las Indias._ Bogotá.
RF — _Romamische Forschungen._ Köln.
RFH — _Revista de Filología Hispánica._ Buenos Aires.
RHM — _Revista Hispánica Moderna._ New York.
RL — _Revista de Literatura._ Madrid.
RNC — _Revista Nacional._ Caracas.
RPh — _Revue Philomatique de Bordeaux et du Sud-ouest._
RRQ — _Romanic Review Quarterly._ New York.
SchR — _Schweiser Rundschau._ Einsiedeln.
UNC — _Universidad Nacional de Colombia._ Bogotá.

BIBLIOGRAFIA

1. OBRAS DE GALDOS

NOVELAS DE LA PRIMERA ÉPOCA. — _La Fontana de Oro,_ 1867-68. — _La sombra,_ noviembre, 1870. — _El audaz: historia de un radical de antaño,_ octubre, 1871. — _Doña Perfecta,_ abril, 1876. — _Gloria_ (2 tomos), diciembre, 1876-mayo, 1877. — _Marianela,_ enero, 1878. — _La familia de León Roch_ (3 tomos), junio, octubre y diciembre, 1878.

EPISODIOS NACIONALES. — Primera serie: _Trafalgar,_ enero-febrero, 1873. — _La Corte de Carlos IV,_ abril-marzo, 1873. — _El 19 de marzo y el 2 de mayo,_ julio, 1873. — *Bailén,* octubre-noviembre, 1873. — *Napoleón en Chamartín,* enero, 1874. — *Zaragoza,* marzo-abril, 1874. — *Gerona,* junio, 1874. — *Cádiz,* septiembre-octubre, 1874. — *Juan Martín, el Empecinado,* diciembre, 1874. — *La batalla de los Arapiles,* febrero-marzo, 1875. Segunda serie: *El equipaje del Rey José,* junio-julio, 1875. — *Memorias de un cortesano de 1815,* octubre, 1875. — *La segunda casaca,* enero, 1876. — *El Grande Oriente,* junio, 1876. — *El 7 de julio,* octubre-noviembre, 1876. — *Los cien mil hijos de San Luis,* febrero, 1877. — *El terror de 1824,* octubre, 1877. — *Un voluntario realista,* febrero-marzo, 1878. — *Los apostólicos,* mayo-junio, 1879. — *Un faccioso más y algunos frailes menos,* noviembre-diciembre, 1879.

Tercera serie: *Zumalacárregui,* abril-mayo, 1898. — *Mendizábal,* agosto-septiembre, 1898. — *De Oñate a La Granja,* octubre-noviembre, 1898. — *Luchana,* enero-febrero, 1899. — *La campaña del Maestrazgo,* abril-mayo, 1899. — *La estafeta romántica,* julio-agosto, 1899. — *Vergara,* octubre-noviembre, 1899. *Montes de Oca,* marzo-abril, 1900. — *Los Ayacuchos,* mayo-junio, 1900. — *Bodas reales,* septiembre-octubre, 1900. — Cuarta serie: *Las tormentas del 48,* marzo-abril, 1902. — *Narváez,* julio-agosto, 1902. — *Los duendes de la camarilla,* febrero-marzo, 1903. — *La revolución de julio,* septiembre, 1903-marzo, 1904. — *O'Donnell,* abril-mayo, 1904. — *Aita Tettauen,* octubre, 1904-enero, 1905. — *Carlos VI en la Rápita,* abril-mayo, 1905. — *La vuelta al mundo en la Numancia,* enero-marzo, 1906. — *Prim,* julio-octubre, 1906. — *La de los tristes destinos,* enero-mayo, 1907. — Quinta serie (inacabada): *España sin rey,* octubre, 1907-enero, 1908. — *España trágica,* marzo, 1909. — *Amadeo I,* agosto-octubre, 1910. — *La primera República,* febrero-abril, 1911. — *De Cartago a Sagunto,* agosto-noviembre, 1911. — *Cánovas,* marzo-agosto, 1912.

NOVELAS ESPAÑOLAS CONTEMPORÁNEAS. — *La desheredada,* enero-junio, 1881. *El amigo Manso,* enero-abril, 1882. — *El doctor Centeno* (2 tomos), mayo, 1883. — *Tormento,* enero, 1884. — *La de Bringas,* abril-mayo, 1884. — *Lo prohibido* (2 tomos), noviembre, 1884-marzo, 1885. — *Fortunata y Jacinta* (4 tomos), enero, mayo, diciembre, 1886-junio, 1887. — *Miau,* abril, 1888. — *La incógnita,* noviembre, 1888-febrero, 1889. — *Torquemada en la hoguera,* febrero, 1889. — *Realidad,* novela en cinco jornadas, julio, 1889. — *Angel Guerra* (3 tomos), abril, diciembre, 1890-mayo, 1891. — *Tristana,* enero, 1892. *La loca de la casa,* octubre, 1892. — *Torquemada en la cruz,* octubre, 1893. — *Torquemada en el Purgatorio,* junio, 1894. — *Torquemada y San Pedro,* enero-febrero, 1895. — *Nazarín,* mayo, 1895. — *Halma,* octubre, 1895. — *Misericordia,* marzo-abril, 1897. — *El abuelo,* novela en cinco jornadas, agosto-septiembre, 1897. — *Casandra,* novela en cinco jornadas, julio-septiembre, 1905. — *El caballero encantado,* cuento real... inverosímil, julio-diciembre,

1909. — *La razón de la sinrazón,* fábula teatral absolutamente inverosímil, en cuatro jornadas, primavera de 1915.

DRAMAS Y COMEDIAS. — *Un joven de provecho,* ¿1867? No fue representada. Publicada por H. C. Berkowitz en *Publications of the Modern Language Association of America,* septiembre, 1935. — *Realidad,* 15 de marzo, 1892. — *La loca de la casa,* 16 de enero, 1893. — *Gerona,* 3 de febrero, 1893. — *La de San Quintín,* 27 de enero, 1894. — *Los condenados,* 11 de diciembre, 1894. *Voluntad,* 20 de diciembre, 1895. — *Doña Perfecta,* 28 de enero, 1896. — *La fiera,* 23 de diciembre, 1896. — *Electra,* 30 de enero, 1901. — *Alma y vida,* 9 de abril, 1902. — *Mariucha,* 16 de julio, 1903. — *El abuelo,* 14 de febrero, 1904. — *Bárbara,* 28 de marzo, 1905. — *Amor y ciencia,* 7 de noviembre, 1905. — *Pedro Minio,* 15 de diciembre, 1908. — *Casandra,* 28 de febrero, 1910. *Celia en los infiernos,* 9 de diciembre, 1913. — *Alceste,* 21 de abril, 1914. — *Sor Simona,* 1 de diciembre, 1915. — *El tacaño Salomón,* 2 de febrero, 1916. *Santa Juana de Castilla,* 8 de mayo, 1918.

OBRAS VARIAS. — *Discursos* (académicos), 1897. — *Memoranda,* 1906.

OBRAS SUELTAS (publicadas por Alberto Ghiraldo). — *Fisonomías sociales. Arte y crítica.* — *Política española* (2 tomos). — *Nuestro teatro.* — *Cronicón* (2 tomos). — *Toledo.* — *Viajes y fantasías.* — *Memorias.*

EDICIONES. — *Bailén.* Pról. de Arturo Serrano Plaja, Buenos Aires, Edit. Pleamar, 1944, 312 págs. — *La batalla de los Arapiles.* Pról. de María Teresa León, Buenos Aires, Edit. Pleamar, 1945 [1946?], 425 págs. — *Cádiz.* Pról. de Rafael Alberti, Buenos Aires, Edit. Pleamar, 1946, 372 págs. — *Cartas de Pérez Galdós a Mesonero Romanos.* Ed. y nota prelim. de Eulogio Varela Hervías, Madrid, Ayuntamiento de Madrid, Sección de Cultura e Información, ii-59 págs., 1943. — *Casandra.* Pról. de F. C. Sáinz de Robles, Madrid, Aguilar, 1951, 473 págs. — *Crónica de la quincena.* Ed. with a prelim. study by Wimmiam H. Shoemaker, Princeton, Princeton University Press, 1948, vii-140 páginas. — *Doña Perfecta.* Edit. with introd., notes & vocab. by Paul Patrick Rogers, Boston, Ginn & Co., 1950, xxxii-320 págs. — *Episodios nacionales.* Narrados a los niños por su hija, María Pérez Galdós. Edic. sel. especialmente para su uso en las Escuelas de Enseñanza Primaria, Madrid, Edit. Hernando, 1948, 146 págs. — *Juan Martín, el empecinado.* Pról. de Lorenzo Varela, Buenos Aires, Edit. Pleamar, 1945 [1946?], 301 págs. — *Una industria que vive de la muerte.* Estud. prelim. de José Pérez Vidal, Madrid, Patronato de la Casa de Colón, 1956, 35 págs. [Tirada aparte del Anuario de Estudios Atlánticos, II, págs. 473-507.] — *La loca de la casa.* Refundición de Claudio de la Torre, Madrid, Alfil, 1960, 95 págs. (Col. Teatro, 239.) — *Madrid.* Con un ensayo a manera de pról. por José Pérez Vidal, Madrid, Aguado, 1957, 253 págs. (Clásicos y maestros.) — *Marianela.* Edit. by Nicholson B. Adams, New York, Ginn & Co., 1951, ix-198 págs. — *Marianela.* Ed. classique annotée par H. Fitte, Toulouse, Privat; París, Didier, 1949, 189 págs. (Col. Privat.) — *Miau.* Ed., estud. prelim. y bibliografía por Ricardo Gullón, Madrid, Revista de Occidente, 1957, 677 págs. — *Misericordia.* Ed. for college students, with introd., notes, vocab., and questions by Angel del Río, and McKendree Petty, New York, The Dryden Press, 1946, xxv-190 págs. — *Obras completas.* Introd., biografía, bibliografía, notas y censo de personajes galdosianos por Federico Sáinz de Robles, Madrid, 1945, 6 vols. [Primera edic. 1942; segunda edic. 1949. Aguilar.] — *Trafalgar.* Nueva edic. pról. de Rafael Alberti, ilustr. de Enrique y Arturo Mélida y B. Pérez Galdós, Buenos Aires, 1944. (Col. El Ceibo y la Encina.) — *Trafalgar.* Sel. y pról. de F. Estrella Gutiérrez, Buenos Aires, Kapelusz, 1953, 111 págs. — *Zaragoza.* Pról. de María Teresa León, Buenos Aires, Edit. Pleamar, [1945?], 315 págs.

TRADUCCIONES. — *The disinherited lady.* Trad. por G. E. Smith, New York, Exposition Press, 1957, 306 págs. — *The spend-thrifts.* Introd. by G. Brenan. Trasnl. from the Spanish *La de Bringas* by G. Woolsey, New York, Farrar, Strauss & Young, 1952, 282 págs. (The illustrated novel library.)

2. BIOGRAFIA

LEOPOLDO ALAS (CLARÍN), *Galdós* en *Obras completas,* tomo I, Madrid, 1912. L. ANTÓN DEL OLMET Y A. GARCÍA CARRAFFA, *Galdós,* Madrid, 1912. — *El Bachiller Corchuelo* (GONZÁLEZ FIOL), *Benito Pérez Galdós,* en *Por esos mundos,* v. 20 (1910, I), 791-807; y v. 21 (1910, II), 27-56. — L. BELLO, *Semblanzas. Galdós, presente,* en *La Lectura,* 1920, I, 66-67: — M. B. C. (COSSÍO), *Galdós y Giner,* en *La Lectura,* 1920, I, 254-258. — RAMÓN GÓMEZ DE LA SERNA, *Don Benito Pérez Galdós,* en *Saber Vivir,* n.º 30, enero, 1943. — FRANCISCO MADRID, *Don Benito y Ramón del Valle-Inclán,* en ArLi, 6 de mayo de 1943. — MARÍA DE MAEZTU, *Visión e interpretación de España. Vida y romance. Don Benito Pérez Galdós,* en PrBA, 7 de enero de 1940. — G. MARAÑÓN, *Galdós íntimo,* en *La Lectura,* 1920, I, 71-73. — G. MARAÑÓN, *Galdós en Toledo,* en Nac, 25 de julio, 22 de agosto, 5 de septiembre, 1937. — PEDRO MASSA, *Galdós en el Madrid de la Regencia,* en PrBA, 30 de mayo de 1943. — R. DE MESA, *Don Benito Pérez Galdós. Su familia. Sus mocedades. Su senectud,* Madrid, 1920. — R. DE MESA, *Galdós dibujante,* en RAPE, año XI, n.º 180, mayo 1943. LUIS Y AGUSTÍN MILLARES, *Don Benito Pérez Galdós. Recuerdos de su infancia*

en *Las Palmas,* en *La Lectura,* 1919, III, 333-352. — C. PALENCIA TUBAU,
Galdós, dibujante, pintor y crítico, en *La Lectura,* 1920, II, 29-40, 134-145. —
E. PARDO BAZÁN, *El estudio de Galdós en Madrid,* en *Nuevo teatro crítico,*
agosto de 1891, 65-74 (*Obras completas,* v. 44). — B. PÉREZ GALDÓS, *Prólogo,*
a J. M. SALAVERRÍA, *Vieja España,* Madrid, 1907. — B. PÉREZ GALDÓS, *Memorias,* Madrid, 1930. — LUIS RUIZ CONTRERAS, *Memorias de un desmemoriado,*
Madrid, 1916. — J. M. SALAVERRÍA, *Nuevos retratos,* Madrid, 1930. — VICENTE
SÁNCHEZ OCAÑA, *Don Benito, el buen señor,* en Nac, 9 de mayo de 1943. —
J. WARSHAW, *Errors in biographies of Galdós,* en HC, 1928, XXI, 485-499.

3. CRITICA

A. ESTUDIOS GENERALES

J. M. AICARDO, *De literatura contemporánea,* Madrid, 1905. — LEOPOLDO
ALAS (CLARÍN), *Galdós,* Madrid, 1912. — FRANCISCO AYALA, *Apunte galdosiano,*
en Nac, 16 de mayo de 1943. — CÉSAR BARJA, *Libros y autores modernos,* Los
Angeles, 1933. — H. C. BERKOWITZ, *Galdós and the generation of 1898,* en
Philological Quarterly, XXI, 1942. — H. C. BERKOWITZ, *Unamuno's Relations
with Galdós,* en HR, VIII, 1940. — ARTURO CAPDEVILA, *Prólogo a La Fontana
de Oro,* Buenos Aires, 1943. — ROSA CHACEL, *Un hombre al frente: Galdós,*
en *Hora de España,* n.º 2, febrero de 1937. — EMILIO GUTIÉRREZ GAMERO,
Galdós y su obra, Madrid, 1933-35, 3 vols. — SALVADOR DE MADARIAGA, *Semblanzas literarias,* Barcelona, 1924. — M. MENÉNDEZ Y PELAYO, *Estudios de
crítica literaria,* 5.ª serie, Madrid, 1908. — F. DE ONÍS, *Valor de Galdós,* en
Nos, 1928, LX, 322-335. — RAMÓN PÉREZ DE AYALA, *Galdós, o la fecundidad
creadora,* en PrBA, 9 de mayo de 1943. — RAMÓN PÉREZ DE AYALA, *Galdós
y Giner, San Benito y San Francisco,* en RAPE, año XI, n.º 180, mayo de
1943. — CARLOS ROVETTÁ, *Benito Pérez Galdós,* en LVBA, 9 de mayo de
1943. — FEDERICO CARLOS SÁINZ DE ROBLES, *Prólogo a las "Obras completas",*
Madrid, 1941. — LUIS EMILIO SOTO, *Benito Pérez Galdós,* en ArLi, 6 de mayo
de 1943. — GUILLERMO DE TORRE, *Itinerario de Galdós,* en Sur, n.º 104, Buenos Aires, 1943. — GUILLERMO DE TORRE, *Apología, ocaso y revaloración de
Galdós,* en Nac, 9 de mayo de 1943. — GUILLERMO DE TORRE, *Dos aspectos
de Galdós. Su intimidad oculta y su republicanismo evidente,* en ERBA, 1 de
mayo de 1943. — GUILLERMO DE TORRE, *Galdós y su mundo novelesco: nueva
estimativa,* en Nac, 4 de julio de 1943. — J. B. TREND, *A Picture of Modern
Spain,* Boston and New York, 1921. — MARÍA ZAMBRANO, *La mujer en la
España de Galdós,* en RevCub, vol. XV, La Habana, enero-marzo de 1943.

B. NOVELA

JOSÉ A. BALSEIRO, *Novelistas españoles modernos,* New York, 1933. — H. C. BERKOWITZ, *Galdós and Mesonero Romanos,* en *Romanic Review,* v. XXII, 1932. — FRANCISCO BLANCO GARCÍA, *La literatura española en el siglo XIX,* parte segunda, Madrid, 1903. — JOAQUÍN CASALDUERO, *Ana Karenina y Realidad* en BHi, octubre 1937. — GEORGES CIROT, *Un grand romancier español: Benito Pérez Galdós,* en RPh, 1920, XXIII, 3. — J. D. FITZ-GERALD, *Doña Perfecta,* en MLN, t. XXI, 1906. — ANGEL GANIVET, *Epistolario* (Cartas 20, 22, 26), Madrid, 1919. — FRANCISCO GINER DE LOS RÍOS, *Un novelista español* (sobre *La Fontana de Oro),* en *Obras completas,* v. 3, Madrid, 1919. — FRANCISCO GINER DE LOS RÍOS, sobre *La familia de León Roch,* en *Obras completas,* v. 15, Madrid, 1926. — EDUARDO GÓMEZ DE BAQUERO, *Novelas y novelistas,* Madrid, 1918. — CATHERINE E. LAW, *The genesis of Doña Perfecta* (tesis para el grado de Master, Biblioteca de Smith College, Northampton). — ARTHUR L. OWEN, *The Torquemada of Galdós,* en HC, 1924, VII, 165-170. — G. PORTNOFF, *La literatura rusa en España,* Nueva York, 1932. — ANGEL DEL RÍO, Introducción, *Torquemada en la hoguera,* Nueva York, 1932. CARLOS ROVETTÁ, *El naturalismo de Galdós,* en Nos, n.° 77, Buenos Aires, agosto, 1942. — CARLOS ROVETTÁ, *El naturalismo de Galdós en "La desheredada",* en Nos, n.° 84, marzo de 1943. — RAMÓN MARÍA TENREIRO, *Galdós, novelista,* en *La Lectura,* 1920, I, 321-335. — F. VÉZINET, *Les maîtres du roman espagnol contemporain,* París, 1907. — L. B. WALTON, *Pérez Galdós and the Spanish novel of the 19th Century,* Londres, 1928. — MARÍA ZAMBRANO, *Misericordia,* en *Hora de España,* 1938, XXI.

C. EPISODIOS NACIONALES

MARCEL BATAILLON, *Les sources historiques de "Zaragoza",* en BHi, 1921, págs. 129 y ss. — G. BOUSSAGOL, *Sources et composition du "Zumalacárregui" de B. Pérez Galdós,* en BHi, 1924, 241. — MATILDE CARRANZA, *El pueblo visto a través de los "Episodios nacionales"* (tesis universitaria), San José de Costa Rica, 1942. — LOUIS LANDE, *Le roman patriotique en Espagne: Les "Episodios nacionales" de B. Pérez Galdós,* en RDM, 15 de abril, 1876. — A. MASRIERA, *Aita Tettauen,* DB, 30 de marzo, 1905. — ROBERT RICARD, *Note sur la genèse de l'"Aita Tettauen" de Galdós,* en BHi, 1935, pág. 474. — J. SARRAILH, *Quelques sources du "Cádiz" de Galdós,* en BHi, 1921, págs. 33 y ss. — CARLOS VÁZQUEZ ARJONA, *Un episodio nacional de B. Pérez Galdós, "El 19 de marzo*

y el 2 de mayo" (Cotejo histórico), en BHi, 1931, págs. 116 y ss. — CARLOS
VÁZQUEZ ARJONA, Un episodio nacional de Galdós, "Bailén" (Cotejo histórico),
en BSS, IX (1932), 116.

D. TEATRO

H. C. BERKOWITZ, Introducción, El abuelo, New York, 1929. — MANUEL
BUENO, Teatro español contemporáneo, Madrid, 1909. — JOSÉ DÍAZ, Electra,
Barcelona, 1901. — HAVELOCK ELLIS, "Electra" and the progressive movement
in Spain, The Critic, v. 39, 1901. — ALFREDO DE LA GUARDIA, Galdós dramaturgo, en Nac, 9 de mayo de 1943. — G. LENORMAND, A propos de l'"Electra"
de Galdós, en Revue Hispanique, VIII, 1901. — E. DE LUSTANÓ, El primer
drama de Galdós, en Nuestro tiempo, 1902, I. — ERNEST MARTINENCHE, El
abuelo, en Revue Latine, IV, 419. — ERNEST MARTINENCHE, Le théâtre de
B. Pérez Galdós, en RDM, 5.e période, v. 32, 1906, 815. — S. GRISWOLD
MORLEY, Introducción, Mariucha, Nueva York, 1921. — S. GRISWOLD MORLEY,
A posthumous drama of Pérez Galdós, en HC, 1923. — LUIS MOROTE, Teatro
y novela, Madrid, 1906. — F. NAVARRO LEDESMA, Electra, en La Lectura, I,
1901. — EMILIA PARDO BAZÁN, Realidad, Obras completas, v. 6. — RAMÓN PÉ-
REZ DE AYALA, Las Máscaras, Madrid, 1917. — JACOB WARSHAW, Introducción,
La loca de la casa, Nueva York, 1929. — JACOB WARSHAW, Galdós, appren-
ticeship in the drama, en MLN, IV, 1929. — JOSÉ YXART, El arte escénico en
España, Barcelona, 1894.

E. VARIA

RAFAEL ALTAMIRA, De historia y arte, Madrid, 1898. — RAFAEL ALTAMIRA,
Psicología y literatura, Madrid, 1905. — RAFAEL ALTAMIRA, Arte y realidad,
Barcelona, 1921. — AZORÍN, Lecturas españolas, Madrid, 1920. — AZORÍN,
El paisaje de España, Madrid, 1923. — ARTURO BERENGUER CARISOMO, En
torno a Pérez Galdós, en RAPE, año XI, n.º 180, mayo, 1943. — H. C. BER-
KOWITZ, The youthful writings of Pérez Galdós, en HR, 1933, I. — JUAN DO-
MENECH, El humano Don Benito Pérez Galdós, en RAPE, año XI, n.º 180,
mayo 1943. — C. EGUÍA RUIZ, El españolismo de Pérez Galdós, Razón y Fe,
1920, LVI y LVII. — MANUEL GÁLVEZ, Benito Pérez Galdós, en RAPE, año
XI, n.º 180, mayo 1943. — W. S. HENDRIX, Notes on collections of "types",
a form of costumbrismo, en HR, 1933, I. — ALBERTO INSÚA, Galdós en la
Argentina, en PrBA, 16 de mayo de 1943. — HAYWARD KENISTON, Galdós,
interpreter of Life, en HC, 1920, III. — F. M. KERCHEVILLE, Galdós and the

new humanism, en MLJ, 1932, XVI. — ANGEL LÁZARO, *La vuelta a Galdós*, en NE, n.º 5, febrero de 1940. — EDUARDO MALLEA, *Ligera digresión que empieza por Galdós*, en Leo, 16 de junio de 1943. — PEDRO MASSA, *El Madrid galdosiano, Rincones y perfiles de la villa más amados por el novelista*, en PrBA, 17 de diciembre de 1939. — R. OLBRICH, *Syntaktisch-stilistische Studien über B. Pérez Galdós*, Hamburgo, 1937. — FEDERICO DE ONÍS, *El españolismo de Galdós*, en *Ensayos sobre el sentido de la cultura española*, Madrid, 1932. — G. PORTNOFF, *The beginning of the new idealism in the works of Tolstoy and Galdós*, en *Romanic Review*, 1932, XXIII. — RICARDO ROJAS, *El alma española*, Valencia (sin fecha). — S. SCATORI, *La idea religiosa en la obra de B. Pérez Galdós*, Toulouse-Paris, 1927. — RODRIGO SORIANO, *Don Benito*, en ELS, mayo de 1943. — F. COURTNEY TARR, *Prepositional complementary clauses in Spanish with special reference to the works of Pérez Galdós*, Nueva York-París, 1922. — MIGUEL DE UNAMUNO, *La sociedad galdosiana*, en *La Lectura*, 1920, I. — JOSÉ VENEGAS, *Pérez Galdós es un símbolo del empeño generoso del pueblo español*, en *Noticias Gráficas*, Buenos Aires, 9 de mayo de 1943.

F. APÉNDICE

VICENTE ALEIXANDRE, *Don Benito Pérez Galdós sobre el escenario*, en *Revista Shell*, 1956, VI, n.º 23. — A. ALONSO, *Lo español y lo universal en la obra de Galdós*, en UNC, 1945, n.º 3, 35-53. — RAFAEL ALTAMIRA, *La mujer en las novelas de Pérez Galdós*, en CorABA, 10, 17 y 24 julio 1943. — ENRIQUE ANDERSON IMBERT, *Un drama ibseniano de Galdós*, en *Sur*, 1948, XVI, n.º 167, 26-31. *(El abuelo.)* — MAX AUB, *Discurso de la novela española contemporánea*, México, El colegio de México, 1945, 108 págs. (Jornada 50. De Pérez Galdós a Herrera Petere.) — FRANCISCO AYALA, *Sobre el realismo en la literatura, con referencia a Galdós*, en *Experiencia e invención* (Taurus, Madrid, 1960) 171-204. — M. BAQUERO GOYANES, *La caricatura literaria de Galdós*, en BBMP, 1960, XXXVI, n.º 4, 331-62. — JOSÉ BERGAMÍN, *Mundo y trasmundo de Galdós*, en HP, 1943, I, 292-295. — H. CHONON BERKOWITZ, *La biblioteca de Benito Pérez Galdós. Catálogo razonado precedido de un estudio preliminar*, en MuC, 1947, VIII, n.º 21-22, 69-96. — H. CHONON BERKOWITZ, *La biblioteca de Benito Pérez Galdós. Catálogo razonado precedido de un estudio*, Las Palmas, Edic. El Museo Canario, 1951, 227 págs. — J. G. BRUTON, *Galdós visto por un inglés y los ingleses vistos por Galdós*, en RevInd, 1943. XVII, n.º 53, 279-283. — ARTURO CAPDEVILA, *El pensamiento vivo de Galdós*, Buenos Aires, Losada, 1944, 238 págs. (Biblioteca del *Pensamiento Vivo*, XX, 28.) — JOSÉ CARNER, *La España de Pérez Galdós*, en FyL, 1943, V, 75-84 y 215-222. —

JULIO CASARES, Crítica efímera (índice de lecturas): Galdós, Palacio Valdés, Unamuno, Blasco Ibáñez, Miró, etc., 2.ª ed. muy aumentada, Madrid, Espasa-Calpe, 1944, 388 págs. (Obras completas, II.) — V. CASTRO, Perspectiva de "Marianela", en A, 1943, LXXII, 141-144.—CLEMENTE CIMORRA, Galdós, Buenos Aires, Edit. Nova. 1947, 156 págs. — C. CLAVERÍA, El pensamiento histórico de Galdós, en RNC, 1957, n.º 121-22, 170-177. — C. CLAVERÍA, Sobre la veta fantástica en la obra de Galdós. I y II, en Atla, 1953, I, n.º 2 y 3. — EDNA HAIGHT COBB, Children in the novels of Benito Pérez Galdós, Thesis de la Univ. de Kansas, 1952. — ADA M. COE, An unpublished letter from Pérez Galdós, en HR, 1946, XIV, 304-342. — GUSTAVO CORREA, El arquetipo de Orbajosa en "Doña Perfecta", en LT, 1959, VII, n.º 26, 123-36. — GUSTAVO CORREA, Los elementos bíblicos en "Gloria", en QIA, n.º 25, 1960, 1-8. — GUSTAVO CORREA, Configuraciones religiosas en "La Familia de León Roch", en RHM, XXVI, 1960, 85-96. — NED J. DAVISON, Galdós' conception of beauty, truth and reality in art, en HW, 1955, XXXVIII, 52-54. — T. L. C. DAWSON, Religion and anticlericalism in the novels of Benito Pérez Galdós, Tesis de la Univ. de Toronto, 1957. — ENRIQUE DÍEZ-CANEDO, Galdós y el teatro, en FyL, 1943, V, 223-235. — LUIS DURAND, Impresión galdosiana, en A, 1943, LXXII, 160-164. — SHERMAN H. EOFF, The novels of Pérez Galdós. The concept of life as dynamic process, Saint Louis, Washington University, Committee on Publications, 1954, 178 págs. (Washington University Studies.) SHERMAN H. EOFF, The formative period of Galdós' social-psychological perspective, en RRQ, 1950, XLI, 33-41. — ALFONSO M. ESCUDERO, Contribución a la bibliografía de Pérez Galdós, en A, 1943, LXXII, 178-196. — MELCHOR FERNÁNDEZ ALMAGRO, Teatro al margen, en Ins, 1954, IX, n.º 100-101. (En defensa del teatro de Pérez Galdós, Unamuno, Valle-Inclán, Azorín, los Machado.) — SHIRLEY R. FITE, The literary origins of "Realidad", by Benito Pérez Galdós. (Tesis de la Univ. of Minnesota, 1958.) — J. FRADEJAS LEBRERO, Para las fuentes de Galdós, en RL, Madrid, 1953, IV, n.º 8. — ALBERTO GHIRALDO, Don Benito Pérez Galdós, en A, 1943, LXXII, 165-177. — STEPHEN GILMAN, Realism and the Epic in Galdós' "Zaragoza", en Homenaje a A. M. Huntington, Wellesley, Mass. 1952, 171-192. — STEPHEN GILMAN, S. H. EOFF, The novels of Pérez Galdós, en RF, 70, 1958. — STEPHEN GILMAN, La palabra hablada y "Fortunata y Jacinta", en NRFH, 1962. — STEPHEN GILMAN, Las referencias clásicas de "Doña Perfecta": tema y estructura de la novela, en NRFH, 1949, III, 353-362. — J. GIMENO CASALDUERO, El tópico en la obra de Pérez Galdós, en BDP, enero-abril 1956, 37-52. — J. GIMENO CASALDUERO, Una novela y dos desenlaces: "La fontana de Oro", en A, 88, 1955, 6-8. — GASPAR GÓMEZ DE LA SERNA, España en sus episodios nacionales, Madrid, Edic. del Movimiento, 1954. (Estudia a Pérez Galdós, Valle-Inclán, Pedro Antonio de Alarcón, etc.). — JOSÉ M. GUIMERÁ, Galdós o la sencillez, en MuC, 1946, VII, n.º 18, 1-17. — RICARDO GULLÓN, *Galdós, novelista moderno*, Madrid, Taurus, 1960, 300 págs. — MONROE Z. HAFTER, *The Hero in Galdós' "La Fontana"*, en MPh, LVII n.º 1, 1959, 37-43. — MONROE Z. HAFTER, *Ironic Reprise in Galdós' Novels*, en PMLA, LXXVI, n.º 3, 1961, 233-39. — H. B. HALL, *Algo sobre Benito Pérez Galdós y sus novelas*, en *El Clarín*, 1957, n.º 21. J. CHALMERS HERMAN, *"Don Quijote" and the novels of Pérez Galdós*, East Central Oklahoma State College, 1955, 66 págs. — J. CHALMERS HERMAN, *Galdós' expressed appreciation for "Don Quijote"*, en MLJ, 1952, XXXVI, 31-34. ELEAZAR HUERTA, *Galdós y la novela histórica*, en A, 1943, LXXII, 99-107 (RFH). — JORDÉ, v. SUÁREZ FALCÓN, JOSÉ. — F. KELIN, *Benito Pérez Galdós entre nosotros*, en LitIn, 1945, IV, n.º 1, 64-66. — ROBERT KIRSNER, *Galdós and the generation of 1898*, en HW, 1950, XXXIII, 240-242. — ROBERT KIRSNER, *Pérez Galdós' vision of Spain in "Torquemada en la hoguera"*, en BSS, 1950, XXVII, 229-235. — ROBERT KIRSNER, *Sobre "El amigo Manso"*, de Galdós, Separata de *Cuadernos de Literatura*, Madrid, 1950, fasc. 22-23-24, págs. 189-200 (paginación propia). — ROBERT KIRSNER, *Galdós' attitude toward Spain as seen in the characters of "Fortunata y Jacinta"*, en PMLA, 1951, LXVI, 124-137. — ROBERT KIRSNER, *Galdós and Larra*, en MLJ (1952), XXXV, 210-213. — A. LÁZARO, *España en su novelista: Galdós*, en RevCub, 1945, XL, 42-65 (NRFH). — ULRICH LEO, *"Doña Perfecta" y "Doña Bárbara": Un caso de ramificación literaria*, en RevIb, 1950, XVI, 13-29. — L. LIVINGSTONE, *Interior duplication and the problem of form in the modern Spanish novel*, en PMLA, 73 (1958), 393-406. (Sobre todo en Galdós, Unamuno y Pérez de Ayala.) — F. MADRID, *En el centenari de Pérez Galdós: Les novelles de Narcis Oller "Don Benito"*, en *Catalunya*, 1943, XIV, n.º 150, págs. 22-23. — GREGORIO MARAÑÓN, *El mundo por la claraboya*, en Nac, 30 nov. 1952. (Sobre Galdós, *La de Bringas*.) — R. A. MAZZARRA, *Some fresh "perspectivas" on Galdós' "Doña Perfecta"*, en H, 1957, XL, 49-56. — JUAN MENÉNDEZ Y ARRANZ, *Un aspecto de la novela "Fortunata y Jacinta"*, Madrid, Martín Villagroy, 1952, 74 págs. — S. MENDIETA, *Centenario de Pérez Galdós*, en RepAm, 17 julio 1943. — JOHN P. NETHERTON, *The "Novelas españolas contemporáneas" of Pérez Galdós: A study in method*, Tesis de la Univ. de Chicago, 1951. A. H. OBAID, *Galdós y Cervantes*, en H, 1958, XLI, 259-273. — A. H. OBAID, *La Mancha en los "Episodios Nacionales"*, en H, 1958, XLI, 42-47. — C. OLLERO, *Galdós y Balzac*, en Ins, 1952, VII, n.º 82. — FEDERICO DE ONÍS, *El humorismo en Galdós*, en ND, 1958, XXXVIII, n.º 4, 26-27. — JOSÉ DE ONÍS, *La lengua popular madrileña en la obra de Pérez Galdós*, en RHM, 1949, XV, 353-363; MuC, 1949, X, n.º 31-32, 209-226. — WALTER T. PATTISON, *Benito Pérez Galdós and the creative process*, Minneapolis, University of Minnesota Press, 1954, ix-146 págs. — R. PÉREZ DE AYALA, *Don Benito Pérez Galdós*, en UNC, 14 junio 1955. (NRFH). — DOMINGO PÉREZ MINIK, *Debates sobre el*

teatro español contemporáneo, Santa Cruz de Tenerife, 1953. (Pérez Galdós, Ló-
pez Pinillos, etc.) — JOSÉ PÉREZ VIDAL, *Galdós, crítico musical,* Madrid, Patronato de la Casa de Colón (1956), 211 págs. (Biblioteca Atlántica.) — JOSÉ
PÉREZ VIDAL, *Galdós en Canarias (1843-1862),* Las Palmas, C. S. I. C., Museo
Canario, 1952, 146 págs. — JOSÉ PÉREZ VIDAL, *Pérez Galdós y la Noche de
San Daniel,* en RHM, 1951, XVII, 94-110. — P. DE RÉPIDE, *Pérez Galdós,* en
RNC, 1943, VI, n.º 41, 116-149. — ALFONSO REYES, *Sobre Galdós,* en CuA,
1943, II, 4, págs. 234-239. — ROBERT RICARD, *Galdós devant Flaubert et Al-
phonse Daudet,* en *Les Lettres Romanes* (1959), XIII, n.º 1. — ROBERT RI-
CARD, *Deux romanciers: Ganivet et Galdós. Affinités et oppositions,* en BHi,
1958, LX, 484-499. — ROBERT RICARD, *L'évolution spirituelle de Pérez Galdós,*
Paris, Université de Paris. Centre de Documentation Universitaire (s. f.). —
ROBERT RICARD, *Un roman de Galdós: "Lo prohibido",* Separata de *Les Lan-
gues Néo-Latines* [París], 1960, n.º 155, 15 págs. — ROBERT RICARD, *Sur le
personnage d'Almudens dans "Misericordia",* en BHi, 1959, LXI, n.º 1, páginas 13-25. — ANGEL DEL RÍO, *Aspectos del pensamiento moral de Galdós,* en
CuA, 1943, II, n.º 6, págs. 147-168. — ANGEL DEL RÍO, *Estudios galdosianos,*
Zaragoza, Librería General, 1953, 143 págs. (Biblioteca del Hispanista.) — AN-
GEL DEL RÍO, *La significación de "La loca de la casa",* en CuA, 1945, IV, n.º 3,
págs. 237-268. — ANGEL DEL RÍO, *Trabajos recientes sobre Galdós,* en RHM,
1945, XI, 52-56. — ANGEL DEL RÍO, *Notas sobre el tema de América en Galdós,*
en NRFH, 1952. — PAUL PATRICK ROGERS, *Galdós' and Tamayo's letter-subs-
titution device,* en RRQ, 1954, XLV, 115-120. — PAUL PATRICK ROGERS, *A
Galdosian parallel for part of Guzmán's "El águila y la serpiente",* en HR,
1950, XVIII, 66-68. — ANTONIO R. ROMERA, *Estampa de Galdós,* en A, 1943,
LXXII, 108-120. — M. ROSSEL, *Valoración de Galdós,* en A, 1943, LXXI,
121-134. — C. ROVETTÁ, *El naturalismo de Galdós: "Misericordia",* en Nos,
1942, XVIII, 203-209. — A. RÜEGG, *Der sogenannte Antiklerikalismus von Galdós,* en SchR, 1958, LVIII, n.º 9. — LUIS ALBERTO SÁNCHEZ, *Espacio y tiem-
po: Volviendo a Pérez Galdós,* en RepAm, 17 julio 1943. — A. SÁNCHEZ-BAR-
BUDO, *Vulgaridad y genio de Galdós; El estilo y la técnica de "Miau",* Oviedo,
Universidad de Oviedo, Facultad de Filosofía y Letras, 1958, 28 págs. 13-25.
(Separata de AO, 1957, VII, págs. 48-75). — JOSÉ LUIS SÁNCHEZ TRINCADO,
Galdós, Caracas, Elite, 1943, 72 págs. — R. SCHIMMEL, *Algunos aspectos de la
técnica de Galdós en la creación de "Fortunata",* en AO, 1957, VII, 77-100. —
JOSEPH SCHRAIBMAN, *Dreams in the novels of Galdós,* Hispanic Institute, New
York, 1960, 199 págs. — W. H. SHOEMAKER, *Galdós' classical scene in "La
de Bringas",* en HR, 1959, XXVII, 423-434. — W. H. SHOEMAKER, *Galdós'
literary creativity: D. José Ido del Sagrario,* en HR, 1951, XIX, 204-237. —
W. H. SHOEMAKER, *Galdós' "La de los tristes destinos" and its Shakespearian
connections,* en MLN, 1956, LXX, 114-119. — DAVID T. SISTO, *"Doña Per-*

fecta" and "Doña Bárbara", en HW, 1954, XXXVII, 167-170. — JOSÉ
SUÁREZ FALCÓN, *Galdós y el teatro contemporáneo,* Las Palmas, Canarias, Imp.
T. E. M., 1943, 123 págs. (Usa el pseudónimo JORDÉ.) — DOUGLAS B. SWETT,
A study of the carlist wars as a literary theme in the "Episodios nacionales"
of Benito Pérez Galdós (Tesis de la Univ. de Southern California, 1948). —
ESTHER BERTHA SYLVIA, *El primer período de la manera naturalista de B. P. G.*
(Tesis de Doctorado. Middlebury College, 1947). — A. TERRUELLA, *La novela*
galdosiana, en REH, 1954, I, págs. 131-160. — GUILLERMO DE TORRE, *Itinera-*
rio de Galdós, en *Sur,* 1943, XII, n.º 104, págs. 72-85. — GUILLERMO DE TO-
RRE, *Nueva estimulación de Galdós y su mundo novelesco,* en Nac, 4 julio
1943. — GUILLERMO DE TORRE, *Redescubrimiento de Galdós,* en Ins, 1958,
XIII, n.º 136; Nos, mayo 1958; Nac, 9 marzo 1958. — JAIME TORRES BODET,
Tres inventores de realidad, México, Imprenta Universitaria, 1955. (Sobre:
Stendhal, Dostoiewsky y Pérez Galdós.) — JULIO TORRI, *Una nota sobre*
Galdós, en CuA, 1943, II, n.º 4, págs. 240-241. — G. TRILLAS, *Un hombre*
perenne, Pérez Galdós, en RepAm, 17 junio 1943. — F. URIARTE, *El comercio*
en la obra de Galdós, en RevB, 1956, n.º 230. — E. VARELA HERVÍAS, *Cartas*
de Pérez Galdós a Mesonero Romanos, Madrid, Artes Gráficas Municipales,
1943, 41 págs. — FRANCESCO VIAN, *La Spagna di Galdós,* en Aev, 1950, XXIV,
n.º 6, 515-527. — J. VEGA, *Una trampa de Galdós: el episodio "Zumalacárre-*
gui", en IAL, 1957, XI, n.º 97. — DORESTE VENTURA, *Una carta inédita de*
Galdós, Teide, Las Palmas. — J. P. WONDER, *Some aspects of present-parti-*
cipal usage in six modern Spanish novelists, en H, 1955, XXXVIII, 193-201.
A. YÁÑEZ, *La novela de Pérez Galdós,* en UNC, 1947, n.º 10, 29-35. — A.
YÁÑEZ, *Traza de la novela galdosiana,* en CuA, 1943, n.º 5, — MARÍA
ZAMBRANO, *Nina, o la misericordia,* en Ins, 1959, XIV, n.º 151. Número dedi-
cado, en Ins, 1942, VII, n.º 82, 12 págs. — *Centenario de Galdós,* en RHM,
1943, IX, 289-294. — *Don Benito Pérez Galdós,* en RAPE, 1943, XIII, n.º 180.
(Homenaje.) — Número dedicado a Benito Pérez Galdós, *Cursos y Conferen-*
cias, Buenos Aires, 1943, XXIV, n.º 139-40-41, 143 págs. (Contiene: ROBERTO
F. GIUSTI, *Prefacio. La obra galdosiana;* RAFAEL ALBERTI, *Un episodio nacio-*
nal: Gerona; GUILLERMO DE TORRE, *Nueva estimativa de las novelas de Galdós;*
JACINTO GRAU, *El teatro de Galdós;* JOSÉ MARÍA MONNER SANA, *Galdós y la*
generación de 1898; MARÍA TERESA LEÓN, *Una mujer de Galdós que no está*
en sus novelas; ALEJANDRO CASONA, *Galdós y el romanticismo;* ANGEL OSSORIO,
El sentido popular de Galdós; RICARDO BAEZA, *Fortunata y Jacinta.*)

INDICE DE NOMBRES PROPIOS

INDICE GENERAL